DU MÊME AUTEUR

(liste sélective)

LA FIÈVRE HEXAGONALE : LES GRANDES CRISES POLITIQUES,
1871-1968, Paris, Calmann-Lévy, 1986 ; rééd. « Points Histoire », 1987.

LE SOCIALISME EN FRANCE ET EN EUROPE, XIXᵉ-XXᵉ SIÈCLE,
« Points Histoire », 1992.

LE SIÈCLE DES INTELLECTUELS, Paris, Éd. du Seuil, 1997 ; rééd. « Points
Histoire », 2015. *Prix Médicis essai.*

LES VOIX DE LA LIBERTÉ. LES ÉCRIVAINS ENGAGÉS AU
XIXᵉ SIÈCLE, Paris, Éd. du Seuil, 2001 ; rééd. « Points Histoire », 2010. *Prix R. de Jouvenel
de l'Académie française.*

LA FRANCE POLITIQUE, XIXᵉ-XXᵉ SIÈCLE, « Points Histoire », 2003.

L'AGONIE DE LA IVᵉ RÉPUBLIQUE. 13 MAI 1958, Paris, Gallimard, coll. « Les
Journées qui ont fait la France », 2006 ; rééd. Folio Histoire, 2013.

LA GAUCHE EN FRANCE, Paris, Perrin, coll. « Tempus », 2006.

CLEMENCEAU, Paris, Perrin, 2007 ; rééd. « Tempus ». *Prix Aujourd'hui.*

LE XXᵉ SIÈCLE IDÉOLOGIQUE ET POLITIQUE, « Tempus », 2009.

MADAME DE STAËL, Paris, Fayard, 2010 ; rééd. « Pluriel », octobre 2012. *Prix Goncourt de
la biographie. Grand prix Gobert de l'Académie française.*

FLAUBERT, Paris, Gallimard, coll. « Biographies NRF », 2013. *Prix Édouard Bonnefous, de
l'Académie des sciences morales et politiques.*

Biographies *nrf* Gallimard

Michel Winock

FRANÇOIS MITTERRAND

nrf

GALLIMARD

Le personnage de François Mitterrand fascine. Acteur politique de premier plan sous la IVe et plus encore sous la Ve République, il a dirigé sa longue vie comme dans un roman, car elle fut, si l'on reprend la définition de Stendhal, « un miroir qui se promène sur une grande route ». Mais les bornes kilométriques commencent aujourd'hui à s'estomper.

Ministre quasi inamovible sous la IVe République, où les gouvernements se succédèrent en cascade, Mitterrand se distinguait déjà, très jeune, par son charme personnel, ses talents oratoires, ses intuitions politiques et, plus encore, l'ambition tenace de se forger un « destin national ». Le naufrage du régime, qui reléguait dans l'obscurité tant d'hommes politiques aujourd'hui oubliés, allait au contraire le propulser au-devant de la scène. Il sera le premier opposant à la nouvelle Constitution avant d'en devenir vingt-trois ans plus tard le premier magistrat et le sourcilleux défenseur : après l'éternel ministre d'une république ingouvernable, après le censeur du césarisme gaullien, le voici installé dans la tunique d'un « monarque républicain » dont le règne aura duré deux septennats — un record.

De tous les présidents de la Ve République François Mitterrand est, avec de Gaulle, après de Gaulle, le chef d'État qui aura laissé une empreinte durable aussi bien sur la marche de nos institutions que sur notre paysage politique, et singulièrement sur les destinées du socialisme français. Lui qui s'était érigé en adversaire implacable d'un régime qu'il qualifiait de « coup d'État permanent » a su glisser sans transition, une fois élu, dans la fonction présidentielle que de Gaulle avait taillée à sa propre mesure. Ce pouvoir redoutable, inséparablement politique et symbolique, il l'a incarné avec aisance, naturel et une certaine majesté, quand bien même il lui arrivait d'en abuser, au plan politique comme au plan personnel. Pour avoir épousé l'esprit des institutions qu'il avait tant décriées, Mitterrand en a assuré la continuité, et notamment en période de « cohabitation » avec ses adversaires politiques, situation que n'avait connue aucun de ses prédécesseurs ; cet homme doué d'instincts politiques exceptionnels réussit là à inventer littéralement — ce n'était pas donné à tout le monde — la double fonction réunie de chef d'État garant de la Constitution et… de leader de l'opposition.

L'historien n'oublie pas non plus que le parcours politique de François Mitterrand se confond avec l'histoire de la gauche française dans la seconde moitié du XXᵉ siècle. C'est lui qui a le premier, et pour ainsi dire tout seul, conçu le projet de recréer l'union de la gauche. Non parce qu'il éprouvait quelque affinité avec le parti communiste français — il ne nourrissait à son endroit aucune illusion —, mais parce qu'il voyait dans cette alliance l'unique moyen de mettre en place les conditions du retour de la gauche au pouvoir et de son propre avènement à la magistrature suprême. Sa victoire à l'élection présidentielle de 1981 contribua paradoxalement à vérifier la pérennité des institutions en banalisant l'alternance politique.

Quand je revisite ces épisodes, je ne peux m'empêcher d'observer — et ici le biographe rejoint l'historien — que la vie de François Mitterrand se lit en effet comme le récit grand ouvert d'un enfant du siècle dernier, dont on n'a pas dit le dernier mot : de la jeunesse « barrésienne » à la présidence de la République, en passant par Vichy, la Résistance, les coulisses de la IVᵉ République, la longue et turbulente traversée du désert avant d'incarner les espoirs de la gauche qu'il avait ralliée sur le tard, cet homme a beaucoup vécu en voulant donner l'impression d'être resté toujours le même. Ces vies successives qui n'en font qu'une suffisent à solliciter le biographe.

Je savais qu'un jour je finirais par m'y atteler. Mais je ne voulais pas procéder à la manière des biographes qui suivent leur héros pas à pas du berceau à la tombe dans une restitution visant à l'exhaustivité. Je n'ai aucune prévention de principe contre ce genre de biographie et j'en connais plusieurs qui sont dignes d'éloges. Mais une telle approche de la vie de François Mitterrand ne me séduit guère. D'abord, parce qu'elle a été faite, et bien faite, du moins par fragments : il existe plusieurs livres, certains excellents, qui racontent son enfance, ses années de guerre, l'union de la gauche, les deux septennats, sa politique étrangère, sa vie intime et même le chapitre final de la maladie et de la mort. Ensuite, parce qu'il ne me paraît pas nécessaire de reconstituer au jour le jour la vie de François Mitterrand pour pénétrer la complexité du personnage et apprécier le rôle qu'il a joué dans l'histoire politique de notre pays ; pour essayer, surtout, de faire la part de la cohérence et des contradictions de cet homme qui a traversé les époques, les milieux, les convictions sans jamais en renier aucune.

La biographie que j'ai voulu écrire, et que je livre aujourd'hui au lecteur, ne se veut donc ni exhaustive ni fragmentaire. En embrassant, après d'autres, mais autrement, la vie de François Mitterrand, elle vise à mettre en miroir sa carrière politique et son itinéraire personnel : c'est là où se donne à lire, ou se laisse entrevoir, la vérité de cet homme complexe et, à beaucoup d'égards, insaisissable. Dans une biographie de De Gaulle, ou de Mendès France, ou d'Eisenhower, la part du privé, de l'intime, peut occuper une place sensiblement moins importante que l'action publique avec laquelle elle interfère assez peu. Tel n'est pas le cas de François Mitterrand. Ici, le privé et le public paraissent si intimement noués que l'un n'est intelligible précisément qu'à la lumière de l'autre ; Mitterrand lui-même en serait probablement convenu.

Du vivant de celui-ci, j'ai été un citoyen français comme un autre, alternant entre le consentement et la désapprobation. Ici, avec le recul, j'ai tenté autant que j'ai pu d'analyser une vie pour comprendre un homme et un moment de notre histoire, en tirer le plus possible de vérité, sans prononcer de verdicts. Je n'ai pris querelle ni pour Mitterrand ni pour ses détracteurs, m'appliquant à éviter le pamphlet autant que le plaidoyer.

J'ai donc choisi de privilégier dans cette biographie les traits, les paysages, les rencontres, les passions et les épisodes qui dessinent par touches successives, de la plus lointaine enfance jusqu'à la mort, le portrait de cet homme singulier.

UN « ENFANT BARRÉSIEN »

« Ce qu'on dit de soi est toujours poésie », lit-on dans les *Souvenirs d'enfance et de jeunesse* de Renan. François Mitterrand n'a pas écrit de Mémoires, mais, à maintes reprises, il est revenu, non sans nostalgie, sur les premières années de sa vie passées en Charente. François Mauriac, qui fut un ami de sa mère, et qui fera toujours preuve à son égard, malgré leurs divergences politiques, de sympathie active, le connaît bien : « Il a été, écrivait-il en 1959, un garçon chrétien, pareil à nous, dans une province. Il a rêvé, il a désiré comme nous, devant ces coteaux et ces forêts de la Guyenne et de la Saintonge qui moutonnaient sous son jeune regard et que la route de Paris traverse. Il a été cet enfant barrésien "souffrant jusqu'à serrer les poings du désir de dominer la vie[1]". »

Les récits, biographiques ou autobiographiques, sur l'enfance du futur président de la République laissent effectivement dans l'esprit du lecteur comme un écho des ouvrages de Maurice Barrès, et particulièrement cette célèbre conférence prononcée en 1899, « La terre et les morts », où le chef de file du nationalisme français définissait la conscience nationale comme la symbiose entre la terre où nous sommes nés et le culte des morts dont nous sommes « les prolongements ». Il en appelait à

b. 1862
d. 1923

---

1. François Mauriac, *Bloc-notes, t. II: 1958-1960*, Éd. du Seuil, 1993, p. 333. (Quand le lieu d'édition n'est pas indiqué il s'agit de Paris.)

l'appartenance, non à une patrie abstraite, mais à une « France de chair et d'os ». L'union des Français devait s'exprimer par la polyphonie des provinces, des régions, des terroirs qui concourent au génie de la nation : « respecter les particularités locales » était un impératif.

Sa terre à lui, François Mitterrand, c'est la Saintonge, la région charentaise où il est né en 1916 et à laquelle il est resté fidèle jusqu'au bout. En 1994, il confiait à *La Charente libre*, à l'occasion du cinquantième anniversaire de ce journal, son « excès de patriotisme local » : « Je me sens chez moi en Charente. Les qualités du ciel, de la terre, des productions, de la vie, des hommes représentent pour moi un certain modèle de civilisation. » Loin de sa province, il aime à se remémorer ses vertus d'équilibre, de silence, de continuité : « Il existe une Charente presque immuable. Me permettra-t-on de dire que c'est celle-là que je garde en permanence dans mon cœur. »

La terre et les morts

Les heures de son enfance sont partagées entre Jarnac, où il est né et où habitent ses parents, et, à soixante-dix kilomètres de là, à Nabinaud, non loin d'Aubeterre-sur-Dronne, la maison isolée de Touvent, le « domaine enchanté » du grand-père maternel Jules Lorrain, où il passe une partie de l'année[1]. Entre bois, rivières, coteaux et forêts, il s'immerge dans la nature : « J'avais la tête pleine de musique naturelle : le vent qui claque sec, la rivière. Chaque heure avait son odeur. J'avais une vie sensorielle[2]. » Il s'enivre des paysages, parcourt à bicyclette les sentiers bordés de haies d'épines, s'attarde devant les arbres sécu-

---

1. Voir Robert Mitterrand, *Frère de quelqu'un*, Robert Laffont, 1998, p. 47 et suiv.
2. François Mitterrand, Élie Wiesel, *Mémoire à deux voix*, Éd. Odile Jacob, 1995, p. 13.

laires, le chêne rouvre ou le pin limousin, jouit de la lumière unique, du soleil vif et chaud sur les blés prêts à mûrir, célèbre secrètement en vers la Seudre, la Charente, la Gironde. Il aime visiter les églises romanes, dont la région regorge : déjà à Jarnac, l'ancienne abbatiale du XIe siècle, à Aubeterre l'église monolithe dédiée à saint Jean, plus loin à Aulnay, aux confins du Poitou et de la Saintonge, le joyau Saint-Pierre. On a beaucoup épilogué sur l'affiche de la campagne présidentielle de 1981, « La force tranquille » où, derrière le portrait du candidat, une église de village posait pour l'éternité. Était-ce bien dans l'esprit socialiste, né de la révolution industrielle, grandi à l'ombre des chevalets et [*trestles*] des hauts fourneaux, épris de progrès, que cette touche rurale et paroissiale ? Nul doute qu'il s'agissait d'une main tendue en direction de la France profonde, provinciale, encore attachée aux vertus paysannes, mais on ne saurait sous-estimer à quel point ce décor correspondait à la sensibilité personnelle, voire à la géographie charnelle, de celui qui ne manquait jamais sa messe en des églises ancestrales, aux côtés de sa mère et de son père également pieux, dont il avait reçu la foi en partage. « Je sens qu'il existe en moi-même un lieu immuable, où l'enfant que j'étais, avec son caractère, sa nature, sa personnalité, n'a pas changé[1]. » Pendant toute sa vie, ce garçon en culottes courtes qui respirait avec délectation les tilleuls de Jarnac et s'arrêtait pour écouter le bruit [*teal*] de la sarcelle ou le cri de la mésange lui servira de référence : « Jamais je n'ai renié mon enfance[2]. »

Tout naturellement, François Mitterrand a admiré les écrivains des Charentes, Eugène Fromentin et Jacques Chardonne, les meilleurs. Le premier, auteur d'un roman qui connut sa célébrité, *Dominique*, a su peindre les saisons, les travaux et les jours sous un climat « très doux », une « quantité de petits faits qui sont la science et le charme de la vie de campagne ». On

---

1. *Ibid.*, p. 31.
2. *Ibid.*, p. 22.

s'imagine bien le jeune François, l'hiver fini, « stimulé par ce bain de lumière, par ces odeurs de végétations naissantes, par ce vif courant de puberté printanière dont l'atmosphère était imprégnée[1] ». Chardonne restera le préféré : « De sa génération, il reste pour moi le modèle. Par esprit de clocher, peut-être. Je suis né à quelques lieues de sa maison et me suis beaucoup promené près de la "butte sablonneuse" où, pendant les vacances, avec Jacques Delamain, son ami et voisin, il écoutait le chant des oiseaux[2]. » Il est sûr que *Le Bonheur de Barbezieux* — une localité de la taille de Jarnac et située au sud de celle-ci — où Chardonne évoquait des souvenirs d'heureuse jeunesse, la lumière « sans pareille » de la Charente, les rues pavées et les pierres blanches de Jarnac, les « brûlures de la mélancolie[3] » a laissé de profondes résonances dans l'esprit de Mitterrand. On s'en est moqué. Quoi ! aimer un écrivain collabo ! Mais le natif de Jarnac n'en avait cure : à ses yeux, le talent d'un écrivain transcende ses inclinations politiques — une fois pour toutes !

De même que cette fidélité à sa « terre », il n'a jamais renié ceux qui l'ont précédé.

Fidèle, il l'a d'abord été à ses parents. Son père, Joseph Mitterrand, originaire du Berry, a d'abord fait carrière dans les chemins de fer, c'est un cheminot ; il est chef de gare à Angoulême peu après la naissance de François. Il change de métier à la demande de sa femme, pour revenir à Jarnac, où il devient assureur jusqu'au jour où son beau-père, Jules Lorrain, qui a soixante-six ans, lui propose de lui succéder à la tête de son entreprise de vinaigrerie. Il a été salarié, petit entrepreneur, il est désormais négociant. Devenu socialiste, Mitterrand aura tendance à privilégier la première profession de son père, fils du peuple : dans sa

---

1. Eugène Fromentin, *Dominique*, Plon, 1885, p. 85.
2. François Mitterrand, *La Paille et le Grain* (Flammarion, 1975), Le Livre de Poche, p. 94.
3. Jacques Chardonne, *Le Bonheur de Barbezieux*, Stock, 1938.

notice du *Who's Who*, il est fils de cheminot. En fait, à Jarnac, son père est devenu un notable, président national des vinaigriers, président régional des Écoles libres de Charente et de la Société de Saint-Vincent-de-Paul. Car il est catholique, pratiquant, brancardier à Lourdes, respectueux comme son épouse de la religion romaine, dans cette région où les parpaillots, négociants en eau-de-vie, tiennent le haut du pavé. Dépourvu de la bosse du commerce, sans la moindre âpreté au gain, l'homme est assez réservé, austère, d'esprit paisible. Son catholicisme, nettement de droite, en a fait cependant un partisan du général de Castelnau président de la Fédération nationale catholique, dirigée contre le Cartel des gauches qui, après sa victoire aux élections législatives de 1924, a voulu aligner l'Alsace-Lorraine sur la loi de séparation des Églises et de l'État du reste de la France. Un « homme juste », dira son fils de Joseph Mitterrand, et d'esprit plus libre que ne le laisseraient soupçonner ses attaches religieuses.

L'influence maternelle a été plus profonde. De bonne instruction, Yvonne Lorrain était pourvue d'une culture littéraire et musicale. On lisait beaucoup dans la famille, et le jeune François aura à sa disposition une bibliothèque, où Barrès voisinait avec Balzac, Chateaubriand, Lamartine et d'autres moins glorieux, René Bazin en tête. Yvonne avait eu un frère de huit ans plus jeune qu'elle, Robert, que Mauriac avait fréquenté, et qui avait adhéré aux idées de Marc Sangnier, le fondateur du Sillon, mouvement démocrate-chrétien. Mort de tuberculose à vingt ans, en 1908 — « le grand drame de la famille » —, cet oncle que François n'a pas connu, mais dont sa mère lui a souvent parlé, faisait partie de ces morts qu'il a vénérés. Yvonne, lectrice de l'*Imitation de Jésus-Christ*, est aussi pieuse que son époux, aussi respectueuse des codes sociaux et de l'enseignement de l'Église : l'un et l'autre furent les parents de huit enfants dans une France malthusienne. Maîtresse de maison, mère aimante, elle instruit sa nichée par des lectures à la veillée, surveille de près les études de ses enfants, pour lesquels elle fait des coupes claires dans le budget familial afin d'assurer leur réussite. En 1929, Yvonne avait hérité du partage des biens paternels la vinaigrerie, que va diriger Joseph, et la maison du 22 rue Abel-Guy où François était né. De ce couple modèle, Yvonne, cardiaque, est la première à quitter la vie, le 12 janvier 1936.

C'est le père d'Yvonne, Jules Lorrain, « Papa Jules », qui paraît avoir exercé la plus grande influence sur François. Fils d'un négociant en bois, forte personnalité, charmeur, il a réussi en affaires, quoique simple vinaigrier. Il était de famille catholique lui aussi, mais il avait eu au collège de Pons un professeur de philosophie qui n'était autre qu'Émile Combes — le futur président du Conseil, ennemi des congrégations religieuses —, qui venait de soutenir une thèse quelque peu hétérodoxe sur saint Thomas d'Aquin, et auquel il devait peut-être sa distance critique vis-à-vis de l'Église. Comme Clemenceau, il fait sa gymnastique tous les matins, marche à grands pas, aime la vie, connaît tout le monde ; c'est un notable respecté. Le domaine de Touvent, sur lequel Papa Jules règne en seigneur, et où le jeune François habite la moitié de l'année, est un de ses plus chauds souvenirs, mêlés à la mémoire de ce grand-père qui le chérissait, narrait des histoires en patois charentais, et qu'il admirait : « Mon grand-père était un personnage chatoyant, ayant des idées sur tout. »

Ainsi que dans mainte famille française de l'époque, son épouse, Eugénie, était dévote ; c'est d'elle qu'Yvonne, la mère de François, avait reçu sa ferveur religieuse. François Mitterrand a tendrement aimé ses grands-parents, cette grande maison de Touvent, à la limite des départements de Charente et de Dordogne[1], sans eau courante, sans électricité, mais pleine des chants et des rires d'enfants. En voiture à cheval, on se rend à Ribérac pour le marché hebdomadaire, à Aubeterre pour les courses ordinaires, à Nabinaud en fin de semaine pour la messe

---

1. François Mitterrand, *Ma part de vérité*, Fayard, 1969, p. 16.

dominicale. Plénitude de l'enfant sensible à la nature : « De la fenêtre du grenier, je pouvais d'un regard faire le tour de la terre, Nord chevelu d'orme et de chêne, Est pierreux, Ouest de Toscane[1]... » Chaleur familiale répandue par la grand-mère Eugénie et entretenue par Papa Jules toujours gai. La vente de Touvent, en 1930, lui déchire le cœur, « mon premier deuil », dira le futur Président.

Mais les morts, les vrais morts qui se confondent avec les souvenirs poétiques, tristes ou joyeux, hantent aussi la jeunesse de François Mitterrand. Mort de l'oncle Robert qu'il n'a pas connu mais dont Eugénie n'a cessé de porter le deuil sa vie durant. Mort en 1931 de cette grand-mère Eugénie, dont il était le petit-fils préféré et qu'elle a appelé à son lit d'agonisante : « Je garde le privilège d'un amour véritable[2]. » Mort de sa chère mère en 1936. Mort du grand-père Jules la même année. Dix ans plus tard, mort du père... « Je me disais qu'il fallait être, dans la vie, fidèle aux morts[3]. » Mitterrand ou l'homme qui médite sur les tombes et qui sera toujours hanté par le grand mystère de la mort.

L'instinct du terroir, les morts qui tendent les mains aux vivants, ce sont des formules de Barrès que Mitterrand a intériorisées dès sa jeunesse. Ceux qui, comme moi-même, ont passé leur enfance et leur adolescence dans une banlieue de Paris, qui ont à peine connu leurs grands-parents, qui n'ont jamais eu de maison familiale en province ont sans doute du mal à comprendre cette formation héréditaire et terrienne, ou plutôt ils ont tendance à s'étonner de la marque si profonde qu'elle a imprimée à un chef de la gauche. C'est manquer d'imagination, les hommes ne sont pas monolithiques comme l'église d'Aubeterre-sur-Dronne, et Mitterrand moins que personne. Il faut garder en tête cette dimension barrésienne de ses années charentaises,

---

1. François Mitterrand, *Ici et maintenant*, Fayard, 1980, p. 183.
2. F. Mitterrand, É. Wiesel, *Mémoire à deux voix, op. cit.*, p. 44.
3. *Ibid.*, p. 45.

quelle que soit l'évolution qu'il a suivie : c'est une des clés de ses attitudes et comportements.

Sa formation intellectuelle s'est faite aussi par l'école, forcément catholique, à une époque où la ligne de démarcation était vive entre l'enseignement des maîtres laïques et l'enseignement des bons pères. Pour être exact, François ne fait pas ses études secondaires chez les « bons pères » mais dans un collège diocésain de prêtres séculiers, au collège Saint-Paul d'Angoulême. Au cours de ces années de pensionnat qui le mèneront au baccalauréat, ses tuteurs ne notent aucun mouvement d'indiscipline chez cet élève séparé des siens. Il est vrai que son frère aîné, Robert, l'a précédé un an plus tôt et que cette présence rassure. Surtout, François est alors un garçon discipliné, fervent dans sa religion. Il suit sans <u>maugréer</u> la litanie des services religieux, les prières communes, la messe quotidienne à laquelle il communie, l'angélus et les vêpres le dimanche ; il participe sans se plaindre aux célébrations qui, de mois en mois, tombent sur les élèves au gré de l'agenda liturgique : l'Immaculée Conception, l'Adoration dominicale, le Carême, la semaine sainte, le mois de Marie, le mois du Sacré-Cœur... Bien des collégiens pestent *in petto* ; pas lui. Le futur général de Bénouville, son condisciple, le peint comme « un garçon très pieux, avide de connaître et d'aimer[1] ».

Émancipé de la foi chrétienne, il confiera en 1995 à Élie Wiesel : « Je crois que l'on a besoin de prier, c'est-à-dire de rechercher une communication par la pensée. Une des plus belles choses de la religion catholique, c'est la communion des Saints, qui est au fond la communauté de la prière et qui rejoint les pratiques ésotériques[2]. » Jamais, le futur président de la République ne se dira athée, comme si le mot était obscène, mais « agnostique » — le doute lui sied mieux que l'affirmation du néant.

---

1. Cité par Robert Schneider, *Les Mitterrand*, Perrin, 2009, p. 121.
2. F. Mitterrand, É. Wiesel, *Mémoire à deux voix*, *op. cit.*, p. 82.

Non, point de révolte, mais une peine dominée, l'acceptation de s'adapter aux rites, aux règles, aux rudesses du collège. Il faut serrer les poings. Peu à peu l'élève sage trouve ses marques ; les pensums ne l'empêchent pas de lire des livres pour le plaisir : Mauriac, Chardonne, Fromentin, Bernanos, Claudel, au dire de Claude Roy, lui aussi de Jarnac et pensionnaire à Angoulême, mais au lycée Guez-de-Balzac : « Nous étions deux [dans le train de Jarnac à Angoulême] à discuter plutôt littérature que politique. François Mitterrand admirait Mauriac. C'est lui qui me fit lire alors Bernanos et Claudel. Il était catholique et posé[1]. » La pelote basque, le ping-pong, le football lui offrent d'autres bouffées d'air pur. En classe, il travaille surtout les matières qui lui plaisent, le français, l'histoire, plus tard la philosophie ; il répugne aux maths, à la physique, à l'anglais. Chef d'État, il ne sera pas capable de tenir une conversation autrement qu'en français. Au premier bac, qui conclut la classe de rhétorique, il est admissible à l'écrit, mais échoue à l'oral. Il doit redoubler sa classe de première.

Rien d'un sphinx donc ! Pourtant, sa personnalité mûrit, son ascendant s'affirme sur ses camarades et son assurance face aux professeurs. Le timide qu'il est remporte un concours d'éloquence — la coupe de la Drac (Défense des droits des religieux anciens combattants), créée par l'institut catholique d'Angers — qui annonce une carrière d'avocat ou de parlementaire.

De ses maîtres en soutane, il a gardé un bon souvenir — particulièrement de l'abbé Jobit, qu'il eut en classe de philo à la rentrée de 1932. Et aussi du père Hirigoyen, qui professait l'histoire et avait écrit un livre cité par Mitterrand, *La Pierre et la pensée*. En quittant Saint-Paul, une fois reçu au baccalauréat, il emporte un sentiment d'affection pour son collège qui ne se démentira pas.

---

1. Claude Roy, *Moi je*, Gallimard, 1969, p. 228.

104 rue de Vaugirard

Et maintenant, à nous deux Paris ! Va-t-il s'ébrouer, se débrider, ruer dans les brancards ? On a surtout l'impression qu'il passe d'une couveuse à une autre, toujours au chaud. François Mitterrand est un étudiant sage, appliqué et économe. Dans ses archives privées, dans sa maison natale de Jarnac, on peut consulter un agenda des années 1935-1936, où il note ses dépenses jour après jour avec un soin scrupuleux : 0,25 F de journal, 3 ou 5 F de taxi, 0,70 F de métro, tout est consigné : le savon comme le théâtre, la pension à payer, les notes de blanchissage, les dons à la Soupe populaire, un apéritif par-ci par-là... Il fait des additions, des soustractions, et des moyennes : 4 à 5 F de dépense par jour.

Il fera son droit puis, parallèlement, une fois reçu à l'examen d'entrée, l'École libre des sciences politiques. Pour le vivre, le couvert et les bonnes fréquentations, Yvonne l'a inscrit au 104 de la rue de Vaugirard, dans cette « Réunion d'étudiants » catholiques où son oncle Robert Lorrain et François Mauriac l'ont précédé. Elle lui a donné quatre lettres de recommandation ; il a fait quatre visites, mais seul son entretien avec Mauriac lui fait impression : « Il m'a parlé de moi, de mon avenir, alors que les trois autres dissertaient sur eux-mêmes. » L'étudiant sérieux, toujours fidèle à sa foi, va y affirmer une force de caractère, un pouvoir d'influence et des aptitudes à séduire qui augurent le meneur d'hommes.

L'institution du « 104 », créée par le père mariste Plazenet en 1898, avait pour vocation d'offrir à ses pensionnaires un supplément d'âme aux disciplines qu'ils étudiaient. Outre les prières et les conférences, ces étudiants sont invités à participer à l'action caritative. François est membre de la Conférence de Saint-Vincent-de-Paul, comme son père ; il en sera élu président en

1937. La littérature n'est pas pour autant délaissée. Il fait ses armes d'écrivain dans le périodique du « 104 », la *Revue Montalembert*. Un des textes de lui publié par cette revue a été cité à plusieurs reprises par François Mauriac ; il s'agissait du compte rendu de l'un de ses romans, *Les Anges noirs*. En décembre 1935, une critique de l'essai de Montherlant *Service inutile* retient davantage l'attention. Le jeune homme se révèle assez fasciné par cette espèce d'individualisme humaniste professé par l'auteur : « La générosité est la marque de la qualité d'un homme (Montherlant entend par générosité : le civisme, la fierté, la droiture et le désintéressement). Un être bien né est "ce qu'il y a de plus rare au monde", et l'artiste véritable, sans s'inquiéter de l'opinion du vulgaire, doit avant tout vivre selon l'honneur. Ainsi se trace le rôle de l'écrivain. Malgré les faiblesses, les lâchetés, la sottise, il se penchera, sans toutefois y placer ses intérêts, vers la foule qui ne sait où elle va, où on la conduit. Service inutile. Service honorable et généreux. Noblesse de l'artiste qui, méprisant les contingences basses, parce qu'il sait quand même la valeur d'un être, accomplit intégralement ce qu'il considère comme dû à cet être, en s'éloignant de la vulgarité qu'il méprise et de l'opportunisme qu'il dédaigne. » Mélange de modestie et d'orgueil, l'essai de Montherlant se terminait par une référence à Pascal qui n'a certainement pas échappé à Mitterrand : « À la fin de chaque vérité, il faut ajouter qu'on se souvient de la vérité opposée », et l'auteur de conclure : « Celui qui, au cours de sa vie, se sera gouverné par cette pensée n'aura peut-être pas été ceci ou cela ; mais aura été un homme intelligent[1]. » C'était une forme d'éloge de l'ambivalence, voire de l'ambiguïté (Montherlant prône le principe de l'« alternance », cette faculté, cette liberté d'être soi et son contraire). Pareille réflexion n'engageait pas à l'action politique et, de fait, pendant longtemps on a cru à une certaine forme d'apolitisme de l'étudiant Mitterrand, plus occupé

---

1. Henry de Montherlant, *Essais*, Gallimard, 1963, « La Pléiade », p. 720.

d'action sociale et plus soucieux de littérature. Encore au début de l'année 1994, son beau-frère Roger Gouze, dans *Mitterrand par Mitterrand*, affirmait que François, chez qui l'écrivain était une « seconde nature », s'était «jusqu'à la guerre [...] peu inté-ressé à la politique ». L'idée lui avait été soufflée par l'intéressé lui-même. Elle doit être révisée.

Dans *Ma part de vérité*, en 1969, celui qui préside encore la Fédération de la gauche démocrate et socialiste (FGDS) s'accorde bien des licences avec la vérité sur son passé politique. Il suivait, dit-il, « les meetings des intellectuels antifascistes où s'exprimaient Malraux, Chamson, Benda. Malraux, Chamson ! Quand fallait-il les croire ? À l'université, j'étais intimidé par mes camarades socialistes : mon collège d'Angoulême ne m'avait pas formé aux disciplines marxistes [...]. Cependant, en 1936, avait soufflé le grand vent de la joie populaire. Je me souviens de la nuit des élections dans les rues de Paris, de l'allégresse des *Ça ira*. Je retrouvais dans cette liesse les élans des courses à perdre haleine d'autrefois, je découvrais qu'il y avait encore des causes à vivre et à mourir. J'aimais que mes vingt ans fussent au commen-cement d'un monde dont la délivrance m'exaltait sans que j'eusse approché ses douleurs. Ce n'était pas un choix politique. Je ne distinguais pas les forces en présence. Je ne possédais pas de clef. Mais sans en comprendre les raisons, je croyais distinguer de quel côté étaient le droit et la justice[1] ».

En lisant ce texte, et sachant ce qu'il en était réellement, je me remémorai une soirée vers 1960 à la Cinémathèque de Paris, qui se situait alors rue d'Ulm. Avec un ami et sa mère nous venions de voir *Espoir* de Malraux. Ce fut l'occasion pour la dame de nous rappeler ce qu'elle avait vécu dans les années du Front populaire, quand elle défilait joyeusement avec les ouvriers. En fait, elle faisait partie du camp d'en face, à côté de son époux, un journa-liste d'une feuille d'extrême droite. Je me demandai si elle mentait

---

1. F. Mitterrand, *Ma part de vérité*, *op. cit.*, p. 18-19.

effrontément, et j'ai fini par me persuader que non ; qu'elle avait reconstruit son passé depuis que, après la Seconde Guerre mondiale, elle était devenue sympathisante du parti communiste. La mémoire travaille toujours obscurément à replâtrer les débris du passé qui ne s'accordent plus avec ce que l'on est devenu. En 1969, quatre ans après avoir porté les couleurs de toute la gauche à la première élection présidentielle au suffrage universel de la Ve République, François Mitterrand retissait les fils de sa vie antérieure en harmonie avec son engagement présent. Était-ce conscient ? L'observateur le moins favorable interprétera ce récit comme un gros mensonge d'un petit machiavélien. Mais on ne saurait éliminer catégoriquement cette pente commune à tous les hommes, et aux hommes politiques en particulier, d'arranger leur passé jusqu'à y croire eux-mêmes. Encore dans *Mémoire à deux voix*, avec Élie Wiesel, Mitterrand peut affirmer qu'il assistait à de nombreux meetings antifascistes, mais qu'il n'était pas engagé politiquement[1]. Dans sa première biographie de 1977, Franz-Olivier Giesbert reprend cette image d'un jeune Mitterrand fidèle des meetings antifascistes, et affirme : « Dès 1935, François Mitterrand paraît pencher à gauche[2]. » Voire.

Des bruits avaient couru selon lesquels il aurait été royaliste et membre de l'Action française. Il s'en est défendu à juste titre : « Une légende tenace veut que j'aie appartenu à l'Action française. M. Debré, alors Premier ministre, s'oublia jusqu'à me reprocher, de la tribune du Sénat, mes accointances passées (et supposées) avec l'extrême droite. [...] Que peut répondre l'accusé qui a la charge de prouver son innocence ? Rien. Nier serait s'abaisser. » Les écrits de Maurras et de l'Action française avaient été condamnés par le pape Pie XI en 1926. Si Mitterrand a pu admirer l'écrivain Charles Maurras, sa poésie notamment, il était

---

1. F. Mitterrand, É. Wiesel, *Mémoire à deux voix, op. cit.*, p. 119.
2. Franz-Olivier Giesbert, *François Mitterrand ou la Tentation de l'histoire*, Éd. du Seuil, 1977, p. 29.

infringe

trop fidèle alors aux enseignements de l'Église pour enfreindre
l'interdiction. « J'ai été élevé, dira-t-il, dans l'horreur de l'Action
française, non parce qu'elle était de droite, mais parce qu'elle
était excommuniée[1]. » On a pu aussi alléguer l'appartenance de
Mitterrand à la Cagoule, surnom du CSAR, Comité secret
d'action révolutionnaire, antirépublicain, d'esprit fasciste, responsable de plusieurs attentats. Malveillance mise à part, le cercle
de ses relations est peut-être à l'origine de l'accusation. Un de ses
amis d'enfance, Jean Bouvyer, appartenait à la Cagoule et fut
incarcéré à la Santé à la suite de l'assassinat des deux frères
Rosselli, des Italiens antifascistes. Comme il le montrera sa vie
durant, François Mitterrand est fidèle en amitié, par-delà les
désaccords politiques : il rendra visite à Bouvyer dans sa prison.
Par ailleurs, Colette, la sœur de François, est très amie avec
François Méténier, un des chefs de la Cagoule. De surcroît son
frère Robert épouse, en 1939, Édith Cahier, dont la tante
Mercédès a épousé Eugène Deloncle, le chef de la Cagoule. Ce *Cowl*
nœud de relations et ces coïncidences ont nourri la légende d'un
Mitterrand à la fois royaliste et militant de la Cagoule. Encore
après la guerre, aux heures de l'épuration, Mitterrand témoignera
en faveur de Bouvyer et de Méténier. Entre-temps, il avait été
résistant et aurait eu toutes les raisons de s'abstenir. Mais voilà
un trait de son caractère ou de son code de conduite : on ne lâche
pas les amis, surtout lorsqu'ils sont la cible de règlements de
comptes politiques.

Ni royaliste ni cagoulard, mais d'extrême droite ? La revue
L'Histoire avait publié dès 1982 une photo de presse où l'on
reconnaissait le jeune François Mitterrand au cœur d'une manifestation nationaliste d'étudiants. La légende était prudente : « Le
jeune homme participe-t-il à la manifestation ? Ou bien est-il là

---

1. Interview de F. Mitterrand par Roger Priouret, *L'Expansion*, n° 54, juillet-août
1972.

en badaud[1] ? » Des témoignages ultérieurs écarteront cette dernière hypothèse.

Dans sa biographie de François Mitterrand, *Le Noir et le Rouge*, parue en 1984, Catherine Nay avait déjà remis en question l'apolitisme de l'étudiant du « 104[2] ». Elle citait des témoignages et des articles de la *Revue Montalembert* où sa sympathie pour les idées du colonel de La Rocque était révélée. Une information qui passa quasiment inaperçue. C'est l'enquête de Pierre Péan, auteur d'*Une jeunesse française*, publié à l'automne de 1994, qui a remis les souvenirs complaisants et les médisances à leur place[3]. Cette fois, l'engagement politique de Mitterrand dans les années 1930 était bien décelé, et cet engagement était dans les Volontaires nationaux du colonel de La Rocque. Extrême droite ?

À l'origine, il existe une modeste association d'anciens combattants, les Croix-de-Feu, créée en 1928, et qui veut regrouper ceux qui ont combattu en première ligne. L'un d'eux, le colonel François de La Rocque, un disciple du maréchal Lyautey, vice-président de l'association en 1930, porté à sa tête en 1932, transforme ce qui était resté longtemps un groupuscule en ligue d'action civique. Le mouvement qui s'était déjà élargi aux Fils et Filles de Croix-de-Feu est ouvert en 1933 aux « générations d'après guerre », appelées à se grouper dans l'organisation autonome des Volontaires nationaux. « Nulle condition n'est exigée de vous, sinon de servir le drapeau tricolore, d'aimer votre profession, de protéger la famille française, de vouloir la Paix dans l'Honneur. » Les principes du mouvement sont d'abord patriotiques, la défense du traité de Versailles en est la marque. Cette cause implique la lutte contre le communisme et le pacifisme, la défense de l'ordre face aux entreprises de subversion. La journée

1. *L'Histoire*, n° 51, décembre 1982.
2. Catherine Nay, *Le Noir et le Rouge ou l'Histoire d'une ambition*, Grasset, 1984.
3. Pierre Péan, *Une jeunesse française, François Mitterrand 1934-1947*, Fayard, 1994.

du 6 février 1934 autour du Palais-Bourbon met en lumière le rôle des Croix-de-Feu, restés pourtant dans la légalité, La Rocque ayant donné l'ordre de ne pas forcer les barrages de police. Les adhésions affluent. Des démonstrations de force se succèdent, réunions, meetings, défilés. Au moment de la formation du Front populaire en 1935, les Croix-de-Feu apparaissent comme son adversaire le mieux organisé.

Le colonel de La Rocque revendiquait deux sources d'inspiration : le souvenir de l'Union sacrée et la doctrine sociale de l'Église. C'est sur ce dernier point qu'il faut insister pour comprendre l'adhésion de l'étudiant « tala » (ceux qui « vont-tala-messe ») aux Volontaires nationaux. Le catholicisme social résultait en grande partie de l'encyclique *Rerum Novarum* du pape Léon XIII publiée le 15 mai 1891. Repoussant à la fois le libéralisme et le socialisme, le souverain pontife préconisait une action sociale fondée sur la collaboration de classes, la bonne entente entre patronat et salariat et sur l'intervention de l'État. Deux tendances en étaient issues : un catholicisme social conservateur dont la grande figure fut Albert de Mun, fondateur des patronages ouvriers, et le Sillon démocrate-chrétien de Marc Sangnier — celui-ci condamné par Pie X en 1910. Quarante ans plus tard, le pape Pie XI célébrait l'anniversaire de cette encyclique par une autre qui lui faisait écho, *Quadragesimo Anno*, datée du 15 mai 1931. Elle reprenait la double condamnation des « erreurs du socialisme » et des « fausses théories de la liberté humaine ». Refus de l'inégalité, défense des travailleurs, appel à la création d'associations d'entraide et de secours mutuels, rapprochement nécessaire entre les classes. Le pontife romain condamnait aussi bien le libéralisme, « totalement impuissant à résoudre la question sociale », que le socialisme, « proposant un remède pire que le mal ». Depuis Léon XIII, le communisme avait été instauré : « Celui-ci a, dans son enseignement et son action, disait l'encyclique de Pie XI, un double objectif qu'il poursuit, non pas en secret et par des voies détournées, mais ouvertement, au grand jour et par tous les moyens, même les plus violents : une lutte des classes implacable et la disparition complète de la propriété privée. À la poursuite de ce but, il n'est rien qu'il n'ose, rien qu'il respecte ; là où il a pris le pouvoir, il se montre sauvage et inhumain à un degré qu'on a peine à croire et qui tient du prodige. » Parallèlement, le pape condamnait l'inégalité : « Il n'en reste pas moins vrai que l'existence d'une immense multitude de prolétaires d'une part, et d'un petit nombre de riches pourvus d'énormes ressources d'autre part, atteste à l'évidence que les richesses créées en si grande abondance à notre époque d'industrialisme sont mal réparties et ne sont pas appliquées comme il conviendrait aux besoins des différentes classes. »

L'encyclique ne préconisait pas un programme économique et social précis ; elle appelait à des réformes inspirées par l'esprit évangélique. L'État, contrairement aux « erreurs de la science économique individualiste », avait pour vocation d'intervenir afin de créer un ordre juste, de faire payer un salaire équitable à l'ouvrier, de décréter des lois de paix sociale. Mais tout n'avait pas à dépendre de l'État. Les syndicats ouvriers et patronaux, de leur côté, étaient appelés à s'unir « dans les corporations d'une même profession ou d'un même métier ». Cette « collaboration pacifique des classes » appelait un « sincère retour à la doctrine de l'Évangile ».

François de La Rocque a présidé à l'action des Croix-de-Feu, qui deviendront en 1936 le Parti social français, dans l'inspiration de cette doctrine sociale de l'Église. Il y ajoutait un état d'esprit ancien combattant élitiste, le sérieux de l'organisation et la volonté, sinon de changer de régime politique, à tout le moins de réparer les désordres du parlementarisme. Dans son ouvrage *Service public*, paru en 1935, il énonçait ses objectifs : la « profession organisée » (l'association entre travailleurs et entrepreneurs), la décentralisation, la restauration des « communautés naturelles » de la famille à l'entreprise, un État « ni collectiviste, ni absolutiste, ni libéral » mais régulateur de la coopération à tous les échelons : il « protège et guide ». Le tout est résumé depuis 1934 dans la devise : « Travail, Famille, Patrie » — une trilogie qui deviendra plus tard infamante pour avoir été récupérée par le maréchal Pétain, mais qui, pour l'heure, n'était pas sulfureuse.

L'étudiant du « 104 », futur président de la Conférence de Saint-Vincent-de-Paul, convaincu de la nécessité de l'« action chrétienne » juge, dans une lettre à son ancien professeur l'abbé Jobit, que celle-ci « n'exclut pas l'action politique : elle la complète[1] ». D'où s'impose à ses yeux le rôle à jouer : « Je crois qu'il n'y en a qu'un seul : apporter dans les groupements politiques auxquels il est nécessaire d'adhérer, et admis par l'Église, les directives et les principes de notre foi. N'est-ce pas ce qu'ont enseigné les papes Léon XIII et Pie XI ? » Mitterrand finit par reconnaître, devant son biographe Pierre Péan, qu'il a bien adhéré aux Volontaires nationaux[2]. Jacques Bénet, ancien membre de l'Assemblée consultative de 1944-1945, qui fut un des camarades de Mitterrand au 104 rue de Vaugirard, atteste, dans une lettre à Hugues de La Rocque, que « François Mitterrand, dès les semaines qui suivirent son arrivée au 104 rue de Vaugirard, en octobre 1934, fait état de son appartenance et de sa fidélité au mouvement Croix-de-Feu [...]. Comme les jeunes de sa génération au sein de ce mouvement, il était affecté au groupe dit des "Volontaires nationaux". Pendant l'année universitaire, il suivit les réunions de cette organisation à une fréquence quasi hebdomadaire[3] ». La *Revue Montalembert* s'en est fait l'écho, sous la plume de Jacques Marot, qui rend compte de deux conférences de son ami Mitterrand, les 18 et 25 janvier 1935, évoquant « la solution Croix-de-Feu ».

La raison pour laquelle François Mitterrand a fait silence sur cet engagement s'explique par la réputation abusive faite

---

1. Cité par P. Péan, *Une jeunesse française...*, *op. cit.*, p. 30.
2. *Ibid.*, p. 33.
3. Lettre de Jacques Bénet à Hugues de La Rocque, datée du 3 avril 2002, et communiquée par le destinataire.

aux Croix-de-Feu d'être un mouvement « fasciste ». Devenu de loin la ligue la plus puissante, le mouvement du colonel de La Rocque, hostile au Front populaire, fut désigné par le Rassemblement des gauches comme le danger fasciste — une cible nécessaire à l'union de ses rangs, son principe d'alliance même. Plus tard, nombre d'historiens, surtout anglo-saxons, tel Robert Soucy, donnant une définition extensive du « fascisme », ont soutenu que la France avait connu avant la Seconde Guerre mondiale un grand parti fasciste (le Parti social français, PSF, aura en 1939 plus de militants que ceux réunis du PCF et de la SFIO), dont le colonel de La Rocque était le Duce[1]. Une réputation tenace, entretenue encore aujourd'hui par certains, mais encore mieux établie du temps où Mitterrand était devenu le leader de la gauche : il était préférable de n'avoir pas adhéré à un mouvement si peu recommandable pour un homme de gauche.

Il y avait peut-être plus compromettant dans le passé de François Mitterrand. Ce sont des photos où il est reconnu au cours de deux manifestations d'extrême droite au Quartier latin — et dont nous avons parlé plus haut. La première a été publiée dans *Paris-Midi*, et la seconde dans *L'Écho de Paris*, le 2 février 1935. Il s'agissait d'une manifestation d'étudiants, partie d'une grève de carabins, dont les slogans étaient clairement xénophobes : « Contre l'invasion métèque ! », « À bas les métèques ! », « La France aux Français ». Militants de l'Action française et des « JP » (Jeunesses patriotes) y donnent à pleine voix. Des étudiants en droit sont venus se solidariser. Selon certains, les Volontaires nationaux les avaient rejoints. Le « bulletin de lien » des anciens de Saint-Paul, *Notre École*, publie dans sa livraison de mars un article de l'abbé Jobit, sans ambiguïté sur la participation de l'ami François : « Il a assisté — et pas seulement en spectateur — aux

---

1. Robert Soucy, *Le Fascisme français*, Autrement, 2004. Voir ma critique de cette thèse : « Retour sur le fascisme français » et « En lisant Robert Soucy », dans *Vingtième siècle. Revue d'histoire*, n° 90, avril-juin 2006, et n° 95, juillet-septembre 2007.

incidents récents de la faculté, et sa famille n'était pas peu éton-
née de reconnaître sur un grand journal, au premier rang des
étudiants chahuteurs… la figure de l'ami François. » Il est notable
que le Volontaire national qu'était Mitterrand ne suivait pas les
consignes de La Rocque, préconisant de s'abstenir de participer à
toute manifestation[1].

L'année suivante, dans les premiers mois de 1936, éclate
l'« affaire Jèze ». Professeur à la faculté de droit, Gaston Jèze était
le conseiller du Négus, empereur d'Éthiopie, à la Société des
Nations après l'invasion de son pays par Mussolini. Les étudiants
d'Action française mènent campagne contre Jèze, manifestent,
échangent des coups avec la police, l'empêchent de tenir son
cours, provoquent la fermeture de la faculté. Quelle fut l'attitude
de Mitterrand, étudiant en droit, au cœur de l'agitation ? Une
photo de la collection Roger-Viollet atteste sa présence, le
5 mars, dans la manifestation, en compagnie de son ami Bernard
Dalle, frère de François. Celui-ci confirmait à Péan : « Oui, nous
manifestions contre Jèze, comme la majorité des étudiants en
droit. Il faut se rappeler que l'œuvre colonisatrice était bien vue et
que nous ne voyions pas pourquoi on aurait empêché Mussolini
de prendre l'Éthiopie. » Selon Jacques Bénet, son camarade du
« 104 », « il s'agissait là, à mon sens, d'un fait accidentel — quels
étudiants refusent l'occasion d'un chahut de rue contre un professeur impopulaire[2] ! ».

En tout cas, des souvenirs qu'il valait mieux oublier. De sorte
que Franz-Olivier Giesbert, dans sa biographie, peut écrire que
notre « habitué des meetings antinazis » ne pouvait que défendre
Jèze « avec force[3] ». Et d'ajouter : « Son attitude lors de l'affaire
Jèze, voilà un premier indice de son inclination, jamais clairement

1. Circulaire de La Rocque du 1ᵉʳ février 1935, Archives du Centre d'histoire de
l'Europe du vingtième siècle (CHEVS), Fonds La Rocque 1845-1946.
2. Lettre de Jacques Bénet à Hugues de La Rocque, art. cité.
3. F.-O. Giesbert, *François Mitterrand ou la Tentation de l'histoire*, op. cit., p. 29.

formulée, pour la gauche. » Tout au contraire, dans les écrits qui restent de lui, dans ses fréquentations, dans les témoignages de ses contemporains, tout invite à situer François Mitterrand politiquement à droite. Non pas à l'extrême droite, comme des adversaires se sont plu à le dire.

Quelle fut son attitude au moment où le Front populaire se constitue et gagne les élections, et où pour la première fois depuis la guerre s'est nouée l'alliance des communistes avec les autres formations de gauche ? Dans *Ma part de vérité*, en 1969, Mitterrand, on l'a dit, en parle avec lyrisme : il aurait été du « bon » côté, du côté de la « joie populaire » et du *Ça ira*. Le témoignage de Pierre Boujut, futur ami de François Mitterrand, remet en cause cette reconstruction. Il se souvient, lui, du 14 juillet 1935, le jour du grand défilé des Croix-de-Feu sur les Champs-Élysées et du grand meeting du Rassemblement populaire au stade Buffalo. Mitterrand est alors à Jarnac. Boujut s'y trouve aussi, chantant *L'Internationale* avec ses amis de gauche pendant la retraite aux flambeaux : « Il y avait un grand enthousiasme dans la foule, une grande joie chez les jeunes gens. Pas tous. Ce soir-là, François Mitterrand, oui, le futur grand François, socialiste, était sur le trottoir avec quelques jeunes bourgeois catholiques et fascisants, regardant passer le défilé avec animosité. [...] Le lendemain, quelques-uns de ces jeunes gens étaient allés dénoncer mon ami Fred Bourguignon à son patron comme "dangereux révolutionnaire" parce qu'il avait défilé avec nous[1]. » Boujut ajoute à propos de son ami François : « Je n'en ai d'ailleurs aujourd'hui que davantage de respect pour son évolution vers le socialisme. »

En juin 1936, le gouvernement Léon Blum dissout les ligues, les Jeunesses patriotes, la Solidarité française, le Parti franciste et les Croix-de-Feu. Le colonel de La Rocque décide alors de transformer sa ligue en parti politique traditionnel, le Parti social

---

1. Pierre Boujut, *Un mauvais Français*, Arléa, 1989.

français, destiné à participer aux prochaines élections. Le parti de La Rocque allait connaître un succès croissant et d'aucuns prévoyaient sa victoire aux élections de 1940. François Mitterrand adhérait-il toujours aux Volontaires nationaux au moment de la dissolution ? On a affirmé qu'il n'entra pas au PSF. Mais le témoin Jacques Bénet dément : « Le colonel de La Rocque ayant fait reconnaître, peu après cette dissolution, les statuts d'un nouveau parti politique, le Parti social français, François Mitterrand y adhéra aussitôt. Et il m'apparaît qu'il participa aux réunions de ce parti avec la même régularité qu'il l'avait fait au mouvement Croix-de-Feu[1]. »

En tout cas, une autre carrière s'ouvrait alors devant lui, toujours étudiant : le journalisme. Le 4 juillet 1936 était publié un premier article de Mitterrand dans *L'Écho de Paris*. Roger Delage, membre certain du PSF, lui, l'avait recruté. Le quotidien, qui fut celui de Maurice Barrès jusqu'à sa mort en 1923, était l'un des grands journaux de la droite française, quoiqu'en déclin. Y collaboraient le général de Castelnau, de la Fédération nationale catholique, Henry Bordeaux, François Mauriac. Le journal avait été favorable à la cause italienne en Éthiopie, s'opposait violemment à Léon Blum et au Front populaire. Responsable d'une rubrique, « La Vie des étudiants », la jeune recrue n'était pas censée faire de la politique, mais, si Mitterrand avait été sympathisant du Front populaire, on doute qu'il ait pu accepter de collaborer à une feuille qui lui était viscéralement hostile. *L'Écho de Paris* était favorable aux Croix-de-Feu, jusqu'à publier leurs appels ; l'un de ses rédacteurs les plus influents s'appelait Henri de Kérillis, élu député en 1936, bientôt l'une des figures les plus en vue de la droite parlementaire. Il prit notamment à partie Léon Blum pour l'aide fournie par son gouvernement aux républicains espagnols.

Dans ses articles de *L'Écho de Paris*, Mitterrand parle surtout des écrivains, organise une enquête auprès de ses lecteurs sur la

1. Lettre de Jacques Bénet à Hugues de La Rocque, art. cité.

poésie, ce qui lui donne l'occasion d'éreinter les surréalistes et de glorifier sa triade capitoline : Paul Valéry, Paul Claudel et Francis Jammes. Il lui arrive parfois, cependant, de laisser poindre le bout d'une oreille moins littéraire. Dans un article du 10 avril 1937, intitulé « Y a-t-il encore un Quartier latin ? », il déplore son « âme » perdue : « Désormais, le Quartier latin est ce complexe de couleurs et de sons si désaccordés qu'on a l'impression de retrouver cette tour de Babel à laquelle nous ne voulions pas croire — parce que nous n'imaginions pas que l'on pût se connaître et construire la même maison sans se comprendre. »

Claude Roy, l'ami de Jarnac, qui, avant de prendre sa carte au parti communiste pendant la guerre, était dans la mouvance de l'Action française et proche de la revue fasciste *Combat* de Thierry Maulnier, évoque ces années-là devant Pierre Péan : « Nous avions tous les deux de grandes discussions. Il n'était ni entiché, ni proche des idées [fascisantes] de *Combat*. On se cherchait, comme on dit. Nos deux passions convergentes étaient la littérature [...] François était, comme nous tous, à la recherche de la vérité[1]. » Sa cousine bien-aimée, Marie-Claire Sarrazin, confirme dans ses entretiens avec le même enquêteur : « Il s'intéressait d'abord à la littérature, c'est sur ce sujet que nous communiions. » Sa chronique de *L'Écho de Paris* paraît pour la dernière fois le 2 juillet 1937. La même année, il est reçu à son diplôme de l'École libre des sciences politiques ; l'année suivante, à son doctorat de droit public.

La politique, vis-à-vis de laquelle il semble avoir pris du recul, lui inspire cependant un bel article, le seul publié avant la guerre de 1940, qui mérita à ses yeux de figurer en tête de son recueil *Politique*, en 1977. Ce texte, « Jusqu'ici et pas plus loin », paru dans la *Revue Montalembert*, lui était inspiré par un événement brutal : l'annexion le 12 mars 1938 de l'Autriche par l'Allemagne hitlérienne — l'*Anschluss*. La conquête nazie ne lui

---

1. P. Péan, *Une jeunesse française...*, *op. cit.*, p. 79.

inspire pas d'indignation morale, mais une réflexion assez froide de réalisme politique mêlée d'un sentiment d'humiliation. « Oublieux de cet axiome, écrivait-il en termes pascaliens, que le juste doit être plus fort que le fort s'il veut s'occuper des affaires du monde, les pays vainqueurs de la Grande Guerre se sont contentés du succès de leurs armes ; puis ils se sont endormis derrière la forteresse de carton dressée par les traités. Et, chaque fois que le vaincu abattait, écrasait ou brûlait une tour, excipant les nécessités vitales et ses bonnes intentions du dedans, on lui criait : "Jusqu'ici, oui, mais pas plus loin !" » Certes, il ne veut pas la guerre, il n'appelle pas aux armes, on le sent nettement pacifiste : « Il est peut-être vrai que la France serait folle de tenter une guerre pour sauver une paix perdue, la mort d'un homme est sans doute plus grave que la destruction d'un État. Tout me démontre que rien ne justifie une révolte contre l'événement. » Mais ce mouvement de recul n'obéit pas au sens de l'honneur : « Devant la venue triomphale du dieu de Bayreuth [Wagner] sur le sol de Mozart, conclut-il, je sais quel sacrilège se prépare, et, malgré moi, j'éprouve une sorte de honte, comme si je m'en reconnaissais responsable[1]. »

On ne sait rien de sa réaction aux accords de Munich qui, le 30 septembre 1938, accordaient à Hitler un blanc-seing pour annexer les Sudètes et, de fait, démanteler la Tchécoslovaquie. Aura-t-il été antimunichois et pourfendu la formule : « La mort d'un homme est sans doute plus grave que la destruction d'un État ? » Rien ne le prouve. Une telle maxime aurait plu à une opinion figée dans la crainte de la guerre, sans prendre conscience que, à force de tout céder à Hitler, on faisait le lit d'un conflit bientôt inévitable et qui ferait, lui, beaucoup plus de victimes. Mais François Mitterrand ? Aura-t-il été antimunichois, en mesurant combien cette « responsabilité » engageait l'action de résistance ? On aimerait connaître les sentiments et les analyses

---

1. *Revue Montalembert*, avril 1938, et *Politique I*, Fayard, 1977, p. 6.

du jeune docteur en droit public au moment où la France et l'Angleterre ployaient les genoux devant le conquérant insatiable, à la colère d'un Henri de Kérillis. Un indice, peut-être, que cette confidence faite à son ami Charles Moulin : « Les outrances, les violences, l'autoritarisme esclavagiste d'un Hitler, d'un Mussolini me heurtaient profondément, sans que je ressente vraiment le poids de ces fascismes qui encerclaient la France. Mais au fond, trop longtemps tenu à l'écart, je n'avais pas senti s'éveiller en moi la véritable conscience politique[1]. »

En 1994, le Président résumera son attitude d'alors : « Je n'avais pas encore fait de choix ; les deux tiers de ma pensée étaient le reflet de mon milieu, qui était de droite. Je marchais alors à cloche-pied avec, d'un pied, le conformisme de mon milieu, et, de l'autre, mon anticonformisme provoqué par une sorte d'instinct réfractaire[2]. » Le dosage est invérifiable. La jeunesse politique de François Mitterrand est celle d'un jeune bourgeois provincial, catholique de pratique et de conviction, élevé dans une famille de droite, instruit dans un collège religieux, pensionnaire d'une institution mariste, qui, tout naturellement, est enclin à suivre les idées et les discours d'un François de La Rocque, jusqu'au moment où, plus sceptique que convaincu, il prend ses distances vis-à-vis de l'engagement politique, sans perdre ses convictions.

Plus tard, ce qui a choqué dans son cas n'est nullement cette jeunesse de droite d'un futur Président socialiste, mais le soin qu'il a mis à brouiller les cartes. L'occultation de ses anciens engagements répondait à la nécessité logique de s'inventer aux yeux des militants de gauche un passé conforme à leur attente… et auquel il finissait par croire un peu. À sa décharge, il est notable que Jaurès lui-même, converti au socialisme vers 1892, a pu affirmer qu'il avait été « toujours » socialiste. Du moins, lui, n'avait été auparavant qu'un

---

1. Charles Moulin, *Mitterrand intime*, Albin Michel, 1982, p. 30-31.
2. Entretien avec Pierre Péan du 21 mars 1994, *Une jeunesse française…*, *op. cit.*, p. 100.

républicain modéré. Il importait aux yeux de Mitterrand de ne pas passer pour un socialiste de raccroc : il devait, sinon l'avoir toujours été, du moins n'avoir pas appartenu à l'armée adverse.

Les raisons du cœur

S'il y a eu prise de distance au regard de l'engagement politique, c'est peut-être aussi en raison des affaires de cœur d'un bon jeune homme, auquel on prêterait volontiers les épithètes d'André Gide : « extraordinairement tenu, retenu, contenu par le sentiment du devoir » ?

Dans ses souvenirs livrés ici et là, il n'est fait guère de place à son éducation sentimentale. Sur ce chapitre, nous connaissons aujourd'hui au moins une histoire d'amour, qui humanise ce diplômé de Sciences-Po, si plein d'assurance. Le 28 janvier 1938, au cours d'un bal à Normale sup, rue d'Ulm, il tombe illuminé soudain à la vue d'une jolie blonde, qu'il s'empresse d'inviter à danser. Ce fut un émerveillement, le coup de foudre. La jeune fille qui a quinze ans refuse de donner son nom à son cavalier. Elle s'appelle Marie-Louise Terrasse — elle sera connue plus tard sous le nom de Catherine Langeais, devenue un des visages les plus familiers de la télévision française. D'emblée, le jeune homme, qui ne l'a pas lâchée de la soirée, songe à l'épouser. Comme le note Chardonne en cette année 1938 où paraît *Le Bonheur de Barbezieux* : « Notre temps a vraiment renouvelé l'amour en le chargeant du poids et du dynamisme de l'idéal humain, en le situant dans la présence, dans la durée, dans la fidélité, dans le mariage ascensionnel[1]. » De son côté, son frère Robert explique dans ses Mémoires leur comportement, à lui et à François, avec les jeunes personnes : « Cette année parisienne [1938] nous verra fréquenter de nombreuses jeunes filles avec qui

---

1. J. Chardonne, *Le Bonheur de Barbezieux, op. cit.*, p. 151.

nous irons danser, ou patiner, ou prendre un verre, ou visiter une exposition. Mais chaque fois que l'amour entrera en jeu, nous ne l'aborderons que dans la perspective d'un engagement définitif[1]. »

Pulsion d'amour romantique ? François nourrit pour celle qu'il appelle « Béatrice », faute de savoir son nom, la volonté qu'elle devienne sa femme. Son éducation religieuse, sa timidité ont leur part dans ce comportement amoureux aux antipodes des frasques juvéniles. Jusque-là, il n'a pas vécu en reclus ; il fréquente les grands bals de Polytechnique ou de Normale ; il sort beaucoup, mais c'est le plus souvent avec ses frères Robert et Jacques. Les jeunes filles qu'il rencontre au bal ou au tennis le laissent indifférent, leurs beaux yeux couvrant du « vide[2] ». Sublimant l'amour, il attend la rencontre flamboyante de *l'unique*, et elle se produit en ce mois de janvier 1938.

François a vingt-deux ans. Son 1,70 mètre passerait pour petit aujourd'hui, mais, en son temps, la taille moyenne des conscrits dépasse à peine 1,65 mètre. Il n'est pas encore l'enjôleur qu'il deviendra, mais il porte un beau visage aux traits réguliers, un sourire souvent ironique ; il est cultivé, il parle bien, il écrit bien. De bonne bourgeoisie, il est diplômé à la fois de Sciences-Po et du droit ; il a l'avenir devant lui. Bref, un beau parti. Béatrice n'est cependant qu'une adolescente, élève en classe de troisième au lycée Fénelon, et le mariage n'est sans doute pas pour elle le plus urgent. Toujours est-il que François, occupé d'elle sans relâche, tente de la revoir, s'agrippe, découvre où elle habite, la suit dans la rue, la guette à la sortie du lycée, la retrouve et finit par lui faire accepter sa compagnie. Marie-Louise le présente à ses parents, qui l'invitent dans leur maison de Valmondois. Il y découvre un milieu nouveau, intellectuel et politique. Le père de Marie-Louise est professeur d'université et secrétaire général de l'Alliance démocratique, un

---

1. R. Mitterrand, *Frère de quelqu'un, op. cit.*, p. 140.
2. Cf. sa correspondance avec Marie-Claire Sarrazin citée par R. Schneider, *Les Mitterrand, op. cit.*, p. 194-195.

parti du centre droit. Au cours de l'été qui les a séparés, François, de Jarnac, adresse à Marie-Louise des lettres quotidiennes, qu'il renouvelle aux vacances de fin d'année : « Je continue de vous aimer avec tant de ferveur. Voyez-vous, ma chérie, mon grand tourment a toujours été l'accord si difficile de l'éphémère et de l'éternel : toujours cette vieille lutte du relatif et de l'absolu[1]. »

La lycéenne bien-aimée tranche avec les filles qu'il a rencontrées. D'éducation plus libre que dans son environnement charentais, c'est une Parisienne, jolie et intelligente. Ses parents, « catholiques de baptême », ne pratiquent pas, mais elle, elle a été guide et elle va à la messe.

François demande la main de Marie-Louise à ses parents, alors qu'elle n'a pas encore seize ans. Un peu tôt ! Il n'a même pas fait son service militaire ! Dès lors, il renonce à son sursis pour études et, pour n'être pas éloigné de Paris, évite les EOR (école des officiers de réserve) situées en province. Il est affecté dans l'infanterie, à la caserne de Lourcine, boulevard du Port-Royal. C'est au cours de ce service militaire, au moment où va se tenir la conférence de Munich, qu'il noue ses liens d'amitié avec un autre ancien de la faculté de droit, Georges Dayan — tout le contraire de ce qu'il est lui-même : juif, athée, de gauche. Rencontre de première importance, car François et Georges deviennent les meilleurs amis du monde : un déviant a pénétré dans le cercle vertueux du jeune homme.

François, toujours pressant, envahissant, réussit à faire accepter par Marie-Louise l'idée de fiançailles. C'est chose faite, pendant la « drôle de guerre », chez les Terrasse, le 3 mars 1940.

Un jeune homme tranquille tombé dans les lacs de l'amour fou, cette histoire corrige quelque peu l'image d'une personne toujours maîtresse d'elle-même, raisonnant à froid, gardant ses distances vis-à-vis du monde, volontiers narquois. Il est déjà plus complexe qu'il n'en a l'air. La dernière phrase de *Service*

1. *Ibid.*, p. 197.

inutile, l'essai de Montherlant qu'il a apprécié, valorisait l'ambivalence, voire l'ambiguïté. Le jeune Mitterrand n'en est pas dépourvu. Un autre trait de son caractère est la ténacité, comme en témoignent ceux qui l'ont directement connu à cette époque. La manière dont il a jeté son dévolu sur Marie-Louise, on peut dire dont il l'a harcelée jusqu'à résipiscence (provisoire), atteste cette volonté, cette patience, cette attente passionnée.

L'enfance passée en province, dans le pays de sa mère, la Saintonge, l'a marqué à jamais. Il restera toujours, malgré sa carrière ultérieure, un « raciné », selon le mot de Barrès. Lui-même a eu l'occasion de l'évoquer dans *Ma part de vérité* : « On était patriotes jusqu'aux saintes colères avec, heureusement, un côté Barrès et *Colline inspirée* et, moins heureusement, un côté René Bazin et *Blé qui lève*. Soyons juste : Barrès l'emportait sur Bazin. » Barrès est décidément l'une des clés pour comprendre François Mitterrand. *La Colline inspirée*, son roman paru en 1913, narrait une histoire localisée autour de la colline de Sion-Vaudémont, en Lorraine, un de ces lieux, écrivait l'auteur, qui « tirent l'âme de la léthargie », un haut lieu où souffle l'esprit, et autour duquel « s'organise l'histoire de la Lorraine ». Jarnac a été la colline de Sion de François Mitterrand. Parmi les hommes politiques du XXe siècle, peu ont été attachés autant que lui à sa « petite patrie ». Barrès, si prisé dans la famille Mitterrand et par François lui-même, avait, dans le *Roman de l'énergie nationale*, transporté ses jeunes héros du lycée de Nancy à Paris. Comme eux, comme tous les jeunes ambitieux depuis Balzac, Mitterrand était « monté » à Paris en quête de gloire. Mais il ne fut, il ne sera jamais totalement un « déraciné ». Sa fidélité à sa province natale ne se démentira pas. Peu avant sa mort, il la manifeste encore : « Je crois que c'est dans cet espace [la Charente et Jarnac], que sont nés et se développent tous les parfums, toutes les saveurs, tous les comportements qui ont fait de moi ce que je suis[1]. »

1. *Le Nouvel Observateur*, 11 janvier 1996.

Jarnac a représenté dans son imaginaire le temps immobile, l'éternité des choses, des paysages, des mœurs. Transplanté dans les turbulences de la vie collective, il saura faire fructifier cette mémoire des jours immuables, cette lenteur de la vie botanique, cette patience dans l'azur qu'évoque Valéry, dont chaque atome de silence est la « chance d'un fruit mûr ». Laisser le temps au temps deviendra sa formule préférée au moment où, autour de lui, chacun voudra brûler les étapes.

De sa religion, pratiquée avec ferveur, il restera, une fois la distance prise, selon son propre aveu, « une tendance spiritualiste[1] », et son catholicisme social a pu, comme pour d'autres, l'amener vers un socialisme qui, au sortir de son collège, le rebutait. Toutes ces strates de sa formation ont exercé un effet, plus ou moins caché, sur sa carrière future. Cependant, en 1939, rien n'est joué. C'est l'événement qui, souvent, décide du sort de chacun. Cet événement sera pour lui la Seconde Guerre mondiale, la grande centrifugeuse des idées et des hommes.

---

1. F. Mitterrand, É. Wiesel, *Mémoire à deux voix, op. cit.*, p. 72.

II

FRANCISQUE ET CROIX DE LORRAINE

Les années de guerre de François Mitterrand ont été, elles aussi, l'objet d'une reconstruction de mémoire, sur fond de polémiques. Qu'a-t-il été au juste celui qui, évadé de son camp de prisonniers en Allemagne, avait gagné Vichy, capitale de l'État français soumis à un bâton de maréchal ? Un pétainiste convaincu ? Un résistant dissimulé ? Et s'il est avéré qu'il entra, à un moment ou à un autre, dans la Résistance, cette date est longtemps restée floue. C'est que sur ces questions prévalait cette « part de vérité » qui n'était qu'une partie de vérité : « Rentré en France, déclarait Mitterrand en 1969, je devins résistant, sans problème déchirant[1]. » Depuis cette date, un certain nombre de travaux, et notamment l'ouvrage déjà cité de Pierre Péan, *Une jeunesse française*, ont sensiblement modifié le point de vue. Il y a Résistance et Résistance.

La déclaration de la guerre, le 3 septembre 1939, a saisi Mitterrand au moment où il faisait son service militaire dans une garnison à Paris, d'où il est appelé, en compagnie de Georges Dayan, vers la ligne Maginot. Les deux amis sont séparés en décembre, Dayan appelé en Sarthe, Mitterrand dans les Ardennes. Devenu sergent-chef, c'est là, la mort dans l'âme, qu'il vit la « drôle de guerre », ces mois d'attente stérile,

---

1. F. Mitterrand, *Ma part de vérité, op. cit.*, p. 20.

d'incertitude, d'ennui, qu'assaisonnent les aspérités et les injustices de la hiérarchie militaire : « Je m'irrite de ces débordements d'injustice, écrit-il à Georges Dayan, d'habitudes derrière lesquelles je discerne les forces occultes, sûres d'elles, qui nous mènent. Mais il nous reste encore le goût d'une liberté que nous croyons nécessaire comme l'air aux hommes[1]. » Drôle de guerre, mais bientôt vraie débâcle.

Le stalag

Le 13 mai 1940, l'armée allemande franchit les Ardennes. Le 14, non loin de Verdun, Mitterrand est blessé de deux éclats d'obus, dans les côtes et sous l'omoplate. Transporté en civière roulante sous les tirs des stukas d'hôpital en hôpital, il est finalement fait prisonnier à Lunéville, et transféré en convoi au stalag IX A, en Hesse, où il se retrouve mêlé à quelque trente mille autres prisonniers de guerre français. Rien d'organisé, la pagaille. Pour toute nourriture, des bassines de soupe au rutabaga et des boules de pain. Dans ce désordre, il prend, avec quelques autres qui ont le sens des responsabilités, des initiatives pour en finir avec le chacun-pour-soi et la loi du plus fort. Comme au temps du « 104 », mais en des circonstances dramatiques, il se révèle un chef de file, à l'autorité naturelle.

Son séjour au stalag, qui va durer dix-huit mois, représente une étape capitale dans sa vie. Jusque-là homme heureux, choyé, aimé, il n'a rien connu de l'existence qui l'ait entamé. Le voici, le jeune bourgeois de Jarnac, confronté, affronté à la société réelle, ou à ce qu'a de réel une société d'hommes derrière des barbelés : le mélange des classes sociales, des opinions, des croyances, et la brutalité instinctive de la *struggle for life*. En même temps qu'il

---

1. Cité par F.-O. Giesbert, *François Mitterrand ou la Tentation de l'histoire, op. cit.*, p. 34.

affirme son ascendant, il fait la connaissance des humbles, des petits, des paumés, des ouvriers communistes, des Juifs, loin du « bonheur de Barbezieux » — ce bonheur dont il peut mesurer ce qu'il avait d'exceptionnel. Mais, s'il lui arrive de s'offenser de la vulgarité populaire, il rencontre aussi chez ces individus qui partagent sa destinée des ressources d'humanité. Le dépassement de l'égoïsme instinctif au profit de la solidarité humaine est une leçon qu'il tire sur le vif de son expérience : « Cette vie communautaire m'a marqué en profondeur, dira-t-il. Moi qui suis si profondément individualiste, j'y ai trouvé plaisir. Mais le choc principal, c'est que je me suis soudain rendu compte que la hiérarchie naturelle, c'est-à-dire morale et physique, de la société dans laquelle j'étais — celle des camps de prisonniers — ne correspondait absolument pas à la hiérarchie que j'avais connue toute ma jeunesse[1]. »

Transféré dans un autre camp, à Schaala, en Thuringe, il se retrouve avec des « intellectuels » — enseignants, journalistes, prêtres, étudiants… — et fait la connaissance de codétenus qui resteront ses amis, notamment Jean Munier, fils de vignerons bourguignons, Roger Pelat, ancien ouvrier de chez Renault et ancien combattant des Brigades internationales en Espagne, Bernard Finifter, un Juif d'origine russe issu de la Légion étrangère. Le soir, on discute, on joue aux cartes ou aux échecs. Mitterrand, lui, s'impose à l'admiration de ses camarades par son art de conférencier, sa culture, le calme qui l'habite. De prime abord, on le juge froid, un camarade peu enclin au tutoiement, qui se tient à bonne distance du commun. Mais vite l'orgueilleux laisse percer son ouverture d'esprit, sa bienveillance, sa solidarité. Il sait même jouer la comédie, faire rire, se montrer boute-en-train. Il devient le rédacteur en chef de *L'Éphémère*, un journal de prisonniers, où l'un de ses compagnons, qui signe Asmodée, trace ce portrait de lui : « Tel Vautrin, François Mitterrand est

---

1. Interview de F. Mitterrand par R. Priouret, *L'Expansion*, art. cité.

l'homme aux incarnations multiples. Il a en effet le don d'ubi-
quité et je le soupçonne fort d'être en possession du secret redoutable du dédoublement de la personnalité. Nouveau Janus, on le
voit ici élégant rédacteur du journal, fin lettré, philosophe perspicace et subtil, et on le rencontre là, sanitaire ponctuel et affairé,
dévoué à la cause d'Hippocrate. » Et aussi : « François Mitterrand
a un culte intime pour l'aristocratie, c'est-à-dire qu'il est inces-
samment consumé par les flammes dévorantes du lyrisme, de la
beauté, de l'élévation de pensée. [...] Il a l'esprit ironique et l'âme
tendre. Il a de l'esprit mais il a mieux encore : il a du cœur[1]. »

La découverte d'un autre monde, d'une autre société
s'accompagne de plusieurs transformations dans son esprit. Il
s'écarte progressivement de la religion de son enfance. Comme
beaucoup de Français baptisés, mais plus tard que d'autres, il
cesse la pratique religieuse, tout en restant marqué par une éducation qui préserve en lui une vie spirituelle, vague adhésion à
un principe supérieur, à une éternité possible : non plus le caté-
chisme, mais le besoin d'échapper à une conception matérialiste
du monde sans poésie et sans espoir.

Autre rupture capitale : celle d'avec Marie-Louise Terrasse, sa
Béatrice qu'il noyait sous un déluge de lettres passionnées. Elle
lui répondait d'abord, mais ses réponses-lettres s'espacent, se
raréfient, avant de s'éteindre. Il désespère, il l'appelle, il alerte ses
proches pour comprendre la raison de ce silence, pourtant
évident : le ciel s'est plombé, c'est fini. Plus tard, alors qu'il est de
retour à Paris, elle lui rendra sa bague de fiançailles ; il la jettera
dans la Seine. On peut faire l'hypothèse que cette déchirure et
cette amertume ont changé chez lui sa conception de l'amour,
jusque-là nourrie d'idéalisme et de romantisme. Il aimera autrement. « Mais quel amour choisir ? demandera-t-il à sa cousine
Marie-Claire Sarrazin, dans une lettre du 11 juin 1942. Je suis
gauche devant l'union spirituelle ; la Foi de mon enfance est trop

1. R. Schneider, *Les Mitterrand, op. cit.*, p. 222.

lointaine et avec elle tout son appareil mystérieux et enchan-
teur[1]. » Perte de la foi, fin de l'amour fou : leur simultanéité n'est
pas sans relation.

Et ses idées politiques ? Ont-elles changé, elles aussi ?

Franz-Olivier Giesbert, dans sa première enquête, rapportait
la vulgate entretenue par Mitterrand et ses proches : « D'emblée
[…] Mitterrand se méfie du Maréchal. Dans les camps de prisonniers, les cercles Pétain prolifèrent. Ce sont des petits clubs
où viennent discuter les adeptes de la révolution nationale. […]
Ce qui est frappant, c'est que, tout de suite, François Mitterrand
ait pris ses distances avec Pétain[2]. » Or rien, ni dans les écrits ni
dans les témoignages, ne fait état de cette position. Comme les
autres prisonniers français, il respecte la figure tutélaire du Maréchal, le « vainqueur de Verdun », de qui ils attendent leur libération, à tout le moins de meilleures conditions d'existence. Les
principes de la Révolution nationale paraissent à ces hommes
démunis, blessés par la défaite, éloignés des leurs, une source de
redressement nécessaire. Les colis Pétain, qui complètent leur
piteux ordinaire, ne sont pas des abstractions. Cependant, un
compagnon de captivité, Paul Charvet, témoigne qu'aux yeux de
Mitterrand il ne faut pas s'illusionner sur la souveraineté française : « Quelle souveraineté quand la France est occupée aux
deux tiers et que nous sommes deux millions de prisonniers ? Ce
ne sont que des mots. » Dans *L'Éphémère*, le 1ᵉʳ juillet 1941, il
récuse la contrition publique dont les discours « capitulatoires »
officiels donnent le ton : « Ce sport manque d'imprévu, qui
consiste à fouiller le passé pour y crocheter nos erreurs et nos
fautes. […] Que chacun, au lieu de se frapper la poitrine (ou celle
de son voisin), au lieu de réciter un *mea culpa* (ou bien un *tua
culpa*), prenne conscience de ses forces. » Cela dit, Mitterrand est
disposé à faire confiance au régime de Vichy, tant la défunte

---

1. *Ibid.*, p. 207.
2. F.-O. Giesbert, *François Mitterrand ou la Tentation de l'histoire, op. cit.*, p. 36.

République lui semble indéfendable. «Ce que j'avais vu de la IIIᵉ République finissante, écrira-t-il, m'avait enseigné qu'il n'y avait d'elle rien à aimer. Rien à espérer non plus. Elle se nourrissait de sa décadence et y puisait assez de forces pour qu'on pût la croire éternelle. Un jour viendrait, pensais-je, où elle tomberait d'elle-même, ruinée, usée, vidée, mais quand[1] ?» Un rejet que partage une grande partie des Français, y compris les résistants ou futurs résistants qui, sans aspirer à la dictature, souhaitent voir s'établir un régime débarrassé des jeux sulfureux de la politique politicienne, de l'instabilité gouvernementale et des friperies du parlementarisme.

Cet état d'esprit si bien partagé sert du reste les ambitions du maréchal Pétain, lequel impose ses réformes antirépublicaines comme autant de potions contre la décadence. Beaucoup, même s'ils n'apprécient pas tout ce qui est fait à Vichy, se résignent à tout le moins aux changements nécessaires. François Mitterrand, formé par la droite catholique qui n'a jamais tenu la République laïque en odeur de sainteté, lui qui a été témoin à Paris des médiocrités politiques, ne ressent aucun regret à la disparition de ce régime qui fut incapable d'opposer et sa ruse et sa force au monstre hitlérien. Il ne capitule pas ; il croit une renaissance possible ; il croit aussi que les prisonniers doivent en être le fer de lance.

Dès le début de sa captivité une idée le hante : s'évader. Les silences de Marie-Louise l'y encouragent ; il voudrait sauver son amour, ses fiançailles, son avenir avec elle. Et puis, il ne supporte pas de croupir dans un camp. Il fait deux tentatives d'évasion qui échouent, mais ne renonce pas pour autant. Belle ténacité de la part d'un homme qui n'accepte pas les fers. Le 10 décembre 1941, il essaie pour la troisième fois, réussit à gagner Metz cinq jours plus tard, puis Nancy grâce à des complicités de certaines habitantes, passe par le Jura, s'arrête à Mantry, où, exténué, pâle,

---

1. F. Mitterrand, *La Paille et le Grain*, *op. cit.*, p. 23.

amaigri, il retrouve sa cousine Marie-Claire Sarrazin, qui dirige un collège et qui le reçoit avec effusion. Il se repose chez elle. Son frère Robert le rejoint et le décide à aller se « remplumer » chez des amis, à Saint-Tropez, où il passe les derniers jours de l'année. Le 1er janvier, il file direction Bordeaux, saute du train avant Langon, où il passe la ligne de démarcation, pour rejoindre Jarnac. Il retrouve son père, très maréchaliste, qui lui tend les bras, ses sœurs Geneviève et Colette, son jeune frère Philippe. Il a hâte de gagner Paris et revoir Marie-Louise. Il y réussit, mais c'est pour une cérémonie des adieux. Fini, bien fini, le grand amour ; il ne lui en reste qu'une blessure au cœur.

Que faire ? Sans emploi, en sympathie avec la Révolution nationale du maréchal Pétain, c'est naturellement vers Vichy, capitale de la France non occupée, qu'il dirige ses pas et où il débarque en janvier 1942. Des amis de la famille le patronnent : le colonel Cahier, beau-père de Robert, et le mari de sa sœur Colette, le commandant Le Corbeiller, membre du cabinet de l'amiral Darlan, ministre de la Défense nationale — « On tâchera de vous trouver quelque chose. » À Vichy, on l'emploie d'abord à la Documentation générale du directoire de la Légion française des combattants. Créée en août 1940, la Légion avait pour mission de promouvoir la Révolution nationale ; elle était l'auxiliaire du Maréchal à travers tout le pays. N'exerçant que des fonctions subalternes, elle devient le 31 août 1941 la Légion française des combattants et des volontaires de la Révolution nationale. Mitterrand travaille, lui, au service de documentation, remplit des fiches de renseignements, s'ennuie, lit avec ferveur l'*Histoire de l'armée allemande* de Benoist-Méchin, qu'il considère comme un chef-d'œuvre. Il confie à sa cousine Marie-Claire son admiration pour Pétain : « Oui, j'ai vu une fois le Maréchal. Au théâtre, j'étais assis juste devant sa loge et ai pu le considérer de près et confortablement. Il est magnifique d'allure. Son visage est celui d'une statue de marbre. » S'il communie avec les idées du patriarche, il déplore son entourage : « Tous ceux que je vois, que je connais, ne me paraissent guère transformés par les dures leçons actuelles. La Révolution nationale, c'est malheureusement l'union de deux mots vidés de sens. Il n'y a pas de Révolutionnaires. Et les Nationaux (ou nationalistes ?) sont en général des hommes butés et qui au fond sont de ce bord par facilité. C'est un succès de la droite d'antan. [...] Le Maréchal est presque seul et ceux qui croient en ses idées sont loin de lui[1]. »

Le vichyste

Ce qui nous étonne aujourd'hui est cette adhésion aux « idées » de Philippe Pétain. Des idées qui ont pris forme par les décrets de Vichy et qui, précisément, sont celles d'une vieille droite chassée du pouvoir, en mal de revanche, associée à des républicains brouillés avec la République et décidés aux accommodements avec l'occupant. Ordre moral, fermeture des écoles normales d'instituteurs, révision des manuels scolaires, dissolution des centrales syndicales interprofessionnelles, dissolution des « sociétés secrètes » (la franc-maçonnerie), double statut des Juifs d'octobre 1940 et de juin 1941 (qui les exclut de la fonction publique et d'un certain nombre de professions), condamnation à mort par contumace du général de Gaulle, chef de la France libre... Un pouvoir exécutif sans partage et sans contrôle ; le remplacement de la République française par l'« État français » ; la poignée de main d'octobre 1940 entre Pétain et Hitler à Montoire consacrant la collaboration d'État avec l'Allemagne. Oui, comment François Mitterrand peut-il admettre toutes ces mesures ? On se demande s'il y prête attention. L'opacité de l'avenir y a sa part[2], et

1. Cité par R. Schneider, *Les Mitterrand*, *op. cit.*, p. 243.
2. « Toute histoire de la période doit réintégrer l'opacité de l'avenir [...] », écrit à juste titre Philippe Burrin, *La France à l'heure allemande*, Points-Histoire/Seuil, 1995, p. 10.

le gouvernement français dispose d'une zone non occupée, d'une flotte, d'un Empire. Sans doute le jeune évadé n'a-t-il pas la tripe républicaine. Chez lui, en Charente, puis au cours de son adolescence, il n'a connu ni francs-maçons, ni Juifs, ni communistes, ni syndicalistes, mais un certain goût de l'ordre, de la discipline, du devoir. Pétain, vieux militaire, semble être désigné par la Providence pour redresser la nation abîmée dans la défaite, la tirer de tout ce qui a préparé la débâcle : jeux parlementaires, rivalités et ambitions politiciennes, individualisme à tous les échelons de la société. Il y a toujours, au lendemain des guerres perdues, un terrible examen de conscience national, comme on l'a vu après Sedan et la défaite française de 1870. Ernest Renan, qui devait plus tard soutenir le régime de la République modérée, fustige dans sa *Réforme intellectuelle et morale* « l'utopie républicaine », l'égalité démocratique, le suffrage universel : « Le principe de la république, c'est l'élection ; une société républicaine est aussi faible qu'un corps d'armée qui nommerait ses officiers. » Taine, à la même époque dans ses *Origines de la France contemporaine*, est gagné à l'idée que tout le mal vient de 1789. En 1943, Michel Mohrt reprend cette méditation dans *Les intellectuels devant la défaite*, en écho à ces discours amers sur la destinée d'un pays contaminé par l'idéal démocratique. La défaite alimente la réaction comme une gueule de bois le retour à l'abstinence. François Mitterrand n'échappe pas à cette crise de la conscience nationale, qui remet en cause les effets en chaîne de la Révolution française. Il n'est pas armé intellectuellement contre ce que représente la prétendue Révolution nationale — la « Révolution des Ratés », disait Georges Bernanos —, en fait, une Réaction, sous la bonne garde de l'occupant. Pendant un certain temps, il partage un sentiment largement répandu en faveur du Maréchal, dont le titre abusif de « vainqueur de Verdun » rassure. À la fin de sa vie, dans un livre d'entretiens avec le journaliste Georges-Marc Benamou, il avouera : « Mieux formé idéologiquement, et mieux instruit des événements d'avant guerre, j'aurais discerné de quoi se nourrissait la montée des fascismes et j'aurais observé avec plus de méfiance la façon dont Philippe Pétain et sa camarilla avaient tiré parti des défaillances de la République[1]. »

En même temps, il éprouve un certain scepticisme devant les fonctionnaires de Vichy, la parade des officiels sans expérience, l'entourage du Chef, incapables, indifférents, incompétents, privés de flamme et dépourvus de « fanatisme » (il emploie ce mot dans une lettre à sa cousine). Voilà donc un homme partagé, espérant le grand sursaut national qui aurait lieu sous l'autorité du Maréchal et, en même temps, sceptique sur le personnel de Vichy, les politiciens de Vichy, les combinards de Vichy. Il ne marchande pas sa confiance à Pétain, le sauveur potentiel.

Au mois de mai 1942, Mitterrand quitte cet emploi « fonctionnarisé », sans intérêt, pour entrer au Commissariat général au reclassement des prisonniers de guerre. Trois cent cinquante mille d'entre eux avaient été rapatriés en France, y compris les évadés. Sous la direction de Maurice Pinot, très marqué à droite, le Commissariat s'occupait d'œuvres sociales auprès de ces rapatriés, qu'il identifiait comme « l'aile marchante du grand mouvement de redressement national », sous l'égide du Maréchal. Dans chaque département avaient été fondés une maison du prisonnier, puis de multiples centres d'entraide, où se distribuaient les faux papiers. Au Commissariat, Mitterrand devient chef adjoint au service des relations avec la presse pour la zone non occupée. Il rédige alors des articles, s'occupe d'un bulletin de liaison, prononce quelques conférences, prend part un moment à des émissions sur la Radio nationale organisées par son ami charentais Claude Roy.

Le procès ultérieur, accusant Mitterrand de pétainisme, se fonde sur un certain nombre de pièces qu'on brandira contre lui après la Libération et jusqu'à sa mort. En suivant l'ordre chronologique, c'est d'abord une lettre du 22 avril 1942, au moment où Laval revenait au gouvernement :

---

1. François Mitterrand, *Mémoires interrompus*, Odile Jacob, 1996, p. 76.

« Comment arriverons-nous à remettre la France sur pied ? Pour moi, je ne crois que ceci : la réunion d'hommes unis par la même foi. C'est l'erreur de la Légion que d'avoir reçu des masses dont le seul lien était de hasard : le fait d'avoir combattu ne crée pas une solidarité. Je comprends davantage les SOL [Service d'ordre légionnaire], soigneusement choisis et qu'un serment fondé sur les mêmes convictions du cœur lie. Il faudrait qu'en France on puisse organiser des milices qui nous permettraient d'attendre la fin de la lutte germano-russe sans crainte de ses conséquences — que l'Allemagne ou la Russie l'emporte, si nous sommes forts de volonté, on nous ménagera. C'est pourquoi je ne participe pas à cette inquiétude née du changement de gouvernement. Laval est sûrement décidé à nous tirer d'affaire. Sa méthode nous paraît mauvaise ? Savons-nous vraiment ce qu'elle est. Si elle nous paraît de durer elle sera bonne[1] […]. »

Mitterrand, non seulement faisait confiance à Laval, devenu le 18 avril 1942 « chef du gouvernement », dont la fonction a été instituée par un Acte constitutionnel, mais il soutenait le Service d'ordre légionnaire, mis sur pied par le chef de la Légion des combattants des Alpes-Maritimes, Joseph Darnand, un ancien cagoulard. Pétain avait ainsi encouragé Darnand : « Poursuivez votre activité et continuez à dénoncer les ennemis de l'ordre nouveau en vous inspirant de ma formule que je vous donne : je n'aime pas les juifs, je déteste les communistes, je hais les francs-maçons[2]. » Un des couplets de l'hymne composé pour le SOL disait :

> *SOL faisons la France pure :*
> *Bolcheviks, francs-maçons ennemis,*
> *Israël, ignoble pourriture,*
> *Écœurée, la France vous vomit.*

1. P. Péan, *Une jeunesse française…*, *op. cit.*, p. 187-188.
2. Cité par J. Delperrié de Bayac, *Histoire de la Milice*, Fayard, 1969, p. 72.

Deuxième pièce à charge : une photo datant d'octobre 1942, où l'on voit François Mitterrand reçu en audience par le maréchal Pétain en compagnie de trois autres anciens prisonniers. Une photo qui deviendra accablante pour le futur Président socialiste. Mitterrand n'était pas le seul résistant ou futur résistant à être reçu par le chef de l'État. L'image, révélée en un temps où le « mythe Pétain » avait sombré, dépassera par le choc produit sa signification réelle : « Car de quoi s'agissait-il ? déclarera Mitterrand. Pétain nous a reçus au même titre que les représentants d'autres organisations à but social. Deux camarades m'accompagnaient, Barrois et Vazeille. Au centre de la photo on distingue Marcel Barrois qui allait, quelques mois plus tard, être arrêté, déporté et mourir dans le train qui l'emmenait à Buchenwald. Pétain entreprenait une campagne de séduction à l'égard des mouvements de solidarité qu'il savait hostiles ou réticents, ce qui expliquait sans doute son initiative[1]. »

Troisième grief : un article, « Pèlerinage en Thuringe », publié en décembre 1942 dans *France, revue de l'État nouveau*, dirigée par Gabriel Jeantet, ancien membre de la Cagoule. Il récusait « cent cinquante ans d'erreurs en France », l'héritage des Lumières et de la Révolution, alors que les Américains avaient débarqué en Afrique du Nord, sous les tirs des troupes vichyssoises.

Quatrième accusation, une des plus sensibles : l'obtention de la francisque, cette décoration pétainiste attribuée à un nombre restreint de fidèles (deux mille six cents en tout). Ses parrains étaient deux royalistes, Simon Arbellot et Gabriel Jeantet, membres du Conseil de l'ordre de la Francisque, le premier directeur de la Presse et le second de la Jeunesse. On ne connaît pas la date exacte de la remise, fin du printemps ou début de l'été 1943. Normalement, le décoré devait signer un engagement : « Je fais don de ma personne au Maréchal comme il a fait don de la sienne

---

1. Cité par R. Schneider, *Les Mitterrand, op. cit.*, p. 257.

à la France. Je m'engage à servir ses disciplines et à rester fidèle à sa personne et à son œuvre. » Pendant longtemps, Mitterrand fit courir le bruit que la francisque lui avait été attribuée en 1943 alors qu'il était en Angleterre[1] ou à Alger : « J'étais à Alger en mission pour la Résistance, quand elle m'a été attribuée. Je ne l'ai donc jamais reçue[2]. » La version officielle, celle du futur leader socialiste, était que la francisque servait de couverture à ses activités clandestines : « Pour des gens comme moi, engagés de l'autre côté, c'était une couverture merveilleuse [...]. Nous avons tous dit : la francisque, mais oui[3] ! » « Certes, dira-t-il, plus tard j'aurais dû réfléchir davantage au motif de ce geste : Vichy cherchait par là à développer sa propagande dans des cercles réputés hostiles. J'y ai vu un moyen d'agir plus commodément dans la clandestinité. J'ai eu tort. C'est une erreur de jugement[4]. » Un aveu tardif. Entre-temps, il avait été pris à partie maintes fois, par les communistes, par les gaullistes et par l'extrême droite sur cette fameuse francisque. Le 3 décembre 1954, il fut accusé à l'Assemblée nationale par le député gaulliste Raymond Dronne « d'avoir arboré successivement la fleur de lys et la francisque », mais que, par opportunisme, il avait jeté à temps sa francisque « aux orties ». Il devra supporter le quolibet de « M. Francisque Mitterrand ». L'extrême droite ne sera pas en reste, mais le plus cruel, pour lui, fut sans doute le mot d'Alain Savary, socialiste dissident de la SFIO, fondateur avec Édouard Depreux du PSA (Parti socialiste autonome) en 1959, qui refusera l'adhésion de Mitterrand en ces termes : « Pas de *franciscain* ici[5] ! » De Gaulle, en revanche, refusera d'utiliser l'argument. Lors de la campagne présidentielle de 1965, lorsque son entourage lui

---

1. P. Péan, *Une jeunesse française...*, *op. cit.*, p. 288.
2. Interview de F. Mitterrand par R. Priouret, *L'Expansion*, art. cité.
3. *Ibid.*
4. F. Mitterrand, *Mémoires interrompus*, *op. cit.*, p. 82.
5. Jean Lacouture, *Mitterrand, une histoire de Français*, Éd. du Seuil, 1998, t. I, p. 220.

suggère d'attaquer Mitterrand sur son passé, de le montrer en photo arborant la francisque, de Gaulle secoue la tête et laisse tomber : « Non, je ne ferai pas la politique des boules puantes [1]. »

Le résistant

Pétainiste avéré jusqu'à une certaine date difficile à préciser, Mitterrand a été aussi un résistant incontestable. Il n'a pas appartenu aux grands mouvements de Résistance, toujours jaloux de son autonomie. C'est à partir de la défense des prisonniers, en cherchant à les protéger, en les organisant en mouvement, qu'il s'est lancé. La date à retenir, selon lui, est la réunion de Montmaur, dans les Hautes-Alpes, du 12 au 15 juin 1942. Des prisonniers rapatriés et de nombreux évadés tenaient leurs assises à l'instigation d'un des leurs, Antoine Mauduit. Ce n'était pas encore un mouvement de résistance, mais les contacts étaient pris. La révocation de Maurice Pinot du Commissariat aux prisonniers, le 13 janvier 1943, semble plus décisive. Mitterrand, solidaire, le suit, passe au Service national des étudiants, mais reste au milieu des prisonniers de guerre (PG), dans le comité directeur du centre d'entraide de l'Allier. Le 10 juillet 1943, alors que se tient salle Wagram, à Paris, la journée nationale du Mouvement prisonniers, Mitterrand fait un coup d'éclat. De la salle, il interpelle André Masson, successeur de Pinot au Commissariat : « Le Mouvement est-il politique ou non ? Qu'entendez-vous par faire du civique ? Où commence le civique, où se termine-t-il ? » Masson défendait la politique de la « relève » lancée par Laval le 22 juin 1942 : un prisonnier libéré contre trois travailleurs envoyés en Allemagne. Mitterrand est monté sur sa chaise au moment où Masson évoquait la « relève » : « Non, ne croyez pas

1. Alain Peyrefitte, *C'était de Gaulle*, t. II, Fallois/Fayard, 1997, p. 602.

que les prisonniers marchent avec vous ! » Il réussit à s'enfuir dans le brouhaha provoqué par son intervention.

En mars 1943, Mitterrand était entré en contact avec l'ORA (l'Organisation de résistance de l'armée), issue de l'armée d'armistice et ralliée au général Giraud, aux fins de reprendre la lutte contre les Allemands. Henri Giraud, général d'armée, avait été fait prisonnier en mai 1940 ; il s'était évadé, avait rejoint Vichy, puis Alger, en novembre 1942, au lendemain du débarquement américain. L'équipe des démissionnaires qui avaient suivi Pinot, et dont était Mitterrand, reçut de l'ORA des subsides, grâce auxquels Mitterrand devient un résistant à temps plein, et prend dans la clandestinité le nom de François Morland. Un envoyé de Giraud décrit le groupe Pinot-Mitterrand en septembre 1943 : « Les idées de ce mouvement sont : anti-allemand ; attaché à Pétain au début. Il en reste une attache sentimentale. Désir de révolution nationale (dans notre sens à nous). De Gaulle représente pour eux la première résistance anti-allemande. Giraud, le prisonnier évadé. Donc pas de parti pris contre ou pour qui que ce soit mais avec prédominance Giraud tout de même[1]. »

Malgré sa volonté d'autonomie et ses tendances giraudistes, Mitterrand juge que la légitimité de son mouvement de prisonniers ne deviendra officielle qu'en recevant son adoubement à Londres et à Alger. La concurrence l'y poussait, celle du réseau dirigé par Michel Cailliau, neveu du général de Gaulle, le Mouvement de résistance des prisonniers de guerre et déportés (MRPGD). Le 11 novembre 1943, l'appartement de Mitterrand, rue Nationale à Vichy, était l'objet d'une descente de la Gestapo. Prévenu à temps, il évite de rentrer à son domicile et, le 16 novembre, s'envole pour Londres, grâce à un membre de l'ORA au nom prédestiné, le commandant du Passage.

---

1. Extrait du rapport Lesage, 20 septembre 1943 (AN—3AG2/223), cité par Bénédicte Vergez-Chaignon, *Les Vichysto-Résistants*, Perrin, 2008, p. 378.

À Londres, Mitterrand/Morland présente une longue note aux autorités de la France libre, où il décrit l'historique de son mouvement, créé en octobre 1942 avec l'appui du commissaire Pinot, et dont les buts sont l'entraide avec les prisonniers rapatriés ou évadés, l'aide à l'évasion des camarades en captivité, mais aussi la lutte contre l'occupant. Il entend alors faire valoir l'antériorité de son mouvement par rapport à celui de Charette (Michel Cailliau) qui voudrait l'éliminer.

Au cours de ce séjour londonien, il rencontre Jean Warisse, représentant d'Henri Frenay qui, à Alger, vient d'être nommé commissaire aux Prisonniers, Déportés et Réfugiés au CFLN (Comité français de libération nationale). Au nom du comité des Cinq (un comité dont il prend délibérément la tête, précédant Jacques Bénet, Marcel Barrois, Maurice Pinot et Jean Munier), Mitterrand précise que sa visite à Alger a pour but de fournir à M. Frenay toutes les possibilités de contrôle et de régler la question du mouvement Charette, afin de décider qu'il ne peut y avoir en France deux mouvements de résistance des PG. « Sur mes questions précises, lit-on dans le rapport de Warisse, de savoir si le mouvement reconnaissait le général de Gaulle, M. Mitterrand m'a répondu qu'en accord avec le "Comité des Cinq", ils avaient décidé de s'intégrer à la Résistance française sans souci de savoir si cette Résistance dépendait du général de Gaulle, de Giraud ou de n'importe quelle tête. D'après ses déclarations, il ne peut s'agir pour eux de devenir un mouvement politique[1]. »

Identifié provisoirement sous le nom du capitaine Monier, il reçoit du colonel Passy un ordre de mission pour Alger, « où il est réclamé par le président du Comité français de libération nationale ». L'ordre, en fait, est venu de Frenay, le chef du mouvement Combat, qui a connu Mitterrand à Vichy. Depuis juin 1943, le général Giraud coprésidait le CFLN à Alger, mais à la

---

1. Commissariat national aux Prisonniers, déportés et réfugiés. Note pour le colonel Passy, Londres, 29 novembre 1943 (AN—171Mi146).

date où Mitterrand va s'envoler, ce piètre politique, trop soumis aux Américains, de plus en plus isolé, devait céder devant de Gaulle, désormais seul chef de la Résistance.

Mitterrand/Monier s'embarque le 3 décembre 1943 à bord d'un Douglas qui atterrit à Maison-Blanche, l'aérodrome d'Alger. Il retrouve Georges Dayan, perdu de vue depuis leur séparation en 1940. Il revoit Henri Frenay, le commissaire aux Prisonniers, qui va lui ménager une entrevue, en sa présence, avec le général de Gaulle, à la villa des Glycines. « Ses premiers mots furent pour s'étonner de mon transport par avion anglais. Je fus confus de n'avoir pas songé à m'enquérir de la marque et de la nationalité de cet avion et d'avoir cru qu'entre Londres et Alger, en pleine guerre, ce mode de communication pouvait être considéré comme normal[1]. » La défiance est manifeste, de Gaulle est prévenu contre Mitterrand. Celui-ci ne venait pas faire allégeance, mais entendait faire reconnaître par de Gaulle l'existence de son mouvement de prisonniers. Le général lui dit vouloir la fusion des trois mouvements de prisonniers dans la Résistance, le sien, celui de Charette (Cailliau) et le Centre national des prisonniers de guerre, un secteur du Front national communiste, le tout sous l'autorité de Michel Cailliau. Le visiteur lui fait part de ses hésitations, de sa volonté d'autonomie. « Il me donna congé froidement. » Une blessure d'amour-propre lui avait été infligée ; le courant ne passait pas entre les deux hommes. Au reste, Mitterrand donna plusieurs versions de cette entrevue. Ainsi, dans l'interview de 1972 à Roger Priouret dans *L'Expansion* : « Une heure de conversation tendue. Il m'a dit tout de suite : "J'ai donné des ordres, il faut de la discipline ; d'ailleurs, vous n'aurez ni argent ni armement si vous ne vous inclinez pas. Et j'ai désigné M. Charette comme responsable." (Il se gardait bien de donner son véritable nom.) J'ai accepté la fusion des mouvements et refusé le responsable. »

---

1. F. Mitterrand, *Ma part de vérité, op. cit.*, p. 21.

Cailliau-Charette était très défavorable à Mitterrand et s'efforçait de le discréditer auprès de son oncle. Dans une lettre qu'il écrit au Général, le 1er février 1944, il s'efforce de ravaler Pinot et Mitterrand, afin de désamorcer le « mouvement Prisonniers issu de Vichy » : « La personnalité de Mitterrand, ancien attaché au Commissariat de Vichy, ancien fondateur des cercles Pétain à son stalag, maurrassien dans l'âme [*sic*], adepte d'Armand Petitjean [écrivain proche de Drieu la Rochelle], que je crois encore plus dangereux que Pinot. […] Le mouvement Prisonniers issu de Vichy et le mouvement Pinot-Mitterrand sont deux appellations d'un agrégat de légionnaires et de bourgeois réactionnaires qui cherchent à conserver leur estime à Pétain tout en se rattachant au général Giraud. » Frenay, qui prend connaissance de cette lettre, et qui aspire à l'union des résistants gaullistes et des résistants venus de Vichy, prend la défense de Mitterrand dans une lettre adressée à Vergennes, autre pseudonyme de Cailliau, le 18 mars 1944 : « Je ne partage absolument pas votre point de vue sur les sentiments que nourrit Morland à l'égard de la politique de Vichy. […] Le drame de la France a fait que des hommes honnêtes et désintéressés ont cru, pendant un certain temps, au maréchal Pétain et ont placé en lui leur confiance. Sans doute ont-ils été trompés, mais ils ont été trompés sincèrement et, s'ils ont fait une erreur, on ne peut pas la leur imputer comme crime. Or, vous savez, comme je le sais moi-même, que l'immense majorité du peuple français, pendant plus ou moins longtemps, a fait confiance au maréchal Pétain. Vouloir refuser systématiquement de faire route avec ceux-là n'aboutirait, en définitive, qu'à isoler une poignée d'hommes (dont vous êtes et dont je suis) de la nation. C'est donc vers une politique d'union, et d'union sincère, que nous devons marcher[1]. »

---

1. Lettre du commissaire aux Prisonniers, Réfugiés et Déportés à M. Vergennes (Cailliau), 18 mars 1944 (AN-72AJ2174). On trouve un fac-similé de cette lettre dans les annexes de l'ouvrage de Pierre Péan.

En fait, à ce moment-là, François Mitterrand avait gagné.

À son retour d'Alger, via Marrakech (où, fortuitement, Joséphine Baker lui offre l'hospitalité de son château), Glasgow et Londres, c'est dans la clandestinité qu'il rejoint Paris, le 29 février 1944. La fusion entre les trois mouvements de prisonniers de guerre est décidée lors d'une réunion du CNR (Conseil national de la Résistance) le 12 mars. Mitterrand, qui ne voulait pas l'union avec le CNPG communiste, doit s'incliner, mais il devient membre du comité directeur du nouveau mouvement, le MNPGD (Mouvement national des prisonniers de guerre et déportés), dont le manifeste, trois jours plus tard, dénonce les « traîtres de Vichy, qui n'ont fait que trahir les captifs et encourager la déportation ». Bientôt, il devient la tête du mouvement unifié, que Jacques Bénet part représenter, en avril 1944, à Alger à l'Assemblée consultative. En mai 1944, l'état-major est réparti entre la zone nord et la zone sud. Mitterrand prend la direction de la première avec Jean Munier. Bugeaud, un communiste, assisté par un autre communiste, Edgar Morin, dirige la région parisienne. Un des cercles est appelé « la bande à Antelme », dont font partie l'épouse de celui-ci, Marguerite (future Duras), et son ami Dionys Mascolo. La romancière, dans un entretien datant de 1985, rendra hommage à Morland son ancien chef : « Quand je me souviens de vous pendant la guerre, de cette période de notre vie où nous étions jeunes, je vous vois à la fois dans une crainte profonde de la mort et en même temps dans une disposition non moins constante à la braver. Vous étiez à la fois d'un courage raisonnable, raisonné et fou[1]. »

Le MNPGD est en effet traqué par la Milice et la Gestapo. Munier, sous le nom de commandant Rodin, dirige ses corps francs. Au cours d'une soirée chez Roger Pelat (colonel

---

1. Marguerite Duras, François Mitterrand, *Le Bureau de poste de la rue Dupin*, Gallimard, 2006, p. 15.

« Patrice ») et Christine Gouze (Madeleine), François Mitterrand découvre avec ravissement la photo de Danielle, la sœur de cette dernière, qui prépare son bac. Christine s'entremet bien volontiers et organise une rencontre dans un restaurant du boulevard Saint-Germain. Le 28 mai suivant, à Cluny, les deux jeunes gens scellent leur liaison. Mais la Gestapo est à l'affût, Morland et ses amis doivent changer de planque, éviter les souricières, subir les perquisitions. L'une d'elles est fatale. Le 1ᵉʳ juin 1944, une réunion de responsables du MNPGD devait avoir lieu rue Dupin, où habite Marie-Louise, sœur de Robert Antelme. Une descente de la police allemande, à laquelle échappe Mitterrand prévenu à temps, s'abat sur Antelme, bientôt déporté à Dachau. Plus tard, en avril 1945, Mitterrand, chargé par de Gaulle de seconder les Américains dans l'ouverture des camps de déportés de Landsberg et de Dachau, retrouvera par miracle Robert Antelme quasi mort ; il réussira à le faire rapatrier à Paris, où il reprendra vie[1].

Le 9 juin, trois jours après le débarquement en Normandie, sort le premier numéro de *L'Homme libre* — c'était le titre du journal de Clemenceau. Son sous-titre était : « Le journal des FFI, édité par le MNPGD ». On y exalte le rôle des prisonniers de guerre dans les combats de la Libération. Il paraîtra au grand jour le 22 août.

Mitterrand se cache à Paris jusqu'à la Libération. Il s'inquiète des suites politiques dans une lettre à son ami Jean Védrine, qui l'a connu au Commissariat et l'a suivi dans la Résistance : « Il est vraisemblable que, sitôt Paris libéré, j'aurai à créer et à installer des organismes administratifs et des groupements de combat. Il faudrait que tu rappliques instantanément. Il faudra tout tenir à bout de bras et lancer immédiatement tous nos tentacules. Il peut y avoir une période de transition sans gouvernement, et nous devons prendre sur nous de balancer tous les hommes nui-

---

1. *Ibid.*, p. 18-21. Voir *La Douleur* de Marguerite Duras (POL, 1985).

sibles, sans aucun ordre supérieur, tout en continuant à faire marcher les services, administrant les intérêts de nos camarades. Tu vois le travail[1] ! »

Le Comité français de libération nationale (CFLN) l'a désigné comme secrétaire général provisoire pour les PG (prisonniers de guerre) en métropole. De Gaulle, en attendant l'arrivée à Paris du Gouvernement provisoire d'Alger, a eu l'idée de créer une délégation gouvernementale « dont chaque membre serait l'alter ego d'un ministre d'Alger ». Alexandre Parodi, délégué général, a demandé à Mitterrand de représenter les PG. Le 25 août, dans Paris libéré, il fait partie de ceux qui accueillent de Gaulle à l'Hôtel de Ville. Le lendemain, il participe à l'apothéose de la libération de Paris, la descente des Champs-Élysées, cinq ou six rangs derrière le chef de la France libre, devant la foule enthousiaste. Le 27, sous la présidence du Général, au ministère de la Défense rue Saint-Dominique, il est présent au Conseil des ministres — ou à ce qui en tient lieu, car Frenay avec la majeure partie du Gouvernement provisoire est toujours à Alger. Il pourra ainsi se targuer plus tard d'avoir été ministre du général de Gaulle. Mais, le 1er septembre, Henri Frenay, de retour d'Alger, recouvre son ministère ; il propose à Mitterrand de rester secrétaire général aux Prisonniers avec lui, mais celui-ci n'a cure d'un poste administratif et refuse : « J'avais vingt-sept ans, mon ambition n'était pas de devenir fonctionnaire[2]. »

Cependant, des adversaires de Mitterrand rappellent ses antécédents vichystes, et cette francisque qui relève des foudres de l'épuration. Il prend les devants. Dans *L'Homme libre* du 6 septembre 1944 : « Il y a des têtes à couper. Qu'on les coupe : mais en sachant choisir celles qui ont pensé la trahison. Et que les autres soient libérées d'une menace imprécise. » Tout de même, cette francisque, son adhésion à la Révolution nationale, son

---

1. P. Péan, *Une jeunesse française…*, *op. cit.*, p. 424.
2. F. Mitterrand, *Mémoires interrompus*, *op. cit.*, p. 152.

compagnonnage avec Pinot si à droite lui valent des attaques et lui en vaudront tout au long de sa carrière.

La rémanence maréchaliste

Au juste, quelle interprétation donner au comportement de François Mitterrand pendant ces années de guerre ?

Deux faits sont incontestables, nous l'avons vu : il fut pétainiste et il fut résistant. Son ralliement à Vichy est avéré par ses écrits, soit correspondance privée, soit articles de journal. Même s'il fut à la tête du MNPGD, carrément antipétainiste, il garde, à titre personnel, une attitude de respect à l'égard du Maréchal. Assistant à son procès après la guerre pour le journal *Libres*, il publie trois articles, où il se montre impitoyable avec les hommes de la IIIᵉ République, en particulier Édouard Daladier, sans jamais charger l'accusé. Devenu président de la République, il fera déposer en 1984 une gerbe sur la tombe du Maréchal à l'île d'Yeu. Georges Pompidou et Valéry Giscard d'Estaing l'avaient précédé dans ce geste à l'égard du « vainqueur de Verdun », mais une seule fois, en 1973 et en 1978. Lui en fera un rituel, reproduit tous les 11 Novembre à partir de 1987. Serge Klarsfeld commentera son attitude : « Même s'il a eu un itinéraire honorable dans la Résistance, il ne veut pas renier le jeune homme qu'il a été et considère que le seul bourreau était nazi[1]. » Une historienne, Claire Andrieu, au lendemain de la publication de l'enquête de Pierre Péan, *Une jeunesse française*, va jusqu'à classer Mitterrand, le Mitterrand de 1942, au rang des « pétainistes durs[2] ». Le chef de l'État ne manquera pas de défenseurs, et lui-même de s'étonner : « De ne pas avoir été résistant dès 1940 alors que j'étais prisonnier en Allemagne ?

---

1. « L'insulte aux martyrs », *L'Humanité*, 13 novembre 1992.
2. Claire Andrieu, « Questions d'une historienne », *Le Monde*, 15 septembre 1994.

D'être passé par Vichy pour remplir les hautes fonctions d'agent contractuel pour une rémunération correspondant aujourd'hui à moins que le SMIC ? D'avoir respiré durant quelques mois l'air de cette ville dont tant d'autres se sont rempli les poumons goulûment et sans dommage pour eux ? D'avoir été reçu vingt minutes par Philippe Pétain, pour une banale contribution à l'aide aux prisonniers de guerre, en présence de deux camarades dont l'un est mort en déportation ? D'avoir publié deux articles dont aujourd'hui je ne renierais pas un mot[1] ? Etc. » Non, à ses yeux de vieil homme près de la mort, en 1995, il n'a rien à se reprocher, si ce n'est peut-être d'avoir accepté la francisque, une maladresse.

Ce qui le sauve à ses propres yeux, c'est de n'avoir jamais été un collaborationniste, d'avoir au contraire toujours été antiallemand. Bien avant d'entrer dans la clandestinité à son retour d'Alger au début de l'année 1944, il était dans un esprit de résistance : « Moi, je sais qu'à l'époque il y avait ceux qui marchaient avec l'ennemi et ceux qui marchaient contre lui. Je marchais contre[2]. » Il aime rappeler qu'en avril 1942, accompagné d'un médecin de Clermont-Ferrand, Guy Éric, il est allé saboter dans cette même ville une conférence d'un partisan de la collaboration, Georges Claude. Par la suite, son engagement dans le MNPGD a été radical, résolu et courageux. Au demeurant, il ne s'est rallié à de Gaulle qu'à la suite de la mise hors jeu du général Giraud par celui-ci. Jusque-là Mitterrand et son mouvement de prisonniers étaient giraudistes, et l'on sait que Giraud n'avait pas rompu avec les idées de Pétain. Plus tard, Mitterrand sut garder ses distances, protéger son indépendance, allant jusqu'à dépêcher à Genève son ami André Bettencourt, à l'été 1944, pour obtenir des subsides des Américains plutôt que du Gouvernement provisoire de la

---

1. F. Mitterrand, *Mémoires interrompus, op. cit.*, p. 81.
2. *Ibid.*, p. 80.

République française[1]. Il est soucieux de n'être pas soumis à ce général qui veut tout régenter et ne respecte pas, selon lui, la Résistance intérieure. « La Résistance extérieure, dira-t-il, était non seulement une entreprise militaire et politique de type classique mais aussi une entreprise de pouvoir. Bref, conforme au tempérament du général de Gaulle. La Résistance intérieure, au contact du peuple français, de ses souffrances, de ses aspirations, c'était le peuple de France. » Son antigaullisme sera un des héritages de sa Résistance.

Les révélations sur le rôle de Mitterrand pendant la guerre ont rendu perplexes nombre de ses partisans. Qu'on fût successivement vichyste puis résistant, c'était le lot de très nombreux combattants de l'« armée de l'ombre », mais pouvait-on être *à la fois* favorable à Pétain, l'homme de Montoire, et engagé dans la lutte antiallemande ? Dans la mémoire collective, la Résistance s'oppose à Vichy comme l'eau au feu, on ne peut appartenir aux deux. C'est une idée reçue de la dernière année de la guerre ou qui remonte au débarquement américain en novembre 1942, au moment où l'armée de Pétain tente de s'y opposer. Et encore ! La recherche historique a pu démontrer que, pendant longtemps, et pour certains jusqu'au bout, on pouvait être les deux à la fois : « Personnellement, confie à Pierre Péan Paul Racine, secrétaire du docteur Ménétrel, médecin de Pétain, je ne voyais aucune opposition entre servir le Maréchal et faire de la résistance[2]. » L'historien Denis Peschanski reprocha à Claire Andrieu de n'avoir pas étudié ce qu'il propose d'appeler d'un terme disgracieux les "vichysto-résistants", « cette composante de la Résistance, dont François Mitterrand, avec son expérience propre, est l'un des représentants[3] ». Un autre histo-

---

1. B. Vergez-Chaignon, *Les Vichysto-Résistants*, *op. cit.*, p. 470.
2. P. Péan, *Une jeunesse française…*, *op. cit.*, p. 292.
3. Denis Peschanski, « Questions d'un historien à une historienne », *Le Monde*, 18-19 septembre 1994.

rien, Jean-Pierre Azéma, qui étudiait le personnel de la Résistance, établissait le même constat[1]. En 2008, Bénédicte Vergez-Chaignon publiait un gros livre intitulé *Les Vichysto-Résistants*, et, quelques années plus tard, était soutenue la thèse de Johannah Barasz sur le même sujet. Les thuriféraires du maréchal Pétain font leur miel de cette ambivalence. En 1966, c'est un des deux parrains de Mitterrand pour l'obtention de la francisque, Simon Arbellot, qui, dans les *Écrits de Paris*, soutient allègrement la cohérence de Mitterrand qui avait compris « le patriotisme allant jusqu'au sacrifice qui animait le Maréchal et ses amis » ; la francisque équivalait « à une sorte de brevet de résistance[2] ». Si Mitterrand a pu croire, comme beaucoup d'autres, ce double jeu possible, il y eut néanmoins un moment où l'ambiguïté n'était plus permise : la conjonction de coordination *et* devait être remplacée par *ou*. Mais, de la première option, tout ne s'est pas effacé ; une certaine rémanence du maréchalisme est observable, mais plutôt chez des hommes politiques de droite (Bénouville, Bettencourt, Rémy, Jean-Baptiste Biaggi…) ; c'est plus rare à gauche. Les dichotomies résistants/pétainistes, résistants/collabos ont leur pertinence mais, jusqu'à la fin de 1942, et parfois au-delà, elles ne rendent pas raison d'une complexité et d'une confusion que l'on a balayées rétrospectivement. Or François Mitterrand n'a jamais renié son adhésion au pétainisme des années 1940-1942, même s'il l'a passablement banalisée, comme en témoigne le passage cité plus haut.

---

1. Jean-Pierre Azéma fait de François Mitterrand « l'exemple même du "vichysto-résistant" », « Pétainiste ou résistant ? », *L'Histoire*, n° 253, avril 2001.

2. Simon Arbellot, « La francisque de François Mitterrand », *Écrits de Paris*, janvier 1966.

Une ambition politique

Le 7 mai 1945, l'armée allemande capitule ; le 8 mai, la guerre est finie en Europe. La France est dans l'attente d'un renouveau, dont l'espoir est porté par tous les mouvements de Résistance et par une population en proie aux maux criants de l'après-guerre. Le général de Gaulle, à la tête du Gouvernement provisoire, s'efforce de hisser la France au rang des vainqueurs. Il parvient à lui faire attribuer, le 16 mai, l'un des cinq sièges de membre permanent au Conseil de sécurité de l'ONU. Le temps des juges est venu, l'épuration sauvage laisse place peu à peu aux tribunaux. Le procès du maréchal Pétain se tient du 23 juillet au 15 août 1945. La vie politique est agitée. Beaucoup ont craint, au lendemain de la libération de Paris, une insurrection communiste, mais, le 28 octobre 1944, les milices patriotiques aux mains du PCF ont été dissoutes, en échange de l'autorisation donnée à son secrétaire général, Maurice Thorez, déserteur qui a passé la durée de la guerre en URSS, de rentrer en France, bénéficiaire d'une « grâce amnistiante ». Les communistes sont néanmoins devenus la principale force politique du pays, comme l'indique le premier retour aux urnes des Français et des Françaises (leur droit de vote a été définitivement instauré le 5 octobre 1944) pour les élections municipales d'avril-mai 1945. Le nombre des conseils municipaux communistes est passé de 310 à 1 413.

Le provisoire doit cesser. Le CFLN avait annoncé le scénario le 21 avril 1944 : « Le peuple français décidera souverainement de ses futures institutions. À cet effet, une Assemblée constituante sera convoquée dès que les circonstances permettront de procéder à des élections régulières. » Le 21 octobre 1945, les Français sont appelés à une double consultation. Outre les élections d'une Assemblée, ils doivent répondre par référendum à deux questions : 1. « Voulez-vous que l'Assemblée élue ce jour soit constituante ? » Le oui signifierait la fin définitive des lois constitutionnelles de 1875 et de la IIIᵉ République. 2. « En cas de réponse positive à la première question, cette Assemblée serait-elle limitée dans le temps ? » Plus de 96 % des électeurs répondent oui à la première question, et plus de 66 % à la seconde. Commencent alors les travaux d'une Assemblée constituante, dominée par le parti communiste (26,2 % des suffrages exprimés, 146 sièges) suivi à gauche par la SFIO (24,6 % des suffrages, 135 sièges). Un nouveau parti, le MRP (Mouvement républicain populaire), démocrate-chrétien, s'intercale entre les deux précédents (25,6 %, 143 sièges) — un succès notable dû en partie au vote des femmes enfin instauré[1]. Ces trois principaux partis politiques gouvernent ensemble (après que les socialistes eurent repoussé une simple coalition PCF-SFIO), sous la présidence du général de Gaulle qui forme un nouveau gouvernement un mois plus tard. Cependant, la mésentente entre le président du Gouvernement provisoire de la République française et les partis amène l'ancien chef de la France libre à démissionner le 20 janvier 1946. La France est alors entrée dans le cycle du « tripartisme », ces trois partis, PCF, SFIO et MRP, qui ont à proposer au peuple souverain le projet constitutionnel qu'ils auront élaboré.

Dans ce contexte mouvementé, que devient François Mitterrand ? Il s'est marié, le 28 octobre 1944, en l'église Saint-Séverin, à Paris, avec Danielle Gouze. Leurs deux témoins sont Roger-Patrice Pelat et Henri Frenay. Étaient présents Jean et Ginette Munier, Bernard Finifter, André Bettencourt et François Dalle. Rapidement enceinte, Danielle accouchera d'un garçon, Pascal, qui, pour le malheur de ses parents, mourra le 10 juillet 1945. Sans emploi, le jeune marié est introduit par François Dalle et

---

1. L'article 17 de l'ordonnance du 21 avril 1944 sur « l'organisation des pouvoirs publics à la Libération » stipule que « les femmes sont électrices et éligibles dans les mêmes conditions que les hommes ».

André Bettencourt auprès d'Eugène Schueller, beau-père de ce dernier et patron du groupe L'Oréal. Devenu rédacteur en chef du magazine *Votre Beauté*, de la Société d'éditions modernes parisiennes, il forme le projet de transformer le magazine féminin en revue littéraire au cœur d'une grande maison d'édition. L'échec de cette tentative l'amènera à démissionner au début de 1946. Mais ce passage par L'Oréal coûtera cher à sa réputation, car Schueller, ancien collaborationniste, se révélera le protecteur d'anciens cagoulards et collaborationnistes, qu'il fait passer, pour fuir l'épuration, en Espagne ou en Argentine. Hasard, malentendu : les amitiés que François Mitterrand a su nouer garderont une odeur de soufre.

L'important reste pour l'ancien Morland de mettre en pratique son ambition politique, indépendamment du pouvoir officiel. Éditorialiste de *Libres*, qui a succédé à *L'Homme libre*, il devient vice-président, mais véritable leader, de la Fédération nationale des prisonniers de guerre, en son congrès constitutif au début d'avril 1945. À ce poste, qui consacre son ascension, il doit mener une lutte incessante sur deux fronts, à la fois contre les communistes qui entendent noyauter la Fédération comme toutes les autres institutions, et vis-à-vis d'Henri Frenay, son ami ministre, pour se défendre de toute allégeance gouvernementale. Dans cet exercice d'équilibre, il ne peut empêcher une manifestation de prisonniers à Paris, où les communistes dominent, le 4 juin, devant le ministère d'Henri Frenay. Furieux, le général de Gaulle accepte le lendemain de recevoir une délégation : c'est la troisième rencontre entre Mitterrand et de Gaulle. Les circonstances ne sont pas faites pour rapprocher les deux hommes. À Alger s'était amorcée « une incompatibilité d'humeur qui dure encore », disait l'auteur de *Ma part de vérité* en 1969. De Gaulle ne supporte pas cette agitation de rue contre son ministre et semonce sévèrement les trois délégués.

À la fin de l'année 1945, François Mitterrand change son fusil d'épaule. Une vie politique plus normale a repris depuis les élections de la Constituante en octobre. Il écrit alors son livre *Les Prisonniers de guerre devant la politique*. C'est un testament, il va se lancer dans la compétition électorale. La Constitution élaborée par les communistes et les socialistes, sans le MRP, est rejetée par le référendum du 5 mai 1946. Il s'ensuit la dissolution de la Constituante puis les élections d'une nouvelle Assemblée constituante, le 2 juin. Mitterrand se présente dans la cinquième section du département de la Seine (Boulogne-Billancourt), sous l'étiquette du RGR (Rassemblement des gauches républicaines), hostile aux trois grands partis nationaux ; il est franchement battu. Ce premier échec n'est pas pour le décourager, la constance, la ténacité, la pugnacité ne sont pas les moindres mérites de l'ancien chef des « PG ». Il aura sa revanche.

François Mitterrand est encore un jeune homme, il n'a pas trente ans à la fin de la guerre, qui, comme tant d'autres, l'a changé. Il a définitivement acquis confiance en lui : son ascendant naturel s'est vérifié aussi bien dans son camp de prisonniers qu'à la tête des organisations successives qu'il a dirigées. Il a connu des gens qui resteront ses compagnons. Depuis son service militaire en 1938, il s'est lié avec des hommes qui resteront jusqu'au bout ses amis chers, parmi lesquels Roger-Patrice Pelat, Jean Munier, Georges Dayan, des résistants, mais aussi des hommes longtemps pétainistes comme André Bettencourt, François Dalle ; au-delà des premiers cercles, il a tissé des réseaux de camaraderie et de complicités dans les organisations de prisonniers. Chez ce jeune homme doué, maître de lui, qui sait provoquer l'admiration aussi bien que l'aversion (Michel Cailliau le poursuit sans relâche de ses accusations, de même que les communistes), la volonté d'indépendance est manifeste. C'est précisément cette volonté qui l'a retenu d'adhérer au gaullisme. « [De Gaulle] considérait la France comme sa chose et cela me rebutait[1]. » Il y a dans l'antigaullisme récurrent de Mitterrand

---

1. F. Mitterrand, *Mémoires interrompus, op. cit.*, p. 153.

cette répugnance ; il ne supporte pas l'autorité de l'homme du 18 juin, qu'il assimile à un autoritarisme insupportable. Il ne sera pas un aligné. Sans doute lui arrivera-t-il de reconnaître à de Gaulle sa grandeur, mais en aucun cas il n'acceptera sa domination.

Cet antigaullisme va de pair avec un anticommunisme bien ancré. Le PCF est devenu, grâce à la Résistance, aux principes léninistes de son organisation clandestine, au déclin d'un parti socialiste dont les membres se sont trop dispersés dans les divers mouvements de Résistance, grâce au prestige de l'URSS et de Staline, à la victoire de Stalingrad, un parti puissant, qui rayonne sur toutes les couches de la population, et que sa propagande pose en « parti des soixante-quinze mille fusillés ». Il n'est pas seulement un parti révolutionnaire marxiste, il est le grand parti patriotique dont tant de héros sont morts pour la France. Cette puissance acquise lui permet de conquérir tous les bastions possibles de la presse, de l'administration, de l'université ; de devenir une force majeure à l'Assemblée ; de peser lourdement sur les destinées du pays, même s'il n'a jamais exercé directement le pouvoir. Contre ce colosse, François Mitterrand est sur ses gardes. Dans ses mouvements de prisonniers, il se bat contre les communistes par tous les moyens, sauf à faire des concessions quand il ne peut les éviter. Même si sa captivité, ses rencontres dans la Résistance, la débâcle du régime de Vichy l'ont poussé plus à gauche qu'il n'était avant la guerre, il est resté un homme de droite au moment où il se présente à ses premières élections en 1946. Cela dit, ses convictions ne sont pas encore bien arrêtées : « Je n'avais pas d'idées très précises sur tout, mais je voulais mener une vie politique au gré de ma seule décision[1]. » Il ne serait pas équitable de nier qu'il veuille travailler au bien commun. Il a conscience de ses dons : l'art de parler, d'écrire, le sang-froid, la volonté, la prestance ; il n'est pas douteux qu'il veuille les mettre au service de l'intérêt général. En ces quelques années, il a fait

1. _Ibid._, p. 152.

l'expérience de la souffrance, de la déréliction, de la barbarie et de la mort. Son éducation chrétienne joue dans ce sens du dévouement, même s'il s'est éloigné de la pratique religieuse. Toutefois, il s'est découvert non seulement une vocation, mais une ambition : le pouvoir l'aspire, le pouvoir l'attend.

« La politique, écrit Raymond Abellio, n'est pas une question de technique mais de tempérament, on y cherche moins à gouverner un pays ou un peuple qu'à y déployer son propre destin[1]. » François Mitterrand entend bien ne pas vivre au-dessous de lui-même : il ne sera ni fonctionnaire ni apparatchik d'un parti ; il veut courir l'aventure de son ascension à la force du poignet. Vichysto-résistant, s'affichant ni de gauche ni de droite, peu sujet aux illusions idéologiques, opportuniste s'il le faut, ses ambivalences, loin de le disqualifier, doivent lui servir d'atout.

---

1. Raymond Abellio, *Les Militants*, Gallimard, 1975, p. 42.

III

L'ÉTERNEL MINISTRE

L'ambition politique n'est pas une passion universelle. On serait malvenu à blâmer la minorité des citoyens qui en font leur vie : la démocratie a besoin de volontaires, et la république parlementaire leur ouvre large ses portes. François Mitterrand n'est pas de ceux qui envoient dinguer la promesse des urnes au premier échec électoral. Toujours constant dans ses volontés, possédé de la rage de parvenir, il a conscience de ses atouts, de ses talents, il se convainc d'être né sous l'astre de la réussite. La IVe République vient de naître officiellement, il en sera, et sans attendre.

Une Constitution a enfin émergé des dissensions publiques. Aux élections de la Constituante du 2 juin 1946, auxquelles Mitterrand avait échoué, le MRP était arrivé en tête mais loin d'une majorité absolue. Le 16 juin, le général de Gaulle, à Bayeux, avait décrit les institutions souhaitables pour la France. Les députés de la nouvelle Constituante n'en tinrent guère compte et, au prix de quelques concessions, notamment l'instauration d'une seconde chambre appelée non plus Sénat mais Conseil de la République, les démocrates populaires mêlèrent leurs voix à celles des communistes et des socialistes pour adopter, le 29 septembre, le nouveau projet constitutionnel, que le référendum du 13 octobre 1946 va ratifier. La IVe République naissait dans la douleur ; promulguée le 27 octobre, sa Constitution n'avait été approuvée que par 36 % des électeurs, l'abstention et les votes blancs s'élevant à près d'un tiers des électeurs. Une partie du corps électoral avait été sans doute influencée par le discours prononcé le 22 septembre à Épinal par le général de Gaulle, dénonçant la confusion des pouvoirs et des responsabilités. Du moins la France était-elle sortie des incertitudes. Selon les termes de la Constitution, on devait donc procéder aux élections successives de l'Assemblée nationale et du Conseil de la République, lesquels, une fois réunis, éliraient le président de la République.

En route !

François Mitterrand était bien décidé à ne pas manquer l'occasion, mais son échec précédent, au mois de juin, l'amène à changer de circonscription. « Je me suis présenté à la députation dans la Nièvre, en 1946, déclare-t-il dans *Ma part de vérité*. Le bon docteur Queuille m'y avait envoyé avec pour tout viatique cet encouragement : "On vous offre cette chance parce qu'elle n'existe pas. Allez-y quand même. Vous réussirez si vous écoutez tout le monde et n'en faites qu'à votre tête." » Être patronné par Henri Queuille, symbole corrézien d'un aimable immobilisme politique mais qui avait eu le mérite de rejoindre la France libre à Londres puis à Alger, c'était moins suivre les conseils d'un aigle que ceux d'un politicien chevronné, parlementaire indéracinable, et parfait connaisseur des arcanes de la république parlementaire. À vrai dire, le département de la Nièvre lui avait été suggéré par un autre, dont Mitterrand avait toutes les raisons de ne point se réclamer, Edmond Barrachin. Celui-ci avait été un proche du colonel de La Rocque au PSF, avant de devenir un des défenseurs les plus véhéments de l'Algérie française. Dans la cinquième circonscription de la Seine, où Mitterrand s'était présenté et avait échoué le 2 juin précédent, sa liste RGR (Rassemblement des gauches républicaines), quoique arrivée en cinquième position, derrière la liste du PRL (Parti républicain de la liberté, droite modérée), avait empêché celle-ci d'avoir un élu. Edmond Barrachin en avait été la victime et, en fieffé politicien, jugea souhaitable d'écarter Mitterrand de sa circonscription : il pria le marquis de Roualle, directeur général des conserves Olida, de lui faire une place dans le département de la Nièvre. Reçu les bras ouverts par le magnat nivernais de la saucisse, financé par lui, considéré avec sympathie par le clergé, aidé par d'autres notables adversaires du tripartisme gouvernant, le jeune parachuté, flanqué de son épouse, se lança avec fougue dans une campagne menée à la hussarde.

Le mode de scrutin à la proportionnelle départementale impliquait la présentation de listes comprenant une hiérarchie de candidats dont le nombre équivalait à celui des sièges attribués au département. Quatre listes rivalisèrent, Mitterrand menait celle d'Action et unité républicaine, devant trois autres candidats. Cette étiquette, correspondant à un accord national entre radicaux, PRL, UDSR (Union démocratique et socialiste de la Résistance) et union gaulliste, était présente dans vingt-quatre départements. Elle était le fruit d'une entente entre des partis hostiles au tripartisme et à la Constitution.

La profession de foi officielle de la liste Mitterrand la situe nettement à droite. Si un certain nombre d'articles vont dans le sens des libertés syndicales, de la modernisation des campagnes, de l'aide à la jeunesse et aux personnes âgées, la tonalité générale est nettement conservatrice : défense de la propriété individuelle, liberté du commerce et de l'agriculture contre les contrôles excessifs, les règlements abusifs, liberté de l'enseignement contre le monopole d'État, dénonciation de la « dictature communiste », droits de la famille, défense de l'épargne, libération du marché alimentaire, remise en question des nationalisations[1]...

---

1. Voir le fac-similé du programme Mitterrand dans Jean Battut, *François Mitterrand le Nivernais, 1946-1971, la conquête d'un fief*, L'Harmattan, 2011, p. 36-37.

Le 10 novembre 1946, la liste Mitterrand arrive au deuxième rang (30 000 voix) derrière la liste communiste (environ 40 000), mais elle devance les listes SFIO et MRP. Finalement, le nouveau venu a réussi à arracher l'un des deux sièges que détenait le parti communiste, tandis que SFIO et MRP conservaient le leur. Dans l'interview de 1972 à Roger Priouret, Mitterrand le concédait : « J'ai été élu, j'en conviens, avec des voix extrêmement mélangées, sans adversaire de droite : donc des gens de droite ont voté pour moi. Voilà ma légende d'homme de droite. » Une légende, c'est beaucoup dire. Le témoignage d'Alain de Roualle, fils du propriétaire d'Olida, nous en fait douter : « Mon père [...] cherchait un candidat de droite pour faire pièce au tripartisme. Sur les conseils de son ami Edmond Barrachin, il devait prendre contact avec un jeune homme catholique et bien-pensant, qui s'appelait François Mitterrand. À l'époque, je l'ai vu au moins cinquante fois à la maison [...]. Il était pour nous le candidat idéal, tout à fait de notre bord[1]. »

On imagine la fierté du pimpant élu quand il prit place, à trente ans, dans l'hémicycle du Palais-Bourbon. Une de ses premières tâches est de s'inscrire dans un groupe parlementaire ; il choisit ainsi de s'apparenter à l'UDSR, petit groupe de vingt-deux députés avec, lui compris, trois apparentés. L'UDSR, unique parti né de la Résistance, à l'origine fédération de plusieurs mouvements non communistes, était devenue parti politique en juin 1946. Pour éviter l'éparpillement électoral, l'UDSR avait contribué avec le parti radical-socialiste à la création du RGR (Rassemblement des gauches républicaines). Son président allait en être bientôt René Pleven, rallié d'emblée à l'homme du 18 juin, ministre des Finances dans le Gouvernement provisoire

---

« Le Barodet », qui, depuis les débuts de la IIIᵉ République, est la publication en un volume des professions de foi des élus, fait défaut pour les élections de 1946, aussi bien à la bibliothèque de l'Assemblée nationale qu'à la bibliothèque de Sciences-Po.

1. Cité par C. Nay, *Le Noir et le Rouge...*, *op. cit.*, p. 147-148.

de Charles de Gaulle et adversaire comme celui-ci de la Constitution qui venait d'être ratifiée.

Le groupe le plus imposant de cette première législature est celui du parti communiste (165 sièges), suivi par le MRP (143) et la SFIO (91). Ce rapport des forces interdit une majorité de gauche socialiste-communiste : le tripartisme est relancé. Arrivés en tête, les communistes avancèrent la candidature de Maurice Thorez à la présidence du Conseil, mais, si les socialistes se prononcent vaille que vaille en sa faveur, ils se heurtent à l'opposition irréductible du MRP. La candidature de Georges Bidault est repoussée à son tour. François Mitterrand, quant à lui, a refusé sa voix à l'un et à l'autre. En désespoir de cause, un cabinet Léon Blum, entièrement socialiste, est investi le 16 décembre — gouvernement de transition en attendant l'élection du président de la République.

Entre-temps, le Conseil de la République, qui avait de moindres pouvoirs que feu le Sénat (en cas de conflit entre les deux chambres, l'Assemblée avait le dernier mot), est élu, au suffrage indirect, les 24 novembre et 8 décembre 1946. Les deux assemblées réunies en congrès élisent à Versailles, le 17 janvier suivant, le socialiste Vincent Auriol à la présidence de la République, avec le soutien des parlementaires communistes. La logique du tripartisme et, au sein de celui-ci, de la position centrale de la SFIO voulait que Vincent Auriol fasse appel à un socialiste : il désigne donc Paul Ramadier, Aveyronnais barbichu, réformiste bon teint, pour constituer un gouvernement « d'accord » entre les partis. Le dosage impose de ne déplaire à aucun d'eux et d'inclure l'éventail le plus large des groupes. Ce fut l'aubaine de François Mitterrand.

Ramadier avait choisi comme vice-présidents les représentants des deux autres formations du tripartisme : le communiste Maurice Thorez et le démocrate populaire Pierre-Henri Teitgen. Un autre communiste était chargé de la Défense nationale, François Billoux, un autre MRP des Affaires étrangères, Georges Bidault, et un socialiste de l'Économie nationale, André Philip.

On avait concédé deux ministères à l'UDSR, la Jeunesse, qui échut à Pierre Bourdan, et les Anciens Combattants, destiné à Claudius-Petit. Celui-ci cependant décline la proposition : c'est la Reconstruction qui l'intéresse (il attendra ce poste jusqu'en septembre 1948), mais il conseille chaleureusement à Ramadier de prendre un jeune député prometteur à sa place. C'est ainsi que François Mitterrand devient, à trente ans, le plus jeune ministre de France, responsable des Anciens Combattants et Victimes de guerre.

L'adversaire du tripartisme qu'il était entrait dans un gouvernement qui en était le produit ; hostile à la Constitution de 1946, il n'avait aucun scrupule à devenir ministre de la IVe République ; anticommuniste déclaré, il participait à un ministère composé notamment de communistes et soutenu par leur groupe parlementaire. Chez lui, la fidélité aux hommes ne s'est jamais accompagnée d'une intransigeance sur les idées. Il a clairement compris le sens des institutions et le rôle des martingales parlementaires ; il a évité d'adhérer à un grand parti hiérarchisé qui eût freiné ses ambitions et su entrer dans un petit parti centre gauche-centre droit dont le nombre des caciques était limité et où il pouvait imposer vite sa forte personnalité.

Il en fait preuve d'emblée lors de son entrée en fonction dans son ministère de la rue de Bellechasse, un des bastions de longue date du PCF : le personnel est en grève et occupe les lieux, sous l'autorité d'une puissance syndicale, le communiste Zilbermann, à la suite d'un conflit avec Max Lejeune, le prédécesseur de François Mitterrand : « Je ne pouvais pas téléphoner, sauf sous la surveillance communiste : ainsi je suis resté trois jours durant leur prisonnier. Heureusement, j'ai pu faire sortir mon ami [Georges Beauchamp] et il a fait publier avec ma signature un arrêté révoquant tous les directeurs du ministère en grève et nommant à leur place des présidents d'associations de prisonniers résistants[1]. » Dans ce conflit avec les communistes, Mitterrand

---

1. Interview de F. Mitterrand par R. Priouret, *L'Expansion*, art. cité.

montre une détermination qui, comme pour le Cid, n'attendit pas « le nombre des années ». Comptant sur le réseau des anciens prisonniers et déportés, il sut leur être reconnaissant : un statut officiel leur fut attribué et leur pension sensiblement augmentée.

La question communiste devient vite le centre des préoccupations politiques en cette année 1947. La situation intérieure est critique : tout manque, les prix flambent, les salaires ne suivent pas. Jules Moch, ministre socialiste des Affaires économiques depuis le 22 octobre, donnera cette évaluation officielle : « En six mois, la hausse des produits alimentaires a été de 43 % contre 11 % pour les salaires. » Des grèves éclatent, dont la plus sérieuse gagne les usines Renault le 25 avril. Cette grève de grande ampleur n'a pas été déclenchée par les communistes, mais ceux-ci n'entendent pas être débordés sur leur gauche. Le 4 mai, Ramadier pose la question de confiance devant l'Assemblée ; il obtient une majorité, mais les députés communistes, y compris les ministres, la lui refusent. La solidarité gouvernementale a volé en éclats. Ramadier va-t-il démissionner ? Sur les instances du président Auriol, il décide un remaniement ministériel et se sépare des communistes.

Guerre froide

La rupture du tripartisme est consommée, même si, pendant un certain temps, les dirigeants du PCF ont cru que la crise n'était qu'une « péripétie », qu'ils pourraient revenir au gouvernement. En fait, la situation internationale, jusque-là caractérisée par une coexistence pacifique avant la lettre entre les États-Unis et l'URSS, laisse place à la guerre froide. L'échec d'un accord entre les anciens Alliés sur le sort de l'Allemagne et le lancement du plan Marshall d'aide à l'Europe provoquent un tournant de la diplomatie stalinienne. En septembre, à Szklarska Poreba, près de Wroclaw, en Pologne, les partis communistes occidentaux, français et italien, sont sommés de changer de ligne, d'investir toutes leurs forces contre le plan Marshall et de défendre les positions de l'URSS en train de construire le glacis des démocraties populaires. La création du Kominform, avatar du Komintern pour l'Europe, donne le signal des hostilités.

Le conflit entre l'Ouest et l'Est change la donne en France. Le parti communiste entre dans une opposition belliqueuse, et son isolement empêchera toute majorité de gauche : la SFIO est accusée d'être un « parti américain ». Or, simultanément, un autre phénomène se développe, le retour en force sur la scène politique du général de Gaulle, qui fonde en avril le RPF (Rassemblement du peuple français), dont les premiers pas augurent une victoire finale. Les élections municipales du mois d'octobre deviennent le premier théâtre d'un affrontement entre communistes, gaullistes et ceux qui, rejetant ces deux dangers pour la IVe République, vont bientôt constituer la « troisième force ».

François Mitterrand, qui a fait les frais provisoirement du remaniement ministériel du mois de mai, se lance en octobre dans la campagne des municipales à Nevers. Il sait que son avenir politique passe par son enracinement dans le département dont il est un des quatre députés. La municipalité de Nevers, 44 000 habitants, avait été gagnée aux élections de 1945 par la liste socialiste-communiste, et c'était un communiste, Marcel Barbot, qui en était le maire. La poussée du RPF, face à la gauche divisée, est générale en France. À Nevers, sa liste obtient dix élus, contre huit au PCF, six à la SFIO, trois au MRP ; la liste de François Mitterrand en a quatre. Il refuse son vote au maire communiste sortant. Le gaulliste Marius Durbet est élu maire au second tour.

Était-ce un bon choix que Nevers ? Mitterrand ne s'y sent pas à l'aise, et le nouveau conseiller municipal se fera remarquer surtout par ses absences. On a pu calculer, grâce aux procès-verbaux des réunions du conseil municipal, qu'il n'a participé qu'à six conseils sur cinquante[1]. Un enracinement encore problématique :

---

1. J. Battut, *François Mitterrand le Nivernais…, op. cit.*, p. 43.

le député de la Nièvre est convaincu de sa nécessité, il n'a pas encore trouvé sa bonne localisation. Il va la découvrir dans le Morvan, dont il aime les paysages, les ciels, les odeurs, les collines verdoyantes, toute une nature avec laquelle il se sent en symbiose comme en Charente. Il se présente aux élections cantonales de 1949 dans le canton de Montsauche, haut lieu de la Résistance, où il l'emporte sur le maire et conseiller général communiste Jules Bigot. Cette fois, il s'adonne à l'amélioration des conditions de vie de ses concitoyens : réfection des routes, adductions d'eau, reconstruction des bâtiments publics, aides aux sinistrés. Il a conscience que son avenir à Paris passe par son action locale et régionale, comme l'ont montré les ténors de la IIIe République, pour la plupart fils comme lui de la province. Le mode de scrutin à la proportionnelle, qui crée la distance avec les électeurs, pourrait l'en dissuader, mais la Nièvre ne compte que quatre députés ; les citoyens les connaissent et peuvent apprécier leur action politique, mais aussi les occasions de rencontre, l'être à tu et à toi des échanges débonnaires. Mitterrand qui n'est pas d'un naturel familier apprend vite à serrer les mains, à feindre de s'intéresser aux petites choses de la vie que lui débitent ses électeurs, parfois un verre à la main. « Il pouvait, témoigne Pierre Joxe, passer de longues minutes sur une adduction d'eau, un accident ou un aménagement de carrefour, un glissement de terrain, ou sur l'Office national des forêts qui s'obstinait à planter des résineux, comme si on était dans les Landes[1]. » Le jeune homme froid, distant, voire arrogant, se patine loin des bancs du Palais-Bourbon.

La presse a parlé d'un « raz-de-marée gaulliste » au lendemain des municipales d'octobre 1947. La IVe République est ébranlée : le total des voix communistes et des voix gaullistes est sensiblement supérieur au reste des suffrages. Dès lors de Gaulle réclame la dissolution de l'Assemblée. Mais quoi ? s'il ne peut y avoir

---

1. Pierre Joxe, *Pourquoi Mitterrand ?*, Philippe Rey, 2006, p. 17.

d'alliance entre le RPF et le PCF, la base du régime n'en est pas moins devenue précaire. Le mouvement social reprend. À Marseille, des troubles graves se produisent, à la suite d'une augmentation des tarifs des tramways. L'agitation devient générale en France du 12 novembre au 10 décembre, des violences se multiplient, les affrontements avec la police prennent un tour dangereux. Un nouveau gouvernement est investi sous la présidence de Robert Schuman, déterminé à « sauver la République ». Mitterrand, qui a récupéré son portefeuille des Anciens Combattants, assiste, du banc des ministres de l'Assemblée, aux ruades des députés communistes contre Schuman, un Lorrain qui avait été incorporé dans le service auxiliaire de la Reichswehr jusqu'en juillet 1915 et qui se voit traiter de « boche » et de « casque à pointe » par le stentor communiste Jacques Duclos. Parfaitement solidaire du gouvernement Schuman, Mitterrand contribue à maintenir la fermeté de son action, dans une conjoncture de crise extrême. On parle alors de « grèves insurrectionnelles ». Dans la nuit du 2 au 3 décembre, des inconnus font dérailler l'express Paris-Tourcoing non loin d'Arras ; on compte seize morts et une trentaine de blessés. Les communistes sont suspectés d'être à l'origine de l'attentat ; ils répliquent en accusant le gouvernement de « provocation fasciste ». Le 9 décembre cependant, la CGT décrète le « repli général ». Les syndicalistes n'étaient pas unanimes dans l'appréciation des événements. Au cours d'une conférence nationale de la CGT, les 17 et 18 décembre 1947, la minorité hostile aux communistes fait scission et crée la centrale rivale de la CGT-Force ouvrière, qui bénéficie aussitôt d'une aide financière des syndicats américains de l'AFL (American Federation of Labor), derrière lesquels agit la CIA. La guerre froide a eu raison de l'unité syndicale. La CGT, où les communistes règnent en maîtres, devient la courroie de transmission du parti communiste, selon la bonne méthode léniniste. À l'Élysée, à Matignon, au ministère de l'Intérieur, on a cru à un complot communiste, préludant l'arrivée de l'Armée rouge. Mais ce n'était nullement dans les intentions de Staline, qui doit déjà avaler la moitié de l'Europe ; sa prudence lui interdit de provoquer une intervention américaine.

Ainsi, entre le danger communiste et la menace gaulliste, une coalition, celle de la « troisième force », se constitue pour la défense du régime. Ses deux piliers les plus solides sont la SFIO et le MRP, qui ne forment pas toutefois une majorité à l'Assemblée. Le poids de la « troisième force » est douteux, c'est un regroupement incertain et conflictuel, au sein duquel les formations ne sont d'accord ni sur les questions économiques et sociales ni sur la question scolaire (l'aide à l'enseignement privé). Un tel déséquilibre interdit la stabilité gouvernementale : à partir du cabinet Robert Schuman jusqu'à celui d'Edgar Faure qui clôt la législature en 1952, on ne compte pas moins de dix gouvernements successifs, avec ministres interchangeables. L'atout de l'UDSR est, comme parti charnière, de devenir indispensable à tous ; c'est aussi la bonne fortune de François Mitterrand.

L'ultramarin

Peu à peu ses responsabilités et son rôle s'amplifient. En 1948, à trente-deux ans, il est sollicité par Robert Schuman — c'est un exploit — pour prendre le ministère de l'Intérieur, comme l'atteste le *Journal du septennat* de Vincent Auriol, très favorable : « J'ai insisté auprès de Mitterrand qui avait accepté une première fois, mais il a dû refuser, malgré son désir, sur les injonctions de son parti. Il a voulu maintenir sa décision, on l'a menacé d'exclusion[1]. » En cette période d'agitation sociale, les partis craignent de s'exposer, l'UDSR — dont Mitterrand est devenu membre à part entière — comme les autres. Après avoir été ministre des Anciens Combattants et Victimes de guerre,

---

1. Vincent Auriol, *Journal du septennat*, t. II, Armand Colin, p. 415.

secrétaire d'État à la vice-présidence du Conseil puis à la présidence du Conseil, le voici ministre de la France d'outre-mer dans le cabinet René Pleven, investi le 12 juillet 1950 et reconduit le 10 mars 1951 dans le troisième cabinet Queuille. Dans cette fonction, Mitterrand prend connaissance des problèmes africains, dont il devient l'un des spécialistes à Paris. Il déclarera en 1969 : « C'est l'expérience majeure de ma vie politique dont elle a commandé l'évolution[1]. »

L'Union française, formée par la France métropolitaine et les territoires issus de la colonisation, était composite. L'Algérie, la Réunion, la Guyane et les Antilles relevaient du ministère de l'Intérieur. Le Maroc et la Tunisie, qui étaient des protectorats, dépendaient du ministère des Affaires étrangères. L'Indochine en guerre se trouvait sous l'autorité directe d'un ministère des États associés qui venait d'être créé. Le ministre de la France d'outre-mer exerçait sa tutelle sur l'Afrique occidentale et l'Afrique équatoriale françaises, Madagascar, les Comores, les établissements d'Océanie et Saint-Pierre-et-Miquelon. Malgré les promesses de réformes, telles que les avaient formulées la conférence du général de Gaulle à Brazzaville en janvier 1944 (« une volonté ardente et pratique de renouveau ») et le préambule de la Constitution (« Fidèle à sa mission traditionnelle, la France entend conduire les peuples dont elle a pris la charge à la liberté de s'administrer eux-mêmes et de gérer démocratiquement leurs propres affaires »), le fait colonial n'avait guère évolué dans les possessions d'outre-mer, si ce n'est l'abrogation du travail forcé. En 1949, alors qu'il était secrétaire d'État à la présidence du Conseil chargé de l'Information, Mitterrand avait visité l'Afrique en compagnie de son épouse. « J'en étais revenu brûlant du désir d'agir dans ce domaine nouveau pour moi. J'avais vu l'Afrique en mouvement mais incertaine, hésitante, souffrante. J'avais vu une administration débonnaire mais fer-

1. F. Mitterrand, *Ma part de vérité, op. cit.*, p. 27.

mée, désuète, entichée de formules toutes faites apprises de Gallieni et de Lyautey. [...] J'avais vu l'Afrique au pillage, ses matières premières exploitées, expédiées, transformées au loin en produits finis et semi-finis. J'avais vu des hommes humiliés, pis encore, résignés. [...] Mais je ne concevais l'indépendance qu'au terme d'un long délai[1]. »

De fait, l'idée de l'émancipation des colonies africaines n'était pas dans les esprits. En 1947, une rébellion à Madagascar avait été réprimée sans pitié. Le nouveau ministre de la France d'outre-mer était convaincu de la nécessité des réformes, mais, comme il l'avait écrit dans *Libres*, le 24 juin 1945 : « Sous l'affreux aspect de l'utilitarisme, nos colonies nous sont nécessaires. Les abandonner serait s'abandonner. » La pensée de la décolonisation, comme pour la plupart des Français, ne l'encombre pas : une hypothèse inutile.

Une des réussites de son exercice ministériel aura été de se concilier les faveurs du RDA (Rassemblement démocratique africain) et de son leader, Félix Houphouët-Boigny. Le RDA, parti interafricain, fondé en 1946, comptait six députés à Paris, apparentés au groupe communiste. La guerre froide survenue, il passe pour un pion soviétique en Afrique, et devient l'objet de toutes les attaques des colons et de l'administration coloniale. Dans un climat social alourdi, des affrontements se succèdent entre les ouvriers des plantations de café et la police en Côte d'Ivoire. Le 29 janvier 1950, à Dimbokro, l'arrestation d'un militant du RDA provoque une émeute. Les gendarmes tirent sur la foule et font treize morts et soixante blessés. Houphouët-Boigny, surnommé le « Thorez africain », dénoncé comme « apprenti dictateur », est l'homme à abattre, y compris pour les socialistes et les gaullistes du RPF très présents en Côte d'Ivoire. Cependant, en 1950, René Pleven, chef du gouvernement, comprenant l'intérêt de se concilier le RDA, reçoit le député Houphouët-Boigny à

---

1. C. Nay, *Le Noir et le Rouge...*, *op. cit.*, p. 183.

Matignon, au grand dam, du reste, de Mitterrand, furieux d'avoir été court-circuité[1]. Celui-ci, favorable à une nouvelle orientation de la politique française en Afrique, prend langue à son tour avec le leader africain. Le courant passe entre les deux hommes. Les deux parties veulent l'apaisement.

Le succès de cette politique vaut à Mitterrand la reconnaissance des Africains. Quand il se rend en février 1951 à Abidjan, avec une suite abondante où figure Alphonse Boni, magistrat de souche ivoirienne, son ancien condisciple du collège Saint-Paul d'Angoulême, en vue de l'inauguration du nouveau port, il est mieux accueilli par les Africains que par les colons : « Sa jeunesse même, témoigne Paul-Henri Siriex, ancien gouverneur de la Côte française des Somalis, était une sorte de provocation. » Il reçoit de la part des Blancs un accueil aussi glacial que celui qu'ils réservaient à Félix Houphouët-Boigny, mais il donne « l'impression d'une dignité sûre d'elle-même et de l'avenir[2] ». François Mitterrand s'emploie alors à remettre l'administration coloniale au pas.

Par la suite, il réussit ce beau coup : détacher le groupe RDA du parti communiste et l'intégrer dans l'UDSR, qui devient l'UDSR-RDA. Cet exercice ministériel, qui dura un peu plus d'un an, en 1950-1951, lui aura valu l'hostilité du parti colonial, incapable d'accepter un processus de réformes sans en dénoncer le dévoiement vers l'indépendance. « Une presse véhémente et injurieuse, écrira-t-il quelques années plus tard, alerta l'opinion sur l'abominable complot qui signifiait la fin de la présence française au bénéfice d'agitateurs qu'un régime sain, équilibré et fort aurait destinés à la prison ou à la mort[3]. »

L'hostilité de la droite se concrétisa lors de la discussion du budget de la France d'outre-mer, le 4 avril 1951. Un amende-

---

1. Paul-Henri Siriex, *Félix Houphouët-Boigny, l'homme de la paix*, Seghers, 1975, p. 131.
2. *Ibid.*, p. 138.
3. François Mitterrand, *Présence française et abandon*, Plon, 1957.

ment, présenté par Édouard Frédéric-Dupont, un des fondateurs du PRL passé au RPF, visant à diminuer le salaire du ministre, est approuvé. Le chef du gouvernement s'y oppose et le budget est voté sans dommage pour le traitement de Mitterrand. Mais celui-ci subit les foudres de ses adversaires d'une autre façon. Lors de la formation du deuxième cabinet Pleven, au mois d'août 1951, celui-ci, pour satisfaire les MRP, très remontés contre Mitterrand, et dont il a besoin, procède à son éviction. Pour celui-ci c'est un camouflet, une injustice. Dès lors, René Pleven n'avait qu'à bien se tenir ! Mitterrand n'aurait plus de scrupule à conquérir la présidence de l'UDSR contre lui.

Le Nivernais

Pour l'heure, il s'agit d'être réélu aux élections législatives du 17 juin 1951. La France émerge alors difficilement de sa convalescence d'après guerre. Le mythe des « trente glorieuses » donne à penser que le redressement français date des années de l'immédiat après-guerre. Il n'en est rien. Jusqu'en 1949 les Français ont connu le rationnement alimentaire, les « tickets de pain » n'étant abolis que cette année-là. L'aide américaine restait nécessaire, et la France n'était qu'une voix docile sous le parapluie des États-Unis. Les productions agricoles et industrielles n'ont retrouvé que progressivement leurs chiffres de 1938. La France, pays de 42 millions d'habitants, moins peuplée que le Royaume-Uni et l'Italie, est demeurée profondément rurale : sept villes seulement dépassent à l'époque les 200 000 habitants, plus du tiers de la population active est employé dans l'agriculture — un secteur encore passablement archaïque. L'enseignement supérieur est réservé à une toute petite minorité de 140 000 étudiants (dont 8 000 étrangers), et les bacheliers de l'année ne dépassent pas 25 000. Le véritable renouveau de cette France d'après guerre tient à sa démographie, à la reprise d'une fécondité inattendue.

En 1938, le pays comptait 612 000 naissances, soit un taux de natalité de 14,6 ‰. En 1950, 858 000 naissances avaient élevé ce taux à 20,4 ‰. Le plein emploi de ces années de reconstruction et de développement encourageait le mouvement.

Dans le domaine politique, les grands maux se profilent. La France était toujours en guerre en Indochine où son corps expéditionnaire subissait des revers face au Viêt-minh ; la guerre froide était devenue chaude en Corée depuis juin 1950 ; en Chine, les communistes de Mao Zedong avaient pris le pouvoir en 1949. À l'intérieur, les gouvernements de « troisième force », instables, étaient pris dans l'étau de deux forces redoutables, le parti communiste toujours aussi puissant et le RPF des gaullistes, adversaires du régime. Les députés majoritaires à l'Assemblée eurent l'idée d'une nouvelle loi électorale apte à sauver la « troisième force » : la loi du 9 mai 1951, dite « des apparentements », destinée à limiter la représentation du PCF et du RPF. Cette loi maintenait le principe de la représentation proportionnelle départementale, mais elle offrait une prime en sièges aux listes qui souscrivaient à une déclaration d'apparentement. En obtenant la majorité absolue des suffrages, les listes apparentées pouvaient se répartir la totalité des sièges. Quatre-vingt-huit apparentements furent ainsi conclus dans les cent trois circonscriptions électorales, au détriment du parti communiste et du RPF gaulliste.

Édouard Herriot, leader du parti radical, déclarait à Lyon, au début de juin : « Nous nous présentons contre deux extrêmes. Nous voulons défendre la liberté, la France et la République. [...] L'apparentement n'est pas une coalition mais une convention intervenue entre des hommes qui sont d'accord pour défendre la France contre ceux qui veulent détruire la République et la liberté. »

Dans la Nièvre, Mitterrand, avec une âme de corsaire, donne l'assaut aux communistes, qui entendent bien récupérer l'un des deux sièges qu'il leur a pris en 1946, et qui mènent une campagne active, sur les thèmes de la paix, du désarmement, débordant d'antiaméricanisme (« US go home ! »), et fustigeant la guerre d'Indochine. Le RPF, mené par Marius Dourbet, maire de Nevers, a le vent en poupe. La « troisième force » est divisée par la question scolaire depuis le récent vote de la loi Barangé-Marie favorable à l'enseignement privé (subventions publiques en faveur du primaire). Mitterrand, qui n'a pas pris part au vote et dénonce la guerre scolaire, doit compter avec la SFIO, qui lui reproche ses alliances avec les notables du département. L'UDSR ne pèse pas lourd en militants à côté de ces trois partis, mais la formation de René Pleven a conclu un accord avec le RGR et les Indépendants à l'échelle nationale, en s'intitulant « quatrième force ». Conseiller général depuis 1949, le néo-Nivernais entreprend une campagne flamboyante, appuyée désormais par une publication qu'il a créée en 1950, *Le Courrier de la Nièvre*. Éloquent, corrosif, résolu, il ne ménage pas son énergie, tourbillonne de réunion en réunion, tient des permanences régulières à Nevers. La lutte est chaude.

Le programme électoral qu'il signe pour la liste de l'Union démocratique et républicaine des indépendants dresse un bilan flatteur de ses actions ministérielles. D'abord aux Anciens Combattants : « J'ai réorganisé l'Office des combattants, créé la carte du combattant pour ceux de 1939-1945, le statut des déportés de la Résistance. Les pensions de guerre ont été, durant ces dix-huit mois, augmentées de 72 à 78 % […]. » À l'Information : « Je noterai surtout que j'ai placé la télévision française au premier rang de la technique mondiale en fixant la définition à 819 lignes (en Amérique, elle est de 625 et en Angleterre de 405 lignes). » Il se targue d'avoir refusé le ministère de l'Intérieur qui lui était offert par Robert Schuman et insiste sur son action à la France d'outre-mer : « J'ai pu assurer partout l'ordre et la présence française. Aucune émeute, aucun incident grave n'est venu troubler, comme cela avait été trop souvent le cas auparavant, la prospérité grandissante de ces territoires. » L'ordre ! Mais pas une ligne sur l'avenir de l'Union française.

Et maintenant que propose-t-il ? À peu près rien si ce n'est cette promesse familière à la droite, qui qualifie les socialistes de « budgétivores » : « L'assainissement financier sera le but primordial de la prochaine législature : il faudra desserrer l'étau qui tue les catégories productrices et les classes moyennes. »

Cette profession de foi, on n'ose pas dire ce programme, avant tout plaidoyer *pro domo*, a été rédigée par lui au nom de l'UDSR, de l'Union des indépendants, des paysans et des républicains nationaux (PRL), du parti radical et radical-socialiste et du Rassemblement des gauches républicaines. On comprend qu'un tel patronage ait édulcoré sa propagande électorale. Anticommunisme, antigaullisme, mais aussi distance vis-à-vis du parti socialiste, il fallait bien en passer par là pour attirer le maximum de voix dans un département où le PCF et la SFIO captaient le gros de l'électorat populaire.

Finalement, le 17 juin, sa liste arrive en troisième position. Les communistes sont nettement en tête avec plus de 34 000 voix, suivis par le RPF qui en obtient près de 27 000, mais, avec plus de 20 000 voix, la liste de François Mitterrand devance de peu celle de la SFIO, et il réussit à garder son siège. Celui du MRP, détenu par Béranger, est perdu au profit des gaullistes.

Au plan national, les apparentements ont favorisé la « troisième force », cet oiseau sans ailes. Le parti communiste, isolé, perd 70 sièges, malgré les 26,5 % de suffrages obtenus. Le RPF, qui, avec 21,7 % des voix et 106 sièges, est devenu la principale force de l'Assemblée, n'est pas à même de se substituer à la majorité de « troisième force ». La poussée à droite est avérée. L'impossibilité de toute participation ou de tout soutien communiste depuis 1947 interdit toute majorité de gauche : cahin-caha, l'Assemblée est aux mains de coalitions. S'il ne conserve pas, comme on l'a vu, son ministère de la France d'outre-mer dans le deuxième cabinet Pleven investi le 11 août 1951, Mitterrand peut se réjouir d'accéder à un poste flatteur de ministre d'État dans le cabinet Edgar Faure, en janvier 1952. En vertu de l'instabilité ministérielle, devenue structurelle, il n'est ni du gouvernement Pinay investi en mars 1952, ni du gouvernement René Mayer du 8 janvier 1953, mais il prend sa revanche le 28 juin 1953, lorsque Joseph Laniel, nouveau président du Conseil, le promeut ministre délégué au Conseil de l'Europe.

L'heure indochinoise

Parallèlement, Mitterrand a poursuivi sa conquête de l'UDSR. Après le départ des gaullistes ralliés au RPF, qu'il a favorisé, il a préparé une majorité qui lui serait favorable, en faisant entrer dans les fédérations du petit parti nombre d'anciens prisonniers de guerre de son réseau, l'ex-MNPGD, aux fins de contrôler le comité directeur. Se démarquant des positions de René Pleven sur l'Indochine (il est désormais favorable à un cessez-le-feu), le projet de la Communauté européenne de défense (qu'il ne soutient pas) ou l'enseignement privé (Pleven a voté la loi Barangé-Marie), il place peu à peu ses hommes dans les instance dirigeantes du parti, à commencer par Joseph Perrin, devenu nouveau secrétaire général au congrès de l'UDSR en octobre 1951, au côté duquel se trouve l'ami Georges Dayan, secrétaire général adjoint ; Mitterrand devient majoritaire au comité directeur. Il reproche à Pleven sa participation aux gouvernements de droite d'Antoine Pinay et de René Mayer. Au congrès du parti en 1953, il préconise le cessez-le-feu en Indochine, malgré son appui antérieur à la politique de guerre menée en Extrême-Orient. À ce congrès de Nantes de 1953, René Pleven passe la main et abandonne la présidence du parti à François Mitterrand. Certes, l'UDSR est un parti modeste (13 000 adhérents en 1952), mais c'est un groupe central à l'Assemblée, nécessaire à toute coalition face aux communistes et aux gaullistes. À la tête de cette organisation charnière, à trente-sept ans, Mitterrand détient les clés du pouvoir. Et il le sait.

L'homme s'est montré un stratège accompli, sachant utiliser ses réseaux datant de Vichy et de l'après-guerre ; il est devenu un des acteurs importants de la IVe République, passant de la droite au centre gauche depuis son ministère de l'Outre-Mer, qui l'a identifié comme un réformiste dangereux aux yeux du lobby colonial. Séduisant, sûr de lui, tour à tour cassant et charmeur avec ses interlocuteurs, celui qu'on commence à appeler « le beau François » ne dédaigne pas la vie mondaine. En octobre 1951, le magazine féminin *Elle* lance un sondage auprès de ses lectrices pour désigner les quatorze personnalités françaises les plus séduisantes : son nom est retenu, aux côtés de Maurice Druon, Albert Camus, Louison Bobet et Jacques Chaban-Delmas. Sa photo s'installe dans les périodiques qu'on n'appelle pas encore « people » ; il participe à des réceptions du Tout-Paris et du Gotha, il n'éprouvera aucune gêne sous le chapeau haut de forme au mariage du prince Rainier et de Grace Kelly à Monaco en 1956.

Cependant, l'opportuniste qu'il est n'est pas sans convictions, comme on le voit le 2 septembre 1953, lorsqu'il démissionne du gouvernement Laniel à cause de la déposition du sultan du Maroc Mohammed Ben Youssef. Celui-ci, à la suite de troubles antifrançais, a été détrôné par un complot fomenté par le pacha de Marrakech El Glaoui, avec l'appui des gros colons et des autorités françaises, derrière le résident général de France, Augustin Guillaume. El Glaoui avait mobilisé des tribus, marché sur Rabat, et décidé finalement Joseph Laniel à faire déposer Mohammed Ben Youssef, à l'exiler en Corse et à proclamer Moulay Ben Arafa sultan du Maroc. Mis devant le fait accompli, le ministre des Affaires étrangères Bidault et Laniel, président du Conseil, avaient ratifié le coup d'État. François Mauriac, qui publie une protestation au nom du comité France-Maghreb, commente, ironique : « Pour la quasi-totalité des Français l'affaire du Maroc se ramène à une image d'Épinal : le gentil Glaoui ami de la France a battu le méchant sultan qui ne nous aimait pas. »

La droite colonialiste savoure sa victoire sans comprendre, comme d'habitude, qu'il s'agit d'une victoire à la Pyrrhus.

François Mitterrand venait de publier, au mois de juin précédent, *Aux frontières de l'Union française*, un essai sur la politique française en Indochine et en Tunisie, qu'avait préfacé Pierre Mendès France[1]. L'ancien ministre de la France d'outre-mer exprimait la conviction qu'il avait acquise lors de son mandat rue Oudinot : si la France voulait garder ses possessions d'outre-mer, elle devait se décider résolument à une politique de réforme, contre la volonté des coloniaux et l'immobilisme d'une administration coloniale suicidaire. Les termes d'« autonomie », de « structure fédérale » venaient sous sa plume, pour faire obstacle « au développement excessif des aspirations à l'indépendance intégrale ». Il écrivait : « On n'enchaînera pas à notre char soixante-dix millions d'êtres rétifs sans que, de nouveau, Spartacus ne surgisse et ne témoigne contre nous. Tandis qu'il est possible, j'en suis sûr, de les associer à notre destin si on veut bien leur faire comprendre qu'il est, pour eux d'abord, le plus souhaitable, quitte à montrer la force et à s'en servir avec rigueur si quelques-uns, par haine ou par sottise, fermaient l'oreille à ce langage. Le message de Lyautey, que de faux disciples ont trahi, a grand besoin d'être réappris. »

Il s'agissait d'une position assez classique de la gauche républicaine : oui à la colonisation, non au colonialisme, à la servitude, à la politique du maintien par la prison et le gibet. Mais cette position, qui avait pu être celle, jadis, d'un Jean Jaurès, n'avait jamais été véritablement mise en œuvre face au lobby colonial. Le projet Blum-Viollette sur l'Algérie, en 1936, qui n'offrait la citoyenneté française qu'à une minorité d'Algériens, n'avait même pas été discuté à la Chambre des députés. La politique dite libérale dans les territoires d'outre-mer restait d'actualité face à la résistance qu'y opposait un parti colonial,

---

1. François Mitterrand, *Aux frontières de l'Union française*, Julliard, 1953.

recruté du reste dans toutes les formations politiques, à l'exception du parti communiste — mais suspecté quant à lui, à juste titre, de défendre la politique soviétique. Ce qui est peut-être nouveau dans la position de François Mitterrand, c'est l'idée de « fédération », de « structure fédérale », corollaire du principe d'« autonomie ». Pourtant, quand sonnera l'heure de la guerre d'Algérie, il y renoncera, du moins tant qu'il sera ministre de l'Intérieur. On sent percer chez lui une certaine lucidité sur la question coloniale, mais sa pensée reste fixée dans les limites de la bonne colonisation, de la colonisation humaine, à défendre ou à promouvoir en dépit des colonialistes irréductibles.

Pour l'heure, c'est l'Indochine et les assauts du Viêt-minh qui font la une des journaux. En novembre, au moment où Mitterrand devient président de l'UDSR, le général Navarre a décidé d'installer un camp retranché à Diên Biên Phu, au nord-ouest du Vietnam, pour entraver les mouvements des « Viets » vers le Laos. Le 26 avril 1954, s'ouvre à Genève la conférence des quatre Grands (États-Unis, URSS, Royaume-Uni, France), à laquelle participe aussi la Chine, pour fixer le sort de la Corée, où la guerre s'est achevée l'année précédente. La question indochinoise est très vite abordée. Le 7 mai, le camp français de Diên Biên Phu tombe sous les attaques du Viêt-minh. La guerre d'Indochine est devenue un cauchemar. Dans *L'Express*, hebdomadaire fondé l'année précédente par Jean-Jacques Servan-Schreiber et Françoise Giroud, François Mauriac commente dans son *Bloc-Notes* : « Je doute fort que la France garde à son service l'équipe Laniel un jour de plus qu'il ne sera nécessaire. » Mitterrand, le démissionnaire, s'en charge. Selon Jacques Bloch-Morhange, il est de ceux qui se sont employés à abattre Laniel[1]. Au nom du MRP Robert Buron aussi bien que des gaullistes Jacques Chaban-Delmas et Michel

1. Jacques Bloch-Morhange, *La Grenouille et le Scorpion*, Éditions France-Empire, 1982, p. 164-165.

Debré, du socialiste Robert Lacoste et de quelques autres, avec lesquels il s'est entendu, il prononce le 12 juin à l'Assemblée un réquisitoire auquel le gouvernement ne survivra pas : « Diên Biên Phu, le mauvais démarrage de la conférence de Genève, les hésitations de nos alliés, les accords avec nos associés, où l'indépendance — c'est bien évident — devient de plus en plus incompatible avec le maintien de l'Union française, tous ces éléments réunis, monsieur le président du Conseil, font que si, aujourd'hui, en développant les thèmes, les thèses, les espérances de la politique que nous proposions, vous avouez l'échec de l'autre politique, la vôtre, vous n'avez pas acquis le droit de réclamer notre confiance. »

Avec Mendès France

Le nouveau président de la République, René Coty, laborieusement élu en décembre 1953, au bout de treize tours de scrutin, fait appel à Pierre Mendès France pour former le nouveau gouvernement. Celui-ci, audacieux, dans un bref discours d'investiture devant l'Assemblée, le 17 juin, saisit son auditoire en lui demandant un délai jusqu'au 20 juillet pour instaurer un cessez-le-feu en Indochine. Une année auparavant, il avait déjà été désigné par Vincent Auriol pour succéder à René Mayer, mais il avait échoué de treize voix. L'homme a du caractère. Jeune député en 1932, secrétaire d'État sous le Front populaire, membre du parti radical, emprisonné sous Vichy avant une périlleuse évasion qui l'avait conduit à combattre dans l'aviation de la France libre, il avait, après la Libération, démissionné du Gouvernement provisoire du général de Gaulle faute d'avoir pu imposer une politique de rigueur financière et budgétaire. Depuis cette date, il n'avait fait partie d'aucun ministère, tout en étant élu et réélu député. On connaissait, et certains redoutaient, ses idées sur la modernisation nécessaire du pays et sur l'adoption d'une politique libérale dans l'Union française. « Il faut, dit-il ce 17 juin 1954, que le cessez-le-feu intervienne rapidement, le gouvernement que je constituerai se fixera un délai de quatre semaines pour y parvenir ; nous sommes aujourd'hui le 17 juin, je me présenterai devant vous le 20 juillet et je vous rendrai compte des résultats que nous avons obtenus. Si aucune solution satisfaisante n'a pu aboutir à cette date, vous serez libérés du contrat qui nous aura liés et mon gouvernement remettra sa démission. »

Un panache rarissime, une détermination qui tranchait avec la molle attitude des gouvernements précédents. De son côté, Mitterrand s'était déployé pour acquérir à Mendès les cinq ou six voix qui auraient dû lui manquer. Il connaît par le menu la composition de l'Assemblée, la psychologie des individus, leurs faiblesses, il est d'un précieux secours pour Mendès France, qui, lui, ne possède pas cet entregent parlementaire. Mendès est investi par l'Assemblée le 18 juin — date historique, qui lui suggère l'envoi d'un message au général de Gaulle. Il confie le ministère de l'Intérieur à François Mitterrand, avec lequel il partage nombre d'idées. Lui-même se chargeant des Affaires étrangères, il négocie dans cette conférence déjà installée à Genève, non sans menacer de mobiliser, en cas d'échec, le contingent pour continuer la guerre. C'est sans doute la possibilité d'une intervention américaine qui décide le Viêt-minh, encouragé par Soviétiques et Chinois, à signer un cessez-le-feu après avoir renoncé à fixer la ligne de démarcation au treizième parallèle. Mendès, partisan du dix-huitième, accepte finalement la séparation des deux camps au dix-septième parallèle. Des élections générales, dans les deux zones, devraient avoir lieu en 1956 pour décider du sort définitif de l'Indochine. Le pari a été tenu, le 20 juillet, les accords de Genève sont signés.

C'est au sein de ce gouvernement Mendès France, qui a enthousiasmé une partie de l'opinion et toute une jeunesse acquise au « mendésisme », que François Mitterrand est en proie à un véritable complot ourdi par ses adversaires d'extrême droite, l'« affaire des fuites ».

À peine installé place Beauvau, Mitterrand décide, le 10 juillet, de se débarrasser du préfet de police Jean Baylot, en poste depuis 1951. Celui-ci, protégé par les prédécesseurs de Mitterrand, Brune et Martinaud-Déplat, avait organisé un réseau anti-communiste dont les méthodes étaient peu compatibles avec la loi républicaine, telle l'impression de faux tracts communistes appelant à l'insurrection à l'occasion du défilé du 14 Juillet. Dès avant cette date, le nouveau ministre de l'Intérieur est devenu la cible de ceux qui ne se résignent pas à un cessez-le-feu en Indochine. Mitterrand est un des plus fidèles soutiens de Mendès France dans sa volonté de faire la paix ; déjà, son action antérieure à la France d'outre-mer, son alliance avec le RDA, longtemps apparenté au groupe communiste, l'ont désigné comme un « bradeur ».

Le 2 juillet 1954, le commissaire principal Jean Dides, du réseau Baylot, apporte à Christian Fouchet, ministre des Affaires tunisiennes et marocaines, le compte rendu de la dernière réunion du Conseil de la défense nationale, qui serait parvenu au bureau politique du parti communiste. « Mon informateur, déclare Dides, m'a dit que les fuites viennent d'Edgar Faure mais je crois qu'elles viennent de François Mitterrand. » Averti par Fouchet, Mendès France exige le silence et confie l'enquête à Roger Wybot, chef de la DST, sans rien dire à Mitterrand. Quand celui-ci, deux mois plus tard, apprend la suspicion qui pèse sur lui, il en est profondément blessé. Mendès ne croyait certainement pas que Mitterrand pût être l'auteur des fuites, mais, dira-t-il, « j'avais décidé qu'on ne divulguerait pas tout de suite l'affaire. Comme tous les membres du gouvernement, Mitterrand n'en a donc pas été informé. Confier comme je l'ai fait l'enquête à Roger Wybot, patron de la DST, sans en référer au ministre de l'Intérieur, son supérieur hiérarchique, c'était, je le reconnais, fâcheux. Mais, à ma décharge, j'ignorais que la DST relevait de l'Intérieur[1] ». Quoi qu'il en soit, quelque chose s'est brisé dans la ferveur et l'admiration que François Mitterrand avait nourries pour Mendès. Économe en admiration à l'égard de ses contemporains, Mitterrand avait fait une exception à son penchant naturel, vu en « PMF » — comme le désignait *L'Express* — un homme d'État d'envergure, qu'on devait suivre. Le manque de confiance que Mitterrand reproche à Mendès ne sera jamais effacé ; une sourde rancune animera le premier envers le second.

Le 10 septembre, au cours d'un nouveau Conseil de la défense nationale, Mendès et Mitterrand, sur leurs gardes, constatent que seuls deux membres du Conseil prennent des notes, les secrétaires généraux Ségalat et Mons. Huit jours plus tard, Dides apporte à Fouchet un résumé de cette réunion. Mais il est arrêté à sa sortie par des inspecteurs de la DST qui trouvent dans sa serviette des documents où figure le nom de son indicateur, André Baranès. Celui-ci, journaliste à *Libération* d'Emmanuel d'Astier de la Vigerie, membre du parti communiste dans le IXe arrondissement, était un des indicateurs de la préfecture de police qui fournissaient des rapports « censés éclairer les ministres sur tout ce qui se passe au sein du PC[2] ». À son domicile, les inspecteurs de la DST trouvent le compte rendu du Conseil de la défense du 10 septembre, qu'il assure avoir dérobé sur le bureau de Waldeck Rochet, directeur du journal communiste *La Terre* et futur secrétaire général du parti. L'analyse du document met en lumière sa coïncidence avec les notes du secrétariat général du Conseil. De fil en aiguille, les coupables sont découverts, ce sont deux collaborateurs directs de Jean Mons (secrétaire général du Comité de la défense nationale), Roger Labrusse et Jean-Louis Turpin, qui agissaient par conviction politique, militant contre la guerre d'Indochine, sans se savoir

1. Franz-Olivier Giesbert, *François Mitterrand, une vie*, Éd. du Seuil, 2011, p. 153.
2. Philippe Bernert, *Roger Wybot et la bataille pour la DST*, Presses de la Cité, 1975.

manipulés par le réseau Baylot. Ce sont eux qui transmettaient les notes prises au Conseil par Mons à Baranès.

La machination est dévoilée, mais la presse « nationale », après les accords de Genève et le discours de Carthage par lequel Mendès France avait promis l'autonomie à la Tunisie, entend dénoncer au grand jour la « trahison » d'un gouvernement devenu complice des communistes. La campagne se cristallise le 3 décembre 1954 dans une séance de l'Assemblée. François Mitterrand est directement attaqué par le RPF Raymond Dronne, qui l'accuse de la « pénétration communiste » dans les « rouages les plus importants » de la fonction publique. Le plus véhément est Jean Legendre, député de l'Oise, porte-parole du Centre national des indépendants et paysans, qui s'était fait le champion de l'anticommunisme et le défenseur des intérêts coloniaux. De surcroît, Legendre avait des comptes à régler avec Mendès France et son gouvernement. Membre du lobby betteravier, il ne supportait pas la politique de Mendès contre la surproduction de betteraves, l'alcoolisme et les bouilleurs de cru. Il entend porter au ministre de l'Intérieur le coup de grâce : « Pourquoi Diên Biên Phu ? Pourquoi l'armée française, supérieure en nombre et en matériel, a-t-elle été vaincue en Indochine ? C'est parce qu'elle a été trahie à Paris. » Mettant en cause directement Mitterrand, il insinue que celui-ci a dû quitter le gouvernement Laniel parce qu'on avait découvert que par ses indiscrétions, voire ses traîtrises, il avait fait connaître des secrets de la Défense nationale au sujet de la campagne du Laos.

Au cours de cette séance, Mitterrand, faisant preuve d'un remarquable sang-froid, met au défi Legendre : « Si l'un [de mes anciens collègues] partage l'opinion de M. Legendre, il serait bon qu'il le dise : sinon, qui permet à M. Legendre d'avancer cette infamie. » Suit un long silence, que Mitterrand savoure. Georges Bidault était à la source de cette « information » ; il finit par parler. Il donne acte à Mitterrand qu'il a bien démissionné sur la question du Maroc, et ajoute : « Quant à moi, j'ai pendant vingt minutes témoigné sous la foi du serment. Je ne veux pas redire ici ce que j'ai dit. Vous comprendrez donc que je vous refuse tout autre compliment. »

L'accusation s'effondre. « En relançant du haut de la tribune, commente *Le Monde* (5-6 décembre 1954), le soupçon infamant contre M. Mitterrand à propos de l'indiscrétion de 1953, alors que lui-même doit savoir qu'il a été réduit à néant, [Georges Bidault] a offert au ministre de l'Intérieur l'occasion de l'une de ses plus émouvantes et plus convaincantes répliques. » Les armes des intervenants qui suivent ne sont plus aiguisées. Mitterrand l'a emporté. Son calme, sa colère rentrée, ses répliques ont confirmé qu'il était devenu un grand parlementaire, auquel il ne fallait pas trop se frotter. Mauriac, admiratif, commente, dans *L'Express* du 21 décembre : « S'il est non moins innocent que Dreyfus, il est autrement malin. »

Mendès France, par ses décisions successives, a dressé contre lui des intérêts et des convictions qui finissent par le mettre en minorité. Considéré par les uns comme un « bradeur d'empire » à cause des accords de Genève et de l'autonomie promise à la Tunisie, devenu l'ennemi des communistes dont il avait refusé les voix pour négocier la paix en Indochine, il avait décidé de ne pas prendre parti dans le débat sur la CED (projet de défense européenne), finalement rejetée, au grand dam du MRP : chacune de ses actions détachait une partie de sa majorité, sans compter le procès d'intention permanent d'une extrême droite décidée à le confondre comme un politicien complaisant avec les Soviétiques. Finalement, ce fut sur la question brûlante de l'Algérie que son gouvernement fut renversé.

Avant la « Toussaint rouge », Mitterrand avait effectué un voyage officiel en Algérie, il avait annoncé, devant l'Assemblée algérienne, un train de réformes, des investissements de la métropole, et la volonté d'appliquer aux communes d'Algérie le statut de 1947 qui était en grande partie resté lettre morte. Ce statut, à l'origine de l'Assemblée algérienne, était rien moins que d'avant-garde (il instituait un double collège aux élections, au détriment de la majorité musulmane) ; logiquement repoussé par la majorité des élus algériens, il provoqua aussi la colère des représentants européens, indignés d'être « jetés en pâture aux musulmans », tandis que Viollette, auteur du projet de 1936 qui porte son nom, associé à celui de Blum, le jugeait sévèrement, parce qu'« il visait à faire que la majorité, quelle qu'elle soit, soit toujours la minorité, de telle sorte que la minorité soit toujours l'élément majoritaire ». En souhaitant sa pleine application, François Mitterrand ne se montrait guère des plus avancés en politique de décolonisation. Ç'aura toujours été l'une de ses carences : il n'est pas un visionnaire.

Les attentats perpétrés par le FLN, le 1er novembre 1954, marquaient le début de ce qu'on appellera la guerre d'Algérie. Pour le moment il ne s'agissait, pour la classe politique française, que de troubles sanglants, tels qu'on en avait déjà connu, parfois plus graves, par le passé. Mitterrand aussi bien que Mendès France ont le même réflexe : « L'Algérie c'est la France ! » On reprochera ce slogan au futur président de la République, de manière assurément injuste. Hormis une poignée d'intellectuels, qui professent l'indépendance, l'écrasante majorité des politiciens, la plupart des médias et l'opinion dans son ensemble jugent que l'Algérie n'est pas une colonie comme une autre, qu'elle est trois départements français, qu'elle est française depuis 1830, et que l'urgence est de river leur clou aux « rebelles », infime minorité soutenue par l'étranger — par l'Union soviétique.

Au lendemain du 1er novembre, qui marque l'entrée en scène du FLN (Front de libération nationale), Mitterrand et Mendès jugent, eux aussi, qu'il y a urgence à renforcer les moyens de police, à empêcher l'extension de la rébellion, à protéger les habitants. Mais ils sont aussi convaincus qu'un effort est nécessaire pour que les Algériens restent attachés à la France et continuent de lui faire confiance. Le 12 novembre, devant les députés, Mitterrand fait le bilan de l'action immédiate. « L'Algérie c'est la

France, s'écrie-t-il, et [...] des Flandres au Congo il y a la loi, une seule nation, un seul Parlement. [...] Tous ceux qui troubleront le calme et agiront en faveur d'une sécession seront frappés, par tous les moyens, ainsi que leurs complices. Il n'est pas admissible qu'un citoyen se révolte. Comptez sur le gouvernement et sur moi. » Ces mâles résolutions ne devaient pas cacher la nécessité des réformes, des investissements, une volonté de rendre le peuple algérien « partie intégrante du peuple français ».

Au mois de décembre, il revient sur le statut de 1947, mais avec précaution : « Qu'il faille l'appliquer, cela ne fait pas de doute, ce qui ne veut pas dire qu'il faille l'appliquer brutalement et sottement. » L'adverbe « brutalement » est cocasse, pour un statut qui avait déjà sept ans d'âge ! Mais le ministre marche sur des œufs, il sait que le parti colonial n'en veut pas, d'où résulte sa modération : « Nous devons nous *acheminer* vers son application, décidée d'ailleurs par le Parlement [en 1947]. »

Cet « acheminement » vers une solution déjà dépassée du conflit entre les Algériens musulmans et les Français d'Algérie mobilise, malgré sa timidité. Le lobby colonial (le sénateur Borgeaud, Martinaud-Déplat, René Mayer, député d'Oran et pourtant du même parti radical que Mendès France) se déchaîne contre le ministre de l'Intérieur. Celui-ci a nommé à Alger un nouveau gouverneur général, le gaulliste Jacques Soustelle, qui passe pour un intellectuel de gauche, un anticolonialiste, et fait peur aux gardiens de l'ordre colonial. Au même moment, les délégués musulmans à l'Assemblée algérienne (deuxième collège) adressent une motion au gouvernement, pour protester « avec énergie » contre une aveugle répression : « perquisitions illégales [...], arrestations arbitraires, sévices inhumains exercés sur les prévenus »...

C'est dans ce climat de haute tension que, le 4 février 1955, le ministre de l'Intérieur défend la politique du gouvernement en Algérie : le renforcement sensible des effectifs policiers et militaires, les mutations de personnel, les premières réformes. Il réitère son hostilité à la « séparation », mais il rejette aussi une solution de « caractère fédéral » : « Il est indispensable que l'Algérie, où se trouve une masse importante d'originaires de la métropole, en demeure le prolongement et constitue le pivot central en Afrique de la République une et indivisible. Ceux qui préconisent pour l'Algérie une évolution vers le fédéralisme n'ont donc pas l'aveu du gouvernement. Ils sont dans l'opposition. »

Alors, quoi ? Réponse : l'intégration. Avant que les services psychologiques de l'armée ne répandent le slogan de l'*intégration* pour justifier la guerre, Mitterrand l'a fait sien. Mais attention ! « L'intégration ne peut être imbécilement systématique. Y aura-t-il cent cinquante députés algériens à l'Assemblée nationale ? » Que non ! « Il y a des institutions spécialisées, Assemblée algérienne, Assemblée de l'Union française. La définition de leurs pouvoirs permettra de résoudre les difficultés de l'intégration. » En somme, un principe d'intégration qui se désintègre. Malgré cela, la politique du gouvernement en Algérie est encore trop progressiste aux yeux du parti colonial.

Mendès, le 5 février 1955, réaffirme sa volonté de mener l'action sur les deux terrains : le maintien de l'ordre et la promesse d'une égalité entre tous les habitants de l'Algérie, mais, un peu avant cinq heures du matin, il est mis en minorité. Une majorité hétéroclite — communistes, démocrates-chrétiens, radicaux de droite, droite colonialiste — a eu raison du gouvernement par ailleurs le plus entreprenant et le plus prometteur de la IVe République.

François Mitterrand a pris une nouvelle envergure au cours de ces sept mois d'action. L'affaire des fuites l'a définitivement blindé contre l'adversité, les calomnies, les campagnes malveillantes, les manigances de tous ordres face auxquelles il a su creuser des contre-sapes. S'il reste anticommuniste, il a mesuré les dégâts dont sont responsables les malades d'un anticommunisme analogue au maccarthysme américain, usant des pires moyens pour abattre ceux qui, à leurs yeux, n'en font pas assez dans la guerre froide. Il a identifié un autre danger, souvent lié au précédent, implacable, celui des ultras de l'Algérie française. Malgré les prudences extrêmes de sa politique, son attachement sincère à la domination coloniale, il a fait les frais avec Mendès des passions extrêmes du colonialisme. Il devra y faire face.

Cependant, Mitterrand n'est encore qu'un second. Or l'homme qu'il suit, ce Pierre Mendès France, devenu si populaire, il ne lui pardonne pas son manque de confiance lors de la tentative de déstabilisation qui le visait. Seul, il faudra qu'il poursuive seul sa route, aidé de ses amis, appuyé sur son réseau de fidèles, mais sans tutelle. Cette affaire des fuites, il se peut qu'elle ait terni son image dans l'opinion, selon l'adage inique « il n'y a pas de fumée sans feu ». Toujours est-il qu'en janvier 1955 un sondage de l'Ifop mesure le déficit de son audience. Au classement de l'estime accordée aux hommes politiques, Mendès France recueille 51 %, très loin devant Pinay : 10 %, Thorez : 9 %, et lui, le ministre de l'Intérieur : 1 %.

La route vers le sommet s'annonce encore très escarpée.

IV

LE VENT VIOLENT D'ALGÉRIE

Décolonisation ! Le mot parcourt les continents comme un feu de savane. Du 18 au 24 avril 1955 se tient, en Indonésie, la conférence afro-asiatique de Bandung, où vingt-neuf pays sont représentés. Dans une résolution finale est proclamé « le principe des droits des peuples et des nations à disposer d'eux-mêmes, tel qu'il est défini dans la Charte des Nations unies ». Les possessions françaises sont particulièrement visées : « En ce qui concerne la situation instable en Afrique du Nord et le refus persistant d'accorder aux peuples d'Afrique du Nord leur droit à disposer d'eux-mêmes, la Conférence afro-asiatique déclare appuyer les droits des peuples d'Algérie, du Maroc et de Tunisie à disposer d'eux-mêmes et à être indépendants, et elle presse le gouvernement français d'aboutir sans retard à une solution pacifique de cette question. »

Rien ne pouvait trouver François Mitterrand moins indifférent que cette conférence de Bandung sans précédent et son retentissement. Mais, en 1955, l'ancien ministre de la France d'outre-mer n'est plus au gouvernement. Edgar Faure a succédé à Pierre Mendès France, le 22 février, investi par la droite modérée (Indépendants, MRP, RGR) comme l'homme du « juste milieu ». En fait, la continuité est manifeste avec le gouvernement précédent : le 29 mai 1955, les conventions franco-tunisiennes sont signées qui accordent l'autonomie à la Tunisie.

Au Maroc, les troubles ne cessent pas depuis la déposition du sultan Mohammed Ben Youssef : manifestations, attentats, émeutes, contre-terrorisme... Cependant, des négociations avec les représentants marocains se déroulent à la fin d'août à Aix-les-Bains, sous la responsabilité du ministre des Affaires étrangères, Antoine Pinay. L'apaisement devient possible grâce à la formation d'un conseil du Trône qui restitue le pouvoir à Mohammed V, revenu d'exil à la mi-novembre. La voie de la Tunisie et du Maroc vers l'indépendance est ouverte. Pour atténuer auprès de l'opinion l'effet de cette évolution, Edgar Faure, jamais sans ressources oratoires, parle d'« indépendance dans l'interdépendance » mais personne n'est dupe. Le 2 mars 1956, le Maroc deviendra un État souverain et, le 20 du même mois, la Tunisie suivra son exemple.

Il n'en va pas de même en Algérie où les nationalistes du FLN intensifient leurs actions violentes tandis que les forces françaises multiplient les arrestations massives. Le 1er avril 1955, l'état d'urgence a été voté pour six mois. En août, l'ALN (Armée de libération nationale) lance dans le Nord-Constantinois une grande offensive, au cours de laquelle 71 Européens trouvent la mort. La répression française, implacable, atteint le chiffre officiel de 1 273 tués, en fait une estimation très en dessous de la réalité. La violence de l'affrontement a fait définitivement basculer du côté des partisans résolus de « l'Algérie française » le gouverneur général Jacques Soustelle, horrifié par la cruauté du massacre commis par les nationalistes algériens. Les deux communautés se retranchent dans un face-à-face sans issue. Soixante et un élus musulmans à l'Assemblée algérienne se déclarent hostiles à l'« intégration », exigent la reconnaissance de l'identité algérienne et, par leur démission, obligent Soustelle à ajourner la session. La guerre, qui ne dit pas encore son nom, est devenue l'affaire brûlante des Français. Le 29 novembre, le gouvernement Edgar Faure est renversé.

Au Front républicain

En principe, les nouvelles élections devaient se tenir en juin 1956, mais le délai est écourté par la décision d'Edgar Faure de dissoudre l'Assemblée, au grand dam de François Mitterrand, de Pierre Mendès France et de leurs alliés du Front républicain qu'ils venaient de constituer. Leur projet était de restaurer, par une nouvelle loi électorale, le scrutin uninominal, qui est effectivement voté par le Parlement à la mi-novembre, mais dont l'entrée en vigueur est reportée à plus tard, faute de pouvoir répondre à l'exigence d'un nouveau découpage des circonscriptions. Le gouvernement Faure renversé, les élections sont fixées au 2 janvier 1956, avec l'ancien scrutin.

Le Front républicain, formé sous l'égide de Mendès France, devenu l'homme de gauche le plus populaire du pays, comprend le parti radical dont il est le président depuis le mois de mai, la SFIO dirigée par Guy Mollet, l'UDSR de François Mitterrand et une partie des gaullistes — les républicains sociaux — animée par Jacques Chaban-Delmas. Un manifeste a été cosigné par eux et publié dans *L'Express*, hebdomadaire transformé en quotidien pour soutenir la campagne de la gauche « mendésiste », à la fois contre la majorité sortante de droite — baptisée sans ambages « majorité de Diên Biên Phu » — et contre les communistes toujours aussi puissants. Une autre force, à la droite de la droite cette fois, prenait de la vigueur, celle de l'UDCA de Pierre Poujade, dont le slogan populiste ne fait pas de détail : « Sortez les sortants ! »

François Mitterrand entre à fond dans la bataille, à la fois sur le plan national avec ses alliés et dans sa circonscription de la Nièvre. À Paris, il faut établir les listes des candidats qui porteront le drapeau du Front républicain dans toutes les circonscriptions du pays — une question délicate qui multiplie les causes de friction entre Mitterrand et Mendès, chacun défendant les siens. Quelques séances orageuses entre les deux hommes révèlent qu'ils ne sont plus des amis, s'ils l'avaient jamais été. À vrai dire, pour le député de la Nièvre, Mendès est un rival, et un rival d'autant plus dangereux qu'en cette fin d'année 1955 il a pour lui l'oreille et le cœur de la gauche non communiste. Si le Front républicain l'emporte, ce sera lui, nul n'en doute, qui sera désigné par le président Coty. Assurément Mitterrand est prêt à patienter afin d'atteindre son but : devenir président du Conseil, mais il entend bien mettre tous les atouts de son côté en cas de défaillance de Mendès. Les électeurs, eux, voient surtout ce qui les rassemble et les unit à la principale force de l'alliance, la SFIO : une campagne pour une paix négociée en Algérie, pour la modernisation du pays et les réformes sociales.

Localement cependant, Mitterrand reste le rival de la SFIO, dont la liste ne sera pas apparentée à la sienne, pas plus qu'en 1951. Sa position s'est renforcée. En avril, il a battu le communiste au premier tour des cantonales. Sa participation au gouvernement Mendès France et son ministère de l'Intérieur l'ont hissé au premier plan des acteurs politiques nationaux. Mais, dans son département, réussir n'est pas de tout repos. Il compte parmi ses multiples adversaires les bouilleurs de cru, dont la rancune est tenace contre le ministre de ce Mendès qui a aboli leur droit et qui se sont organisés dans une association véhémente, « Notre Goutte ». Quand le candidat arrive à Brèves, près de Clamecy, pour tenir une réunion, sa présence déclenche le tocsin et il doit renoncer à parler. Le soir même, il se rend à Château-Chinon, où Poujade et les siens l'attendent de pied ferme. Dès le début de la séance publique, un violent tintamarre accueille l'orateur, des projectiles de diverses natures sont lancés sur la tribune. André Rousselet, son lieutenant de campagne, se remémore la bataille : « On n'imagine pas [...] ce qu'étaient les poujadistes de ce temps-là. Les réunions publiques, face à ces types qui allaient poings fermés et l'injure à la bouche, étaient épuisantes. Je me souviens d'un jour où François Mitterrand dut progresser vers la tribune, entre deux rangées de participants qui lui crachaient à la figure, hurlant : "Diên Biên Phu trahison !" "Algérie fellagha !" Lors d'une réunion, Yvette Poujade, femme de Pierre, hurle à la face de Mitterrand : "Des types comme vous, il faut les pendre, les écraser comme des limaces." Son courage en ces occasions est exemplaire et m'a même étonné. C'est là que j'ai compris que sa qualité primordiale n'est pas l'habileté, certes exceptionnelle, mais la fermeté d'âme[1]. » L'hommage n'est pas forcé, tous les témoignages convergent : il a une carapace contre les coups et même si, face aux perturbateurs vociférant, il est d'une pâleur qui en dit long sur le danger qu'il court, il sait garder son sang-froid, sourire même de ce sourire ironique qui redouble la colère de ses opposants. Du cran, de l'énergie, de la fermeté, François Mitterrand sait faire fond sur ses ressources de combattant. Son charme opère sur les hésitants.

Les poujadistes font une percée alarmante aux élections du 2 janvier, obtenant 11,6 % des suffrages exprimés, près de 2 500 000 voix et 51 sièges. Toutefois, dans la Nièvre, malgré leurs actions tonitruantes, ils n'ont pas d'élu. Les résultats confirment les élections de 1951. Le PC et la SFIO gardent chacun leur siège, tout comme les gaullistes, devenus « républicains sociaux », tandis que la liste UDSR-RGR, arrivée en deuxième position, permet à Mitterrand qui l'a conduite de participer lui aussi à la fournée des vainqueurs.

Les résultats généraux donnent l'avantage au Front républicain, mais, en raison du mode de scrutin, celui-ci n'obtient qu'une majorité relative. En son sein, le radicalisme mendésiste, se rapprochant de très près de la SFIO, a remporté une victoire de prestige. Les communistes, qui ont encore obtenu près de 26 % des suffrages, sont toujours là, très forts, mais, en

---

1. Cité par J. Lacouture, *Mitterrand, une histoire de Français, op. cit.*, t. I, p. 185.

cette période de « détente » internationale sous la houlette de Khrouchtchev, ils inaugurent une politique de la main tendue vers la gauche non communiste. En vain, certes, mais, refoulés dans l'isolement, ils risquent, avec leurs cent cinquante députés, de réduire à néant l'espoir d'un gouvernement de gauche. La France serait-elle décidément ingouvernable ?

On attendait Pierre Mendès France, ce fut Guy Mollet. René Coty est fondé à lui confier le gouvernement puisqu'il est le leader du premier parti de France hors les communistes. Mais ce choix ne correspond pas aux vœux de l'électorat mendésiste qui est le substrat de l'alliance. Nombre d'électeurs favorables à Mendès ont néanmoins voté SFIO, se défiant d'un parti radical hétéroclite, malgré l'exclusion d'Edgar Faure, de René Mayer et de Martinaud-Déplat. Pressenti le 26 janvier, Guy Mollet, sans doute pour ménager le MRP et les modérés, écarte Mendès France du ministère des Affaires étrangères auquel celui-ci aspirait faute de mieux ; il lui attribue en lot de consolation la distinction de ministre d'État sans portefeuille. Quant à François Mitterrand, il soutient sans hésiter Mollet : si son heure à lui n'a pas encore sonné, il reçoit une avantageuse compensation, le ministère de la Justice. À trente-neuf ans, il accède ainsi au troisième rang du gouvernement. Que Mendès ne soit pas le premier des ministres ne peut l'attrister. Mollet, lui, ne saurait lui faire de l'ombre. Un petit prof sans éclat, cassant, un apparatchik assez gris, Mitterrand pourra s'en accommoder beaucoup mieux que d'une star politique, de huit ans seulement plus âgé que lui, mais relégué au fond de la classe, presque mis au coin. Pour l'avenir, il importait de pouvoir compter sur la SFIO et, partant, de se montrer le plus coopératif possible avec le nouveau président du Conseil.

Les mains sales

Ce gouvernement Mollet fut sans doute une des plus sinistres périodes de la IVe République. Mitterrand en approuva les actes et les déclarations, du moins publiquement, parfois en accord avec la ligne, parfois à contrecœur, et il lui fallut assurément un robuste estomac pour avaler les couleuvres qui défilaient. Il est dans la place, il ne la lâchera pas, il mise même sur les faux pas de Guy Mollet dans l'espoir d'en devenir le successeur. Pour l'heure, il cherche à se concilier la bienveillance des socialistes. Discret, souvent malheureux, il va vivre quelques-uns des pires mois de sa vie politique.

L'histoire de ce ministère est celle, dramatique, d'une guerre coloniale dirigée par un gouvernement socialiste. Certes, ce n'était pas ainsi qu'on voyait les choses ni à l'hôtel Matignon ni Place Beauvau. L'illusion, née d'une campagne électorale au cours de laquelle les candidats du Front républicain, Guy Mollet en tête, ont promis d'en finir avec « une guerre imbécile et sans issue », se dissipe au bout de quelques jours. Investi le 1er février 1956, Guy Mollet détrompe l'attente générale à gauche dès le 6 février. Décidé à se rendre sans attendre à Alger, il y est reçu par les outrages d'une population chauffée à blanc par les ultras. Stoïque sous les projectiles et les huées, il cède en fait aux émeutiers, remplace le général Catroux, un libéral, par le sanguin Robert Lacoste au poste de ministre résidant en Algérie. Celui-ci va se révéler un farouche défenseur de l'Algérie française, appuyé par Maurice Bourgès-Maunoury, ministre de la Défense, et par Max Lejeune, secrétaire d'État chargé des opérations en Algérie. Et Mitterrand ? Lui aussi est partisan de la fermeté. Quand, lors du Conseil des ministres du 15 février, Max Lejeune pose la question du sort qu'il faudra réserver aux nationalistes algériens condamnés à mort (on a prononcé 253 condamnations à mort, dont 163 par contumace), les ministres sont divisés. Alors que Gaston Defferre (France d'outre-mer), Alain Savary (secrétaire d'État aux Affaires étrangères chargé de la Tunisie et du Maroc) et Pierre Mendès France se prononcent contre les exécutions, François Mitterrand, lui, est « pour », du côté des durs[1].

Le 12 mars à l'Assemblée, Guy Mollet requiert les pouvoirs spéciaux qui lui sont accordés à une large majorité, comprenant les voix d'un groupe communiste en quête d'un « front uni » avec les socialistes. Il s'agit de rétablir l'ordre en Algérie en même temps que d'entreprendre des réformes pour améliorer les conditions de vie des Algériens. François Mitterrand est directement intéressé car, ministre de la Justice, il doit accepter la substitution des tribunaux militaires aux juridictions civiles — un moyen de mener rondement les procès. De fait, très rapidement, le nombre des condamnations explose. Il fallait, selon l'expression de Max Lejeune, décapiter la rébellion. Plus tard, devant Jean Lacouture, Mitterrand avouera : « J'ai commis au moins une faute dans ma vie, celle-là. »

En Conseil des ministres, Mendès France, qui n'est pas opposé à l'effort de guerre, se plaint que le second volet du diptyque, politique celui-là, soit oublié : rien n'est tenté contre les féodaux, les ultras, les fanatiques de la presse d'Algérie. Mitterrand demande des « sanctions contre les exactions faites par certains militaires ». Mais le climat s'alourdit. Au mois de mars, Claude Bourdet, directeur de *France-Observateur*, ancien résistant et déporté à Buchenwald, est arrêté sur l'initiative de Bourgès-Maunoury pour un éditorial censé « démoraliser » l'armée. Il est bientôt relâché mais, le 10 avril, un professeur à la

---

1. Outre le procès-verbal officiel des conseils signé par René Coty, nous connaissons leur contenu d'une manière autrement détaillée grâce aux notes prises par Marcel Champeix, secrétaire d'État socialiste à l'Intérieur chargé de l'administration en Algérie, sources rares déposées à l'OURS (Office universitaire de recherche socialiste). Voir François Malye et Benjamin Stora, *François Mitterrand et la guerre d'Algérie*, Calmann-Lévy, 2010, p. 30.

Sorbonne, spécialiste de saint Augustin, Henri-Irénée Marrou, après avoir lancé un appel dans *Le Monde* contre la torture, est l'objet d'une perquisition à son domicile. Silence à ceux qui mettent en doute le bien-fondé de la « pacification » ! « La gauche ne se reconnaît pas dans ce gouvernement », laisse tomber Mitterrand dans un Conseil des ministres. Oui, mais il en fait partie. Mendès France, au sein du gouvernement, propose à la fin d'avril un programme en sept points de réformes favorables à la population algérienne. Mollet n'en a cure. Le 23 mai 1956, Mendès annonce à ses collègues sa démission, Mitterrand reste de marbre.

La guerre s'intensifie, le contingent est appelé en Algérie, la durée du service militaire s'allonge, les attentats se multiplient, les exécutions sommaires deviennent banales sous la forme des « corvées de bois » (envoyer un « fellagha » chercher du bois et lui tirer dans le dos) : « Les corvées de bois, témoignera le colonel Argoud, on ne connaîtra jamais le nombre, cela monte à des milliers, des dizaines de milliers[1]. »

La cruauté de la guérilla face à l'arbitraire impitoyable de la répression : on s'enfonce chaque jour davantage dans la tragédie. La France n'est pas en guerre, elle « pacifie », elle protège des populations par des opérations de police et, si les rebelles capturés sont condamnés à mort et exécutés, ils ne sont pas fusillés mais guillotinés. Mitterrand se retrouve devant la question posée dès le début de la législature : le sursis, la grâce, ou bien l'exécution sous le couteau de la « Veuve » ? En tant que vice-président du Conseil de la magistrature, il participe aux réunions qui aident le président de la République à se prononcer sur le recours en grâce. Le 5 juin 1956, deux dossiers sont examinés ; ce seront les deux premiers condamnés à mort exécutés à la prison de Barberousse à Alger.

---

1. « Tortionnaires », documentaire de Frédéric Brunnquell et Pascal Varselin, France 2, 1999, cité par F. Malye et B. Stora, *François Mitterrand et la guerre d'Algérie, op. cit.*, p. 95.

Mitterrand est favorable à la grâce, mais ne convainc pas le président de la République. Les deux exécutions d'Ahmed Zabana et Abdelkader Ferradj Ben Moussa, le 19 juin, sont lourdes de conséquences. Les représailles s'enchaînent, les pestilences du conflit deviennent insupportables. Par la suite, François Mitterrand se montrera moins clément : sur quarante-cinq dossiers, il ne donnera que huit avis favorables à la grâce ; dans 80 % des cas, il vote la mort. On mesure l'évolution quand on sait la suite de l'histoire, le rôle joué par Mitterrand, devenu Président, dans l'abolition de la peine de mort en France. Un témoin, Jean-Claude Périer, magistrat siégeant au Conseil supérieur de la magistrature, l'explique à sa façon : « Il y avait deux hommes en Mitterrand ministre de la Justice. Un homme ouvert à tous les problèmes de liberté individuelle et dans le même temps, c'est assez paradoxal, un homme de choc, presque un homme de guerre en ce qui concerne l'action publique. Ouvert aux libertés mais favorable à une action publique musclée. Cela paraît contradictoire, mais chez lui tout était contradiction et, en même temps, tout s'harmonisait[1]. » Il suit, il s'adapte, il ne veut pas se montrer moins ferme que ses collègues. Quelle est la part de ses convictions « patriotiques », quelle est la part de son ambition qui l'enchaîne à ce gouvernement socialiste, dont la politique bénéficie du soutien d'une large majorité ? Il est difficile de doser ses motivations.

La torture pratiquée par des policiers et des soldats français sur des nationalistes qui n'étaient souvent que des suspects a été peu à peu révélée à l'opinion. Mitterrand en connaissait l'existence et la réprouvait, en principe. Ministre de l'Intérieur sous Mendès France, il affirmait dans une lettre aux préfets du 8 novembre 1954 : « Vous vous souviendrez également que l'autorité, même quand elle est répressive, a d'autant plus de force qu'elle agit ou sévit avec dignité et sérénité : je vous prie de rappeler ces notions essentielles à tous les fonctionnaires de police, quel que soit leur

---

1. F. Malye et B. Stora, *François Mitterrand et la guerre d'Algérie, op. cit.*, p. 119.

grade[1]. » Cette fermeté de principe ne s'accompagne pas chez le ministre de la Justice de Guy Mollet d'une égale fermeté d'action. Gisèle Halimi, avocate, a déploré son silence : « Mitterrand ne parlait jamais de la torture. Je ne l'ai pas vu réagir à ce sujet. Il pensait qu'on en faisait trop, il était persuadé, un peu comme Robert Lacoste, que nous étions les haut-parleurs de certaines victimes. Que c'est nous qui répandions à Paris que la torture était devenue un système. Il n'a jamais cru qu'elle était systématiquement utilisée[2]. » Pourtant, des rapports qui lui sont envoyés dès la fin de 1954 auraient dû lui faire prendre conscience de l'étendue du phénomène et de sa gravité. Du reste, le ministre de l'Intérieur qu'il avait été n'était pas resté inactif. Jugeant que les sévices faisaient partie des mauvaises habitudes de la police en Algérie, il avait décidé l'intégration des polices algérienne et métropolitaine. À vrai dire, la fusion n'eut pas lieu à cause des résistances aussi bien des métropolitains que des policiers d'Algérie. Même restée à l'état de projet, cette fusion annoncée avait provoqué là-bas la colère de l'opinion européenne. Or, comme l'établit le rapport que Jean Mairey, directeur général de la Sûreté nationale, remettait au gouvernement le 13 décembre 1955, la torture était pratiquée non seulement par les policiers mais par des militaires qui adoptaient leurs méthodes : « Dans ces excès, écrivait-il, la police a sa part, l'armée la sienne. Chef responsable de la Sûreté nationale, il m'est intolérable de penser que des policiers français puissent évoquer par leur comportement des méthodes de la Gestapo. De même, officier de réserve, je ne puis supporter de voir comparer des soldats français aux sinistres SS de la Wehrmacht[3]. »

---

1. Circulaire n° 333 du ministère de l'Intérieur, fonds Georgette Elgey, Archives nationales, dans F. Malye et B. Stora, *François Mitterrand et la guerre d'Algérie, op. cit.*, p. 72.
2. *Ibid.*, p. 73.
3. Pierre Vidal-Naquet, *La Raison d'État, textes publiés par le comité Maurice Audin*, Éd. de Minuit, 1962, p. 89.

Cependant, la position de François Mitterrand sur la destinée de l'Algérie évolue au cours de l'automne de 1956. Jusque-là, il est en plein accord avec Lacoste, Lejeune, Bourgès-Maunoury, Mollet lui-même sur l'objectif : l'Algérie est et restera française, par la répression inexorable du nationalisme et, parallèlement, en mettant en œuvre des réformes destinées à intégrer les musulmans. Lui-même s'était opposé à toute solution fédérale qui, en accordant l'autonomie interne à l'Algérie, préparerait son indépendance comme çe fut le cas pour la Tunisie et le Maroc. Or, à la fin d'octobre 1956, lors de la réunion à Nancy du congrès de l'UDSR, la majorité des participants se prononce pour le fédéralisme. Le président s'y rallie, avec prudence. Il « approuve intégralement l'effort militaire qui a été accompli pour préserver les intérêts de la France. S'il est nécessaire de prolonger cet effort, il s'y déclarera favorable ». Mais ce n'est là qu'une condition nécessaire, de même que les réformes économiques et sociales. La solution ne peut être que politique. Dans la fédération, Mitterrand ne voit que la valeur d'un mot, qu'il doute de voir se réaliser. « Si nous réussissons en Algérie, dit-il, ce que nous avions promis en Tunisie, c'est-à-dire l'autonomie interne, si nous sommes sûrs d'en rester là, alors il faudra que les Algériens puissent élire leurs Assemblées, au suffrage universel[1]. » La motion finale du congrès est plus nette et revendique « la substitution de la République fédérative à la République une et indivisible ».

En cette fin d'octobre 1956, survient un coup de théâtre. Un avion chérifien piloté par des Français et qui transporte six membres de la direction du FLN de Rabat à Tunis est détourné vers l'Algérie : Ben Bella, Aït Ahmed, Khider, Boudiaf, Lacheraf et Bitat sont arrêtés. Cet acte de piraterie soulève l'enthousiasme de la presse française : bien joué ! Il a pour défauts son illégalité au regard du droit international et ses répercussions négatives sur les relations avec le Maroc et la Tunisie. À vrai dire, l'opération a

---

1. *Le Monde*, 30 octobre 1956.

été décidée par l'armée à l'insu du gouvernement, mais celui-ci, mis devant le fait accompli, ne peut que l'assumer, tout comme le ministère Laniel avait pris à son compte la déposition du sultan Mohammed Ben Youssef; cela devenait une triste habitude, le pouvoir militaire damait le pion au pouvoir civil. Alain Savary, secrétaire d'État aux Affaires tunisiennes et marocaines, conscient de la faute commise et de ses conséquences possibles, remet sa démission. Et François Mitterrand?

Le ministre de la Justice est trop intelligent pour applaudir à l'acte de piraterie qui vient d'être commis, d'autant moins que cet acte a déclenché des manifestations sanglantes contre la France au Maroc. Mitterrand peut bien s'en plaindre auprès de Guy Mollet, il n'en reste pas moins solidaire, décidé à ne pas varier d'un pouce dans un comportement de fidélité qui doit contribuer à son accession à la présidence du Conseil. Et, puisque la France n'est pas « en guerre », les chefs du FLN captifs ne peuvent être considérés comme des « ennemis » : le droit commun leur est réservé, Mitterrand ne leur accorde même pas le régime des prisonniers politiques.

En ce même automne décidément explosif, la France et le Royaume-Uni, de concert avec Israël, lancent une expédition contre l'Égypte où Nasser a nationalisé le canal de Suez au préjudice de ses actionnaires. De la part du gouvernement français, la volonté d'abattre Nasser est alimentée par l'aide que celui-ci accorde largement à l'insurrection algérienne, par sa diplomatie, sa propagande, ses livraisons d'armes. Au fond, Lacoste et autres Bourgès-Maunoury ne sont pas loin de penser que, sans cette aide étrangère, la rébellion serait déjà éteinte en Algérie. Le 5 novembre, les troupes aéroportées franco-britanniques débarquent à Port-Saïd, tandis que les Israéliens s'emparent de la péninsule du Sinaï. Triomphe de courte durée, car la puissance impériale des Anglais comme des Français, qui n'est plus ce qu'elle fut, doit baisser pavillon devant les oukases soviétiques et, plus encore, devant la condamnation de leur entreprise par les Américains. Le 22 décembre, rembarquement ! Cette piteuse expédition, réussite militaire mais véritable fiasco diplomatique, aurait pu être une nouvelle occasion pour Mitterrand de démissionner. Non ! il a approuvé la décision franco-britannique. Quand Jean Lacouture lui demande quarante ans plus tard ses raisons, il répond : « J'avais déjà quitté un gouvernement trois ans plus tôt, pour des raisons analogues. Je ne pouvais m'abonner à cet exercice. » Dans cette affaire comme dans les autres, il veut prouver sa fiabilité, éviter à tout prix une rupture avec les socialistes qui coûterait cher à ses espérances.

Son malaise, pourtant, n'est pas douteux. En Algérie, il a nommé à la mi-octobre un procureur général honnête et courageux, que le ministre résidant Lacoste déteste, Jean Reliquet. Les 16 et 19 novembre, Mitterrand le reçoit longuement place Vendôme. Le magistrat lui parle des tortures, des excès de pouvoir à tous les niveaux, du divorce qui s'approfondit entre les deux communautés. Au Conseil des ministres du 23 novembre, Mitterrand sort de son silence et s'associe à Gaston Defferre et à Jacques Chaban-Delmas qui demandent un « grand virage ». Il conteste le bien-fondé de tout préalable au cessez-le-feu, qu'il faut proclamer sans attendre. Mais les trois protestataires doivent s'incliner : « Tout le monde est dans la même charrette, dit Guy Mollet. Personne ne peut se disculper isolément. Il s'agit d'une politique gouvernementale, l'action a été moins rapide que nous l'espérions, il n'y a toutefois pas à la désavouer[1]. »

En Algérie, les ultras voudraient envoyer dinguer le duo Mollet-Lacoste, insuffisant à leurs yeux, et rêvent d'une solution radicale qui porterait au pouvoir un chef militaire déterminé à « mettre le paquet » contre les rebelles. Ils se méfient du général Salan, un franc-maçon, commandant en chef en Algérie depuis le 13 novembre 1956, trop lié celui-là au gouvernement et à sa politique. Un complot d'activistes, où se démène le docteur

---

1. F. Malye et B. Stora, *François Mitterrand et la guerre d'Algérie, op. cit.*, p. 161.

Kovacs, soutenu par des personnalités politiques, vise à remplacer le « Mandarin » (surnom acquis en Indochine) par le général Cogny. Le 16 janvier, un tir au bazooka rate Salan mais tue son adjoint, le commandant Rodier. Une enquête rondement menée permet au procureur général Jean Reliquet de mettre en cause non seulement Kovacs mais, derrière les tueurs, le député Pascal Arrighi et le sénateur Michel Debré. En accord avec Guy Mollet et René Coty, le ministre de la Justice François Mitterrand, qui a reçu tour à tour les deux parlementaires suspects, garde l'affaire secrète. Georgette Elgey en donne l'explication suivante : « En ce printemps 1957, le ministre de la Justice est habité par une seule ambition : la présidence du Conseil. Pour franchir l'obstacle incontournable qui l'en sépare — l'investiture de l'Assemblée nationale — les apaisements qu'il prodigue aux parlementaires impliqués dans l'affaire du bazooka trouvent leur utilité. En s'efforçant de les rassurer, tout en leur rappelant sa connaissance des accusations formulées contre eux, il en fait dans une certaine mesure ses obligés. Comment pourraient-ils alors s'opposer à ce qu'il accède à l'hôtel Matignon[1] ? »

Cette opération criminelle a été perpétrée durant les premières semaines de la bataille d'Alger. Le FLN a porté la guerre au sein de la ville où, depuis le mois de juin 1956, les attentats se succèdent. Le 28 décembre, Amédée Froger, personnage considérable, président de l'Interfédération des maires d'Algérie, un des porte-bannières de l'Algérie française, est assassiné dans sa voiture de trois balles de revolver. Deux jours plus tard, ses obsèques donnent lieu à une terrible ratonnade. Kovacs et ses complices avaient eu l'idée de semer la panique dans la foule par des explosions afin de créer les conditions d'un coup d'État. Une émeute s'ensuit, des boutiques arabes sont éventrées et pillées, des musulmans sont battus, certains lynchés. Mais le projet de coup de force a échoué, nulle tentative d'assaut du ministère de l'Algérie

---

1. Georgette Elgey, *La République des tourmentes, 1954-1959*, Fayard, 2008, p. 561.

de la part d'une foule pourtant surexcitée. Le 7 janvier, Robert Lacoste transfère tous les pouvoirs, y compris les pouvoirs de police, à l'armée et le général Massu est invité à utiliser « tous les moyens ». La bataille d'Alger vient de commencer. Sous la responsabilité de Massu et de ses lieutenants, le commandant Paul Aussaresses et le lieutenant-colonel Trinquier, huit mille parachutistes, renforçant onze cents policiers, vont quadriller Alger et « nettoyer » la ville de manière implacable : arrestation des suspects, raids et perquisitions sans souci des règles légales, emploi de la torture. Les interrogatoires ont lieu principalement à la villa Susini, occupée par les légionnaires du 1er REP (régiment étranger de parachutistes) et, en banlieue, à la villa des Tourelles, où Aussaresses organise une descente quotidienne aux enfers. Il se charge de faire disparaître discrètement trois mille suspects jugés irrécupérables.

Dans son ouvrage de 2001, *Services spéciaux*, le général Aussaresses, qui assume sans états d'âme l'usage de la torture, met en cause indirectement François Mitterrand : « Quant à l'utilisation de la torture, elle était tolérée, sinon recommandée. François Mitterrand, le ministre de la Justice, avait, de fait, un émissaire auprès de Massu en la personne du juge Bérard qui nous couvrait et qui avait une exacte connaissance de ce qui se passait la nuit. » Pierre Vidal-Naquet, auteur de plusieurs ouvrages sur la torture en Algérie, commentait ainsi ce propos : « Cela signifie que le ministre de la Justice et futur président de la République avait deux fers au feu : Reliquet, mais aussi le juge Bérard[1]. » Nouvelle ambivalence notable dans le comportement de Mitterrand : il prête attention au procureur libéral qui l'informe de la pratique généralisée des sévices ; il s'en plaint éventuellement au Conseil

---

1. *Le Monde*, 2 mai 2001. Pierre Vidal-Naquet est l'auteur de *La Torture dans la République : essai d'histoire et de politique contemporaine (1954-1962)*, Éd. de Minuit, 1972 ; *Face à la raison d'État, un historien dans la guerre d'Algérie*, La Découverte/essais, 1989 ; *L'Affaire Audin, 1957-1978*, Éd. de Minuit, 1989.

des ministres, mais il laisse en poste un magistrat complice des tortionnaires. Robert Lacoste et Max Lejeune ferment les yeux, nient publiquement les tortures, à tout le moins leur extension, persuadés de leur efficacité dans la lutte contre les nationalistes algériens et les terroristes et de la légitimité des « mensonges patriotiques ».

Le FLN, de fait, poursuit ses attentats dans Alger. Fin janvier 1957, trois cafés de la rue Michelet explosent, l'Otomatic, la Cafeteria et le Coq-Hardi. Attentats horribles, qui exaspèrent les Européens, mais la violence d'une répression trop souvent aveugle tend à creuser plus profondément le fossé entre Français d'Algérie et musulmans. Le 28 janvier, à la veille de l'examen de la question algérienne par l'ONU, le FLN déclenche une grève générale, que les paras mettent tous leurs soins à empêcher par la force.

Au cours de ces semaines dramatiques, le cas d'un condamné à mort touche de près Mitterrand. Pour la première fois, un militant européen, Fernand Iveton, favorable aux nationalistes, est envoyé à l'échafaud. Ouvrier communiste, il avait déposé une bombe à retardement dans une armoire de l'usine Électricité-Gaz d'Algérie où il travaillait. L'engin ayant été découvert à temps, Iveton fut arrêté et torturé malgré les ordres de Paul Teitgen, secrétaire général de la préfecture d'Alger. Condamné à mort aux applaudissements du public, son recours en grâce fut examiné par le Conseil de la magistrature le 6 février 1957, en même temps que celui de deux musulmans. François Mitterrand se prononça contre la grâce. Ce fut sans doute une ombre dans sa mémoire. « Iveton, déclare André Rousselet, c'est le point d'attaque de François Mitterrand. » Et d'ajouter, pour expliquer son attitude : « Comme je connais la fin de l'histoire, Mitterrand a eu tort sur l'affaire Iveton. Mais sur le moment, quelles auraient été les conséquences politiques immédiates si le garde des Sceaux avait accordé la grâce à Iveton ? C'est vrai, la mort d'un homme est ce qu'il y a de pire, mais on se heurte à la raison d'État. Et parfois, celle-ci peut mener à l'exécution d'un homme innocent[1]. » Albert Camus, qui rédigeait alors ses *Réflexions sur la guillotine*, se saisit du cas Iveton : « Un jour vient où le coupable trop vite exécuté n'apparaît plus si noir. Mais il est trop tard et il ne reste plus qu'à se repentir ou à oublier. Bien entendu, on oublie. La société, cependant, n'en est pas moins atteinte. Le crime impuni, selon les Grecs, infectait la cité. Mais l'innocence condamnée, ou le crime trop puni, à la longue, ne la souille pas moins. Nous le savons, en France[2]. » Albert Camus, attestent Germaine Tillion et Jean Daniel, n'a cessé d'intervenir, pendant la guerre d'Algérie, et malgré sa révulsion pour le terrorisme, contre les exécutions des condamnés[3]. François Mitterrand, lui, s'enferre dans la « raison d'État », cette casuistique de l'arbitraire.

La grandeur de l'État avait-elle besoin de cette raison-là ? Un écrivain catholique, Pierre-Henri Simon, modéré dans ses jugements, ancien officier et profondément patriote, affirme bientôt le contraire dans un libelle, *Contre la torture*, qui fera grand bruit. Simon met en cause toute la hiérarchie qui, depuis les exécutants jusqu'aux ministres, trahit l'honneur de la France : « De telles méthodes de guerre — et ici je mets tout ensemble tortures, exécutions, exactions, représailles — ne peuvent s'établir sans que le gouvernement y consente[4]. » Le directeur du *Monde*, Hubert Beuve-Méry, dont la prudence est connue, fait écho à cette dénonciation, le 13 mars 1957 : « Si profond qu'il soit, après l'Occupation et la Résistance, après la guerre d'Indochine et deux ans de guerre algérienne, le mal ne paraît pas incurable. Nous ne sommes pas encore, comme le redoute

---

1. F. Malye et B. Stora, *François Mitterrand et la guerre d'Algérie*, op. cit., p. 187, 189.

2. Albert Camus, *Réflexions sur la guillotine*, Gallimard, 2008, « La Pléiade », p. 155. Ce texte a d'abord été publié dans une version incomplète dans *La Nouvelle Revue française* en juin 1957, la version définitive étant publiée dans Arthur Kœstler, Albert Camus, *Réflexions sur la peine capitale*, Calmann-Lévy, 1957.

3. Olivier Todd, *Albert Camus, une vie*, Gallimard, 1996, « Folio », p. 945.

4. Pierre-Henri Simon, *Contre la torture*, Éd. du Seuil, 1957, p. 108.

P.-H. Simon, "les vaincus de Hitler". Mais il était grand temps de donner l'alarme. Dès maintenant les Français doivent savoir qu'ils n'ont plus tout à fait le droit de condamner dans les mêmes termes qu'il y a dix ans les destructeurs d'Oradour et les tortionnaires de la Gestapo. » Le 29 mars, à Alger, Paul Teitgen donne sa démission à Robert Lacoste, qui la refuse.

Cette « alarme », comment François Mitterrand ne l'aurait-il pas entendue ? D'autant que Pierre-Henri Simon ne lui était pas étranger. De trois ans son aîné, Simon était né comme lui en Saintonge, et il lui a envoyé son ouvrage accompagné d'une lettre. On ne connaît pas les réflexions intimes qui furent alors celles du ministre de la Justice, mais il est incontestable que tous ces témoignages, ces protestations, ces cris l'ont touché. Peut-il encore se comporter comme l'exigerait une stricte fidélité à soi-même ? Dans une lettre à Guy Mollet, Mitterrand rappelle au chef du gouvernement les principes et les règles du droit, mais sa protestation reste confidentielle. Quelques jours plus tard, en ce mois de mars 1957, éclate l'affaire Bollardière. Jacques Pâris de Bollardière, général français, publie dans *L'Express* une lettre de soutien à Jean-Jacques Servan-Schreiber, qui a été sous ses ordres en Algérie et qui mène campagne contre le gouvernement. Indigné par les procédés de la répression en Algérie, Bollardière avait informé Massu de son « refus d'obéissance » : « Je pense, écrit-il à Jean-Jacques Servan-Schreiber, qu'il était hautement souhaitable qu'après avoir vécu notre action et partagé nos efforts, vous fassiez votre métier de journaliste en soulignant à l'opinion publique les aspects dramatiques de la guerre révolutionnaire à laquelle nous faisons face, et l'effroyable danger qu'il y aurait pour nous à perdre de vue, sous le prétexte fallacieux de l'efficacité immédiate, les valeurs morales qui seules ont fait jusqu'à maintenant la grandeur de notre civilisation et de notre armée. » Au Conseil des ministres du 3 avril qui suit, tandis que Bourgès-Maunoury et Max Lejeune appellent aux sanctions les plus sévères contre le général de Bollardière, Mitterrand se range du côté de Gaston Defferre qui refuse l'éviction de l'armée. Bollardière sera puni finalement de soixante jours d'arrêt de forteresse. Il est incontestable qu'au sein du gouvernement, aux yeux des jusqu'au-boutistes de la guerre, aux yeux d'un Lacoste qui répète qu'on vit le « dernier quart d'heure », aux yeux de ceux qui couvrent toutes les infractions de l'armée, Mitterrand parle d'une autre voix. Au demeurant, le seul geste qui ferait sens c'est évidemment la démission ; il n'y a jamais songé. Germaine Tillion a révélé que le professeur Louis Massignon, grand spécialiste du monde arabe, était venu voir Mitterrand pour lui suggérer cette démission : « Visiblement, dit-elle, l'Excellence n'était pas disposée à l'entendre[1]. »

Mitterrand sortira du gouvernement Mollet, qui fut, répétons-le, l'un des plus calamiteux de la IVe République, mais avec les autres, le 21 mai 1957, quand le chef socialiste est mis en minorité, non pas sur la question algérienne (la bataille d'Alger commençait à faire ses preuves), mais sur des questions budgétaires. Pour le règlement de la question algérienne, on attendra. Le terrorisme a été quasi éradiqué à Alger, mais les bombes continuent ailleurs à exploser, les ratonnades de dresser les uns contre les autres colonisés et colonisateurs. Le 11 juin, un jeune mathématicien, Maurice Audin, membre du parti communiste, était arrêté, torturé puis assassiné.

Quel bilan pouvait dresser François Mitterrand de sa collaboration avec ce gouvernement auquel il est resté fidèle jusqu'au bout ? Dans son pamphlet antigaulliste, *Le Coup d'État permanent*, qu'il publie en 1964, une allusion retient l'attention : « La gauche s'accommoda des applaudissements équivoques des ultras plus acharnés à maintenir la présence française en Algérie qu'ils ne l'avaient été, durant l'Occupation, à maintenir la présence française en France[2]. » La formule est percutante, mais le

1. C. Nay, *Le Noir et le Rouge...*, *op. cit.*, p. 220.
2. François Mitterrand, *Le Coup d'État permanent* (Plon, 1964), 10/18, 1993, p. 22.

ministre de la Justice du gouvernement Mollet n'a-t-il pas été jusqu'à la fin de la IVᵉ République de cette gauche-là, résolue dans l'aveuglement à maintenir le mythe de l'Algérie française ? Dans l'ouvrage *Présence française et abandon*, qu'il publie en novembre 1957, Mitterrand prend alors nettement parti en faveur d'une solution fédérale, mais pour mieux préserver cette « présence française » qui lui est chère : « Un pouvoir central fortement structuré à Paris, des États et territoires autonomes fédérés au sein d'une communauté égalitaire et fraternelle dont les frontières iront des plaines de Flandres aux forêts de l'équateur, telle est la perspective qu'il nous appartient de préciser et de proposer, car sans l'Afrique il n'y aura pas de France au XXIᵉ siècle[1]. »

Après la chute du gouvernement Mollet, Mitterrand ne s'est jamais désolidarisé de la volonté des Lacoste et des Lejeune de garder l'Algérie à la France : « Quand le gouvernement proclame qu'il ne consentira jamais à l'abandon, je l'approuve », déclare-t-il le 29 juin 1957 à *Paris-Presse-L'Intransigeant*. Et il écrit encore en mars 1958 dans *Le Courrier de la Nièvre* : « La solution communiste dictée par l'impérialisme russe est inacceptable. L'abandon de l'Algérie serait un crime. » On ne saurait donc exagérer ses dissentiments avec l'équipe Mollet-Lacoste. Avec elle sa solidarité fut constante sur le principal : l'Algérie devait rester française. Ses rebuffades contre les horreurs de la « pacification », qu'il connaissait bien par le procureur général Reliquet et par le secrétaire général de la préfecture d'Alger, Paul Teitgen, sont attestées, mais elles ne sont jamais allées jusqu'à un acte de protestation publique. Dans ce gouvernement, Mitterrand resta, sinon au garde-à-vous, du moins fidèle au poste.

À cette solidarité gouvernementale, il y avait donc une motivation politique ; il y avait aussi des raisons politiciennes. Mitterrand a toujours caressé le rêve de devenir président du Conseil. Pour accéder au pouvoir, il a dû ménager la chèvre et le

---

1. F. Mitterrand, *Présence française et abandon*, op. cit., p. 237.

chou, rester proche des socialistes, sans lesquels son rêve n'était que fumée, et ne pas se couper de la droite, notamment du président de la République René Coty, dont il avait également besoin. Sa conscience morale en a pâti ; on ne peut douter qu'il en ait souffert et que cette période fût pour lui extrêmement éprouvante. Il a accepté, malgré ses répugnances, l'abandon des pouvoirs à l'armée, l'usage à grande échelle de la torture, les exécutions jugées nécessaires des condamnés à la guillotine, la capture illégale des chefs du FLN, l'expédition de Suez. Allait-il être enfin récompensé ? La presse nationale ne le classe-t-elle pas alors au rang des « possibles » ?

Le président Coty, de son propre aveu, a songé à lui pour succéder à Mollet. Peut-être en désignant Bourgès-Maunoury pensait-il seulement dégager le terrain, ne croyant pas trop à la possibilité de son investiture ? Toujours est-il que, le 12 juin 1957, son rival obtenait, de peu, l'aval de l'Assemblée nationale. Mitterrand s'abstient. Le gouvernement Bourgès fait long feu, son projet de loi-cadre pour l'Algérie, contre lequel vote Mitterrand, est désavoué par les députés, et Coty, en octobre, doit trouver un nouvel homme. Il pense de nouveau à Guy Mollet, lequel propose à Mitterrand — qui l'accepte derechef — le ministère de la Justice, ce qui, on en conviendra, n'était pas la preuve d'un désaveu évident à l'endroit du leader socialiste. L'Assemblée refuse son soutien. Finalement, Félix Gaillard, un jeune (trois ans de moins que Mitterrand), ambitieux et brillant radical, ministre des Finances dans le gouvernement précédent, est choisi. Tandis que Robert Lacoste est devenu l'indéracinable ministre résidant en Algérie, Mitterrand, lui, reste sur la touche.

Contre de Gaulle

Le gouvernement Félix Gaillard n'a été qu'un bref intermède avant la crise finale qui devait emporter la IVe République. Une initiative de l'armée en Algérie ouvre une nouvelle phase de confusion et d'inquiétude, quand, le 8 février, en riposte aux attaques du FLN à partir du territoire tunisien, l'aviation française bombarde le village de Sakhiet-Sidi-Youssef, causant la mort de soixante-neuf civils. Le gouvernement tunisien décrète l'obligation pour les troupes françaises stationnées sur son territoire de demeurer dans leur cantonnement. Le lendemain, l'affaire provoque un débat à l'Assemblée. Félix Gaillard, refusant de condamner le raid meurtrier dans le territoire d'un pays indépendant, obtient massivement la confiance des députés. Finalement, Habib Bourguiba, qui a saisi le Conseil de sécurité, et Félix Gaillard, soucieux d'un compromis, acceptent l'offre de « bons offices » anglo-américaine, dont se trouvent chargés les diplomates Robert Murphy et Harold Beeley. Le 15 avril, le chef du gouvernement expose à l'Assemblée les résultats de cette mission qu'il entérine, ce qui lui vaut d'être mis en minorité.

Serait-ce enfin la chance de François Mitterrand ? Non. René Coty fait tour à tour appel à Georges Bidault, à René Pleven et enfin, le 9 mai, à Pierre Pflimlin. Cette désignation soulève une tempête de colère en Algérie, où ce dirigeant du MRP, réputé libéral, passe pour un « bradeur ». Le même jour, le FLN annonce l'exécution de trois militaires français tombés entre ses mains. Les deux événements déclenchent le 13 mai une nouvelle manifestation à Alger, mais qui tourne cette fois à l'insurrection. L'ancien gouvernement général, devenu ministère de l'Algérie, que Robert Lacoste a quitté quatre jours plus tôt, est pris d'assaut avec la complicité de l'armée. Un comité de salut public, exigeant un gouvernement du même nom, est bientôt présidé par le général Massu en personne. À Paris, Pierre Pflimlin a été investi, Mitterrand a voté pour lui tandis que les communistes se sont abstenus pour ne pas faire obstacle à la défense républicaine contre les « factieux » d'Alger. S'ensuivent quinze jours de crise qui se terminent par l'investiture du général de Gaulle, le 1er juin 1958[1].

Au cours de cette tourmente où beaucoup ont craint un putsch militaire et la guerre civile, François Mitterrand se révèle un des opposants infrangibles au retour au pouvoir du Général. Il y avait entre les deux hommes une opposition d'histoire, on le sait : Mitterrand n'avait pas été un résistant de la première heure ; d'abord pétainiste, il ne s'était rallié au chef de la France libre qu'après la marginalisation du général Giraud. Mitterrand se défiait de ce militaire chez qui il pressentait l'aspiration au pouvoir personnel. L'aventure du RPF, créé en 1947, avait confirmé ses appréhensions. De plus, ceux qui soutenaient de Gaulle et complotaient pour son retour s'étaient faits à plusieurs reprises les critiques acérés de Mitterrand, soit contre sa politique d'ouverture outre-mer, soit au moment de l'affaire des fuites. « Pour les gaullistes, écrit Jean Lacouture, Mitterrand reste l'affreux maréchaliste dénoncé dix ans plus tôt par Cailliau-Charette, puis le bradeur d'empire conspué par les colons de Côte d'Ivoire sous la baguette de Foccart, enfin le cryptocommuniste inventé par Dides[2]. »

Malgré tout, François Mitterrand ne manque pas d'admiration à l'égard du Général, auquel il reconnaît l'étoffe d'un grand homme d'État. Le nom de Charles de Gaulle, gommé dans sa traversée du désert, avait reparu depuis le début de l'année comme un recours possible. Le 7 mars, Maurice Duverger publie dans *Le Monde*, dont il est une des têtes politiques, un article intitulé : « Quand ? » Il y écrit : « Beaucoup pensent que la question n'est pas de savoir si de Gaulle reviendra ou non au pouvoir : car cette question-là est probablement réglée. La vraie question

---

1. Voir, entre autres, Georgette Elgey, *De Gaulle à Matignon. La république des tourmentes*, t. IV, Fayard, 2012. Michel Winock, *13 Mai 1958. L'Agonie de la IVe République*, Gallimard, « Les Journées qui ont fait la France », 2006, et Folio Histoire, 2013.

2. J. Lacouture, *Mitterrand, une histoire de Français, op. cit.*, t. I, p. 198.

est de savoir quand commencera le deuxième gouvernement de Gaulle. » Quelques jours plus tard, le 13 mars, dans le même quotidien, Mitterrand y va à son tour d'un article qui, pour n'être pas un appel à de Gaulle, n'en présente pas moins une méditation sans fiel sur son « silence » : « Tandis que de Gaulle se tait, le formidable accompagnement du silence propage au loin ses ondes sonores. Tendons l'oreille. Un accord inconnu jusqu'alors rythmera-t-il la marche d'un peuple, le nôtre, vers l'harmonie ou vers la paix, plutôt que vers la guerre et ses dominations ? Nous n'avons rien entendu encore qui ressemble à cela. Comment s'y reconnaître ? La vraie grandeur, le vrai langage du général de Gaulle nous révéleront, souhaitons-le, le vrai secret de son silence. » Ce n'est pas là le cri d'un adversaire irréductible. Mitterrand, qui a participé à tous les jeux de la IVe République, avait voté contre la Constitution de 1946. Les critiques du général de Gaulle contre le régime, il pouvait les faire largement siennes.

Ce qu'il ne peut admettre, ce qu'il ne peut ratifier, c'est le « comment » du retour au pouvoir, ce qu'il ne cessera d'appeler le « coup d'État ». On a beaucoup glosé sur ce terme. Les gaullistes s'en offusquent : le Général n'a-t-il pas été investi à la régulière par l'Assemblée nationale le 1er juin 1958 ? Peut-être, mais, pour y arriver, le futur fondateur de la Ve République a bénéficié d'une complicité avérée de l'armée, de la crainte d'une intervention militaire en métropole, d'un conditionnement des députés, entre menace et intox, par l'épouvantail de la guerre civile. Non, ce n'était pas « à la régulière » et, s'il n'y avait pas eu de putsch, il est certain que de Gaulle n'avait rien fait pour l'écarter.

Mitterrand a-t-il hésité ? Nombre de personnes, malgré les illégalités de la stratégie gaullienne, l'insubordination de l'armée, le refus du Général de désavouer les hommes des comités de salut public, malgré leur sens démocratique et leur fidélité républicaine, se sont ralliées à de Gaulle. Soit par résignation : que faire d'autre ? Soit avec le réel espoir que son autorité pourrait conduire à une solution pacifique en Algérie. Un Hubert Beuve-Méry, un Jean Daniel, un Jean Amrouche ont accepté. Dans un discours prononcé à Harvard le 12 juin 1958, Raymond Aron pourra dire que « personne n'a été entièrement satisfait par la manière dont la tragédie fut évitée », avant d'ajouter : « Le général de Gaulle devint, le 15 mai 1958, le seul homme capable de rassembler pacifiquement les trois fragments de la nation française divisée : les Français d'Algérie, l'armée, les républicains de France, c'est-à-dire la grande masse de la nation[1]. » Cette réalité douloureuse, Mitterrand la refuse qui, tout comme Mendès France, ne peut approuver le coup de force. Dans les couloirs de l'Assemblée, à la tribune, partout où sa parole peut être entendue, il proteste.

Le 24 mai, au lendemain de l'opération qui a placé la Corse sous la dépendance des insoumis d'Alger, et alors que Robert Lacoste se dit « bouleversé et émerveillé par ce qui se passe en Algérie », l'Assemblée discute de la levée de l'immunité parlementaire de Pascal Arrighi, meneur de l'équipée corse. Mitterrand dénonce le pronunciamiento dont le député mis en cause n'est qu'un simple exécutant, et met en garde le gouvernement. « Le leader UDSR eut le courage, commente *Le Monde*, de poser le problème dans son ensemble et de ne pas vouloir distinguer entre M. Arrighi et ceux qui d'Alger l'inspirent et l'appuient. »

Face à l'assaut militaro-gaulliste du régime, la « défense républicaine », c'est-à-dire l'union des forces de gauche, est rendue impossible par l'opposition entre la gauche non communiste et le PCF. Guy Mollet entend bien parer au « jeu terrible des bolcheviks » qui, profitant de l'occasion, imposeraient leur pouvoir. Le 28 mai, le jour même où Pierre Pflimlin offre sa démission à René Coty, un Comité d'action et de défense républicaine

1. « Raymond Aron (1905-1983), histoire et politique, textes, études et témoignages », *Commentaire*, n° 28-29, février 1985, p. 441.

(dont les communistes sont exclus) organise une manifestation de la Bastille à la Nation et dans les grandes villes. Deux cent mille personnes environ y participent, le parti communiste a encouragé les siens à se mêler au cortège, et *L'Humanité* se réjouit le lendemain d'y avoir vu François Mitterrand. Il s'agit plutôt d'un baroud d'honneur que d'une vraie résistance. Le jour même, le directeur du *Monde* écrit : « Le général de Gaulle a fait siens, solennellement, les principes constitutifs de toute démocratie parlementaire. Dans le cadre des délais et des limites qu'il a acceptés il a droit au concours loyal de ses concitoyens. » Mitterrand le sait, les jeux sont faits : « Durant le défilé de la Bastille à la Nation, j'avais remarqué le visage morne des manifestants, je m'étais irrité de la pauvreté des slogans. Personne ne pleurait sur le régime déchu. Et moi non plus je ne pleurais pas. » Pourtant, il refusera de se rallier comme tant d'autres : « En attendant la suite, garder l'honneur était le seul moyen d'attendre en paix avec soi-même la fin des contradictions[1]. »

Dans *Ma part de vérité*, il se remémore, non sans poésie, sa méditation du lendemain 29 mai, au long de la Seine : « C'était un jour de soleil clair et fragile. L'eau du fleuve scintillait sous la lumière changeante du ciel. Je m'interrogeais, angoissé. Fallait-il défendre un système politique incapable de rendre à la France son rang ou fallait-il prêter la main à la conspiration qui allait le détruire ? [...] Tout m'invitait à consentir à la liquidation de la IVᵉ République, de ses rois fainéants, de ses maires du palais, cette grisaille pour agonie. Tout m'éloignait aussi de cette dictature, visible à l'œil nu sous son masque bonasse[2]. »

La sortie de crise s'accélère. L'opération « Résurrection » conçue par Massu, Salan et l'armée est suspendue quand la nouvelle parvient de l'appel au général de Gaulle par le président Coty. De son côté, le Comité d'action et de défense républicaine

---

1. F. Mitterrand, *Ma part de vérité, op. cit.*, p. 40.
2. *Ibid.*, p. 39.

cherche une solution de rechange; Mitterrand, peu inspiré, propose Naegelen, Robert Schuman ou Ramadier. On tourne en rond, certains vont jusqu'à proposer Robert Lacoste. C'en est trop! François Mitterrand et ses amis quittent le Comité. Ils sont une vingtaine, radicaux et UDSR, à publier une résolution qui dénonce les carences du régime tout en s'opposant à toute dictature — c'est-à-dire au retour du général de Gaulle. Un combat d'arrière-garde, ils le savent. La grève générale lancée par la CGT le 30 mai est un fiasco.

Ce jour-là et le lendemain, de Gaulle, président du Conseil désigné, procède à ses consultations avant de se présenter devant les parlementaires. La rencontre entre de Gaulle et un Guy Mollet ébloui est déterminante. Le Général convainc définitivement le chef de la SFIO de se rallier, et celui-ci entraînera avec lui une forte minorité du groupe socialiste à l'Assemblée. Le 31 mai, de Gaulle réunit les représentants des différents partis à l'hôtel La Pérouse pour sonder leurs intentions. Mitterrand en est et fait un éclat. Alors que les autres se confondent «en courbettes», se souvient-il, lui s'est levé, «un peu timidement»: «Mon général, je ne voterai pas pour vous tant que vous n'aurez pas désavoué publiquement les comités de salut public d'Alger et l'insurrection militaire. [...] Un régime républicain ne peut pas naître de la contrainte d'un putsch.» De Gaulle toise l'insolent, qui ajoute: «Nous risquons d'entrer dans l'ère des pronunciamientos militaires... Après les généraux, ce sera l'heure des colonels... Et puis, mon général, vous êtes mortel.» À l'audacieux, de Gaulle, un peu interloqué, réplique: «Alors, vous voulez ma disparition, vous voulez ma mort, c'est ça?» Cet échange, que Mitterrand se remémore à la fin de sa vie, avait déjà été relaté, à quelques mots près, par un témoin de la scène, Roger Duveau, président du groupe UDSR à l'Assemblée[1]. L'homme de carac-

---

1. Cité par C. Nay, *Le Noir et le Rouge...*, *op. cit.*, p. 243.

tère, décrit jadis par de Gaulle dans *Le Fil de l'épée*, en trouvait un autre face à lui.

Dans l'après-midi du dimanche 1er juin, de Gaulle se présente devant l'Assemblée nationale. Saisi d'une émotion visible, presque timidement, il prononce sa déclaration, par laquelle il demande les pleins pouvoirs pendant six mois, afin d'élaborer une nouvelle Constitution. Là-dessus il quitte le Palais-Bourbon, sans attendre les explications de vote des orateurs. Ils sont dix-sept à prendre la parole, neuf hostiles et huit favorables. Parmi les opposants, Pierre Mendès France et François Mitterrand font les interventions les plus remarquées. Ni l'un ni l'autre ne se posent en avocats du régime naufragé, mais ni l'un ni l'autre n'acceptent le diktat d'Alger. Mitterrand se montre particulièrement tranchant. Comme Mendès il sait reconnaître la grandeur de l'« homme au prestige unique », mais n'accepte pas une restauration décidée par l'armée prétorienne.

« Lorsque, dit-il, le 10 septembre 1944, le général de Gaulle s'est présenté devant l'Assemblée consultative issue des combats de l'extérieur ou de la Résistance, il avait auprès de lui deux compagnons qui s'appelaient l'honneur et la patrie. Ses compagnons d'aujourd'hui, qu'il n'a sans doute pas choisis mais qui l'ont suivi jusqu'ici, se nomment le coup de force et la sédition. » Les applaudissements fusent des rangs communistes et d'une partie de la gauche. « La présence du général de Gaulle signifie, même malgré lui, que désormais les minorités violentes pourront impunément et victorieusement partir à l'assaut de la démocratie. » Certains nient le coup de force ? « Je dénonce ici, cependant — je ne suis pas le premier à le faire et je persévérerai — le complot minutieusement mis en place et dont les ramifications, parties d'Alger, sont remontées jusqu'à Paris, jusque dans l'entourage des hauts personnages de l'État, jusque dans les palais officiels. » Son éloquence fait mouche devant une majorité résignée, honteuse peut-être d'avoir dit « non, jamais ! » et de s'apprêter à dire « oui ». Le sommet de son discours est atteint par une formule qui fera date : « En droit, le général de Gaulle tiendra ce soir ses pouvoirs de la représentation nationale ; en fait, il les détient déjà du coup de force. »

Cependant, une pensée inachevée occupe la fin de l'intervention. Quelqu'un lui a dit qu'il finirait par se rallier. « Eh bien ! oui, mesdames, messieurs ! Si le général de Gaulle est le fondateur d'une forme nouvelle de démocratie, si le général de Gaulle est le libérateur des peuples africains, le mainteneur de la présence de la France partout au-delà des mers, s'il est le restaurateur de l'unité nationale, s'il prête à la France ce qu'il lui faut aussi de continuité et d'autorité, je me rallierai, mais à une condition... »

M. Pierre Charles : « Un portefeuille ! »

M. le président : « Ces interruptions sont intolérables. Je préviens ceux qui s'en rendraient de nouveau coupables que je prononcerai des rappels à l'ordre avec inscription au procès-verbal. »

M. François Mitterrand : « Je prie M. le président de l'Assemblée nationale de ne pas s'émouvoir. »

M. le président : « Je ne suis pas ému. (*Rires.*) »

M. François Mitterrand : « Il est vrai que j'ai eu plus souvent l'occasion de refuser un poste dans un gouvernement que ce monsieur. (*Rires.*) »

Et l'orateur de terminer sans expliciter cette fameuse « condition » : « Il y a encore beaucoup à faire et la France continue. Il y a la foi et il y a la volonté et il y a, au bout du compte, la liberté victorieuse dans la patrie réconciliée. Cet espoir me suffit, m'encourage, m'accompagne au moment où je vais voter contre l'investiture du général de Gaulle. (*Vifs applaudissements sur de nombreux bancs à gauche et sur tous les bancs de l'extrême gauche.*) »

Ces applaudissements communistes ne sont pas anecdotiques. Ils annoncent un rapprochement entre François Mitterrand et le parti communiste riche d'avenir stratégique. Cette tendance est confirmée dans la Nièvre, une fois la Constitution de la Vᵉ République ratifiée par le référendum du 28 septembre 1958, qui apporte près de 80 % de suffrages favorables au nouveau régime. Les élections législatives ont lieu le 28 novembre, avec un retour au scrutin uninominal à deux tours. Le département nivernais qui avait droit à quatre sièges n'en a plus que trois. Dans deux circonscriptions, les gaullistes Marius Durbet et Paul Boulet sont élus au premier tour. Mitterrand, qui s'est présenté dans la circonscription de Château-Chinon, arrive en troisième position au soir du premier tour, derrière un gaulliste inconnu, Jéhan Faulquier, mais aussi derrière le socialiste Daniel Benoist, et devant le communiste Raymond Bussière. Normalement, la discipline républicaine l'obligerait à se désister pour le candidat SFIO, mais Benoist, un fidèle de Guy Mollet, a voté oui à de Gaulle. Mitterrand décide de se maintenir. Le communiste, lui, se retire. Un rapport du préfet de la Nièvre explique que « M. Bussière, sur intervention téléphonique de son parti, retire sa candidature ; il s'avère que ce retrait est en fait un désistement ; cela se lit sur une affiche signée Bussière qui désigne François Mitterrand sans citer son nom. Le journal *L'Humanité* lui n'hésite pas à nommer l'ancien ministre, non plus qu'une édition du journal de cellules des usines les plus importantes de la Nièvre[1] ».

Les socialistes nivernais s'indignent. Leur journal, *Le Progrès social* du 14 novembre, représente Mitterrand orné du double insigne : la francisque accompagnée de la faucille et du marteau. « De la francisque à l'extrême gauche buvant le calice jusqu'à la lie, Mitterrand, le déloyal, va au comble de l'abjection. » Au second tour, le gaulliste est élu, mais Mitterrand devance Benoist grâce aux voix communistes : 12 210 contre 10 489.

Ces élections, raz-de-marée gaulliste, sont une catastrophe pour la gauche. Les communistes qui avaient cent cinquante sièges n'en ont plus qu'une dizaine. Mendès France, Gaston Defferre comme Mitterrand ont été battus. Cependant, les deux alliés, PMF et Mitterrand, ne tirent pas les mêmes conclusions

---

1. J. Battut, *François Mitterrand le Nivernais…*, *op. cit.*, p. 61.

de la situation. Pour l'ancien président du Conseil, le nouveau régime né de la rue « finira dans la rue ». Pour l'autre champion du « non », les nouvelles institutions ont une base solide et, tout en dénonçant la « dictature » qui s'installe, il croit en sa durée. « Nous en avons pour dix ans », dit-il à ceux qui l'entourent. Il faudra attendre avec patience le moment du retournement. En politique, rien n'est définitif. Cette patience, Mitterrand la possède mieux que personne, c'est un des traits majeurs de son caractère.

Mais ce retournement, il faut le préparer. Le premier pas à franchir est de réaliser l'union de la gauche, et d'abord l'union de ceux qui ont dit non à de Gaulle. Une minorité de la SFIO, entraînée par Édouard Depreux, Alain Savary, Robert Verdier, a fait scission et fondé le PSA. Mitterrand voudrait y adhérer, mais, on le sait, le nouveau parti lui refuse sa porte. Malgré sa philippique du 1er juin au Palais-Bourbon, il demeure aux yeux de beaucoup un opportuniste, un homme sans principes qui a accepté les voix de la droite comme il accepte aujourd'hui celles des communistes. Un carriériste retors, dont les états de service ne contiennent rien qui puisse en faire un homme de gauche. D'où résulte son isolement provisoire.

Toutefois, quelque chose de nouveau a eu lieu, son rapprochement avec les communistes, justement. Ceux-ci n'ont jamais tenu Mitterrand pour un allié naturel, il a toujours été pour eux et contre eux un adversaire, mais ils ne s'embarrassent pas de rancunes inutiles : Mitterrand est devenu un allié objectif. Quant à lui, il considère désormais qu'il n'y aura pas de revanche de la gauche à espérer si la gauche persiste à se passer volontairement du soutien communiste. C'est en cette année 1958 que Mitterrand s'avise d'ébaucher cette union de la gauche avec les communistes, condition *sine qua non* à ses yeux d'une victoire sur le gaullisme.

De cette union de la gauche il lui faudra devenir le leader ; il lui faudra s'installer, s'ancrer à la tête de l'opposition. L'avenir décidera, l'événement reste le maître des destinées humaines et politiques : c'est au temps, qui a la propriété de faire et de défaire, de construire et de déconstruire, de jeter les anciens vainqueurs du haut de la roche Tarpéienne et de hisser les anciens vaincus au Capitole ; c'est au temps qu'il faut rendre grâce. Non, rien n'est joué, il n'est pas dit qu'il restera un figurant de l'Histoire. Il a quarante-deux ans et de Gaulle est mortel.

V

LA TOGE RÉPUBLICAINE

« Vous vous sentez discrédité, mis à l'écart ; vous avez l'impression que c'est irréversible et vous vous laissez aller — alors que la vie, en réalité, est toute-puissante et que le lendemain matin, la semaine suivante, ou bien, pour ceux qui sont patients, un an, deux ans après, les pièces du puzzle changent de place. C'est mon tempérament[1]. »

Au lendemain de son échec aux législatives, tel est bien l'état d'esprit de François Mitterrand. Privé de son indemnité parlementaire mais inscrit au barreau depuis 1953, il devient à quarante-deux ans avocat, en s'associant avec Irène Dayan, l'épouse de son ami Georges, elle-même avocate, qui témoigne : « Il n'avait pas l'esprit maison ; rien ne l'agaçait comme l'ancien langage stéréotypé du Palais, celui des références et des attendus, comme son amour de la forme et des arguties juridiques. Il faut dire qu'il n'aime aucun langage de spécialiste[2]. »

La scène politique capte le meilleur de son attention. Que va-t-il arriver ? Ou bien le général de Gaulle parvient à faire la paix en Algérie, et la nécessité présente de l'accepter au pouvoir s'affaiblira progressivement et les cartes seront redistribuées. Ou bien le nouveau chef de l'État sera vaincu par les ultras, et une

---

1. F. Mitterrand, *Ma part de vérité*, *op. cit.*, p. 196.
2. C. Moulin, *Mitterrand intime*, *op. cit.*, p. 140.

dictature militaire s'imposera, et dans ce cas l'opposant de 1958 apparaîtra comme un recours. Pour l'heure, il s'agit pour lui de reconquérir la place qu'il a perdue. L'UDSR est devenue une peau de chagrin, la majorité de ses députés, derrière Pleven et Claudius-Petit, l'a quittée pour se rallier à de Gaulle ; il ne lui reste que quelques fidèles : Georges Dayan, André Rousselet, Louis Mermaz, Roland Dumas, Georges Beauchamp. Le référendum sur la Constitution a révélé l'ampleur de la marée gaulliste. Il faut repartir de zéro. Le calendrier des échéances électorales est un guide de conduite : après les législatives, on doit passer aux municipales et puis aux sénatoriales. Voilà le terrain qu'il faut choisir, il n'y en a pas d'autre.

Élu depuis 1946 dans la Nièvre, François Mitterrand ne s'y est pas encore vraiment « implanté ». L'occasion lui est donc offerte de se créer la base géographique de son retour aux affaires. Il va s'y employer.

À l'assaut de la Nièvre

Pour les municipales de mars 1959, Mitterrand jette son dévolu sur la mairie de Château-Chinon. Petite sous-préfecture mais capitale du Morvan, la ville s'est endormie sous une municipalité socialiste peu encline à la réveiller. La région du Morvan, classée entre-temps « parc naturel », a tout pour plaire à l'ami de la nature qui peut apprécier l'odeur de ses forêts étendues, la beauté quiète de ses vallons et de ses lacs, ses escarpements rocheux, tout se prête ici à l'admiration des paysages et aux randonnées. À quelques kilomètres de Château-Chinon s'étend le lac de Pannecière-Chaumard, le plus grand du Morvan, grossi par la retenue d'eau du barrage qui contribue à régulariser le débit de l'Yonne et à alimenter l'usine hydroélectrique de Pannecière. Dans ce site d'eau, de collines et de bois, si différent de sa Charente natale, François Mitterrand n'en ressent pas moins la douce émotion de l'homme sensible aux sites sculptés au long des siècles.

Le maire sortant, Robert Mantin, vieux de la vieille SFIO, est proche de la retraite. Comme le dit Mme Chevrier, propriétaire de l'hôtel du Vieux Morvan, où s'installe Mitterrand : « On avait un maire bien gentil mais qui ne faisait rien pour la commune[1]. » La relève doit être prise par Philippe Bouchoux, un instituteur à la retraite, qui fait figure de successeur. Quatre listes se font concurrence au premier tour. Mitterrand est connu depuis qu'il a été ministre, et l'on sait qu'il a préconisé le « non » au référendum : c'est un atout et une faiblesse. Les socialistes de la SFIO, le SNI (Syndicat national des instituteurs), eux, ont toujours manifesté de l'hostilité au leader de l'UDSR, soupçonné de n'être pas un laïque, en raison de ses origines familiales, de ses études dans un collège religieux, de ses discours ambigus sur la question scolaire. Et puis, son refus de se désister en faveur de Daniel Benoist aux dernières législatives et son alliance avec les communistes ne se prêtent pas à l'affection des militants SFIO.

Au soir du premier tour, la liste Bouchoux arrive en tête avec 545 suffrages devant celle de Mitterrand qui en récolte 485. Pour le second tour, il ne reste plus que deux listes en présence, celle des socialistes et la sienne qui, cette fois, comporte des communistes. Cette alliance, renouvelant celle des législatives, permet à la liste de François Mitterrand d'obtenir douze élus (dont deux communistes) contre cinq aux socialistes. Le 31 mars, Mitterrand devient maire de Château-Chinon, et un communiste, Joseph Tanzi, adjoint.

Cet épisode municipal confirme le choix tactique du nouveau maire à l'égard des communistes. Pendant presque toute la durée de la IVe République, il leur crevait les yeux qu'il était un anticommuniste avéré, un adversaire résolu. Lui-même n'a jamais caché son hostilité au parti de Maurice Thorez, inféodé à

---

1. Cité par J. Battut, *François Mitterrand le Nivernais*, *op. cit.*, p. 70.

l'URSS. Cependant, son opposition aux communistes se révèle beaucoup plus politique qu'idéologique. C'est une constante chez lui : le politique prime l'idéologique ; il n'a pas l'esprit de système. Quand Pierre Mendès France, dont il était le ministre de l'Intérieur, a rejeté les voix communistes lors de son investiture par l'Assemblée en 1954, Mitterrand l'a regretté, jugeant la manière peu adéquate à la logique parlementaire. Dans son évolution vers la gauche, il a conscience que celle-ci continuera à s'empoussiérer sans l'appui de cette gauche communiste si puissante, dont l'isolement interdit toute union, toute coalition des forces « progressistes ». La crise de 1958 renforce ses convictions, l'alliance avec les communistes est nécessaire, à condition, certes, de ne pas se faire dévorer par eux. Les municipales de Château-Chinon lui permettent de mettre à exécution son idée de stratège.

De son côté, le parti communiste, qui tente, depuis la déstalinisation inaugurée par le XXe congrès du parti soviétique en 1956, de se rapprocher de la gauche non communiste, est toujours ostracisé par Guy Mollet. La guerre froide depuis 1947 a laissé des plaies qui ne sont pas cautérisées. Le PCF, lui, a tout intérêt à s'allier à un Mitterrand, qui a obtenu un brevet de résistance à la « dictature » gaulliste — un rapprochement qui pourrait amorcer une union plus ample. Certes, ici et là, dans quelques municipalités de gauche, des alliances locales ont été nouées entre communistes et socialistes aux fins de battre la droite, mais la démarche de Mitterrand n'est pas occasionnelle, il conçoit que l'avenir de la gauche, dont il espère devenir le chef, passera nécessairement par un accord avec le plus puissant de ses partis. Il y a du pain sur la planche, car, pour le moment, dans la Nièvre, les socialistes, qui ont été les victimes de son entente avec les communistes, donnent libre cours à leurs protestations. Et la bataille n'est pas finie, car aux municipales vont succéder les sénatoriales, en avril 1959.

Entre les deux tours de ces sénatoriales, François Mitterrand, arrivé troisième, et le leader communiste Raymond Bussière se rencontrent. Celui-ci promet à celui-là le retrait en sa faveur de l'un des deux candidats du PCF. De fait, François Mitterrand devient l'un des deux sénateurs de la Nièvre grâce à l'apport des quatre-vingt-douze voix communistes. Ainsi, le département de la Nièvre, à commencer par la municipalité de Château-Chinon, a servi de creuset à une nouvelle stratégie, celle d'une alliance avec les communistes. Mitterrand mesure leur puissance, il ne partage rien, comme je l'ai dit, de leurs principes léninistes, mais il ne veut considérer que cette évidence : la mise à l'écart du plus grand parti de la gauche empêche la gauche de prétendre au pouvoir. Un Guy Mollet ne peut se résoudre à cette alliance, comme nombre de socialistes ; il ne voit dans les communistes que des « bolcheviks », promoteurs d'une dictature prétendument prolétarienne, mais qui est en réalité celle d'une oligarchie sur le prolétariat. Paradoxe : il est marxiste, Guy Mollet ; pour lui, les communistes ont trahi Marx ; Mitterrand, lui, n'est pas marxiste, il est très éloigné des querelles du socialisme et se moque de la scission intervenue dans ses rangs lors du congrès de Tours en 1920. Sa culture n'est pas socialiste mais parlementaire : sans les communistes, pas de majorité de gauche ; il faut déverrouiller le blocage que représente le PCF et, puisque la conjoncture inter-nationale semble s'y prêter depuis la mort de Staline, il entend bien contribuer à transformer cette force de nuisance en auxiliaire de renouveau.

Le palais du Luxembourg est devenu, au moins provisoire-ment, le terrain de son combat contre le gouvernement gaulliste. Le 25 juin 1959, il y fait sa grande rentrée politique, en présence de Michel Debré, Premier ministre. Celui-ci présente un projet de loi concernant des dispositions financières et monétaires en Algérie, mais, en fait, c'est un débat de fond sur la question algérienne qui s'engage. Mitterrand, à la suite de Gaston Defferre, lance une attaque en flèche dans un discours mordant, acéré, intelligent, contre les incertitudes gouvernementales. On sait que deux mois et demi plus tard, le 16 septembre 1959,

Charles de Gaulle proposera dans un discours historique l'autodétermination aux Algériens. Pour le moment, tout se passe
comme si le mythe de l'« intégration » cher à l'armée était le sens
de la politique gouvernementale. Dans son intervention corro-
sive, écoutée avec attention, interrompue parfois, applaudie souvent, le nouveau sénateur démonte la politique d'intégration, et
réplique à ceux qui lui objectent d'en avoir été partisan en 1954
avec Mendès France : « Lorsque j'ai affirmé une politique d'intégration, c'était en tout cas un beau rêve. Mais je continue de
croire qu'il était à l'époque réalisable parce qu'il était partagé par
les véritables élites algériennes. L'intégration, voyez-vous, monsieur le Premier ministre, n'a de chance de s'imposer que par la
confiance. Dès que la confiance a été, par la guerre, définitivement détruite, il n'était plus raisonnable de s'accrocher à des
perspectives périmées. Comment pouvez-vous supposer que, par
le fer et par le feu, l'intégration, qui exige tant de sacrifices, tant
de renoncements et tant de compréhension mutuelle, ait quelque
chance de réussir depuis que la guerre a commis ses ravages ? Il
est vain maintenant d'espérer de l'intégration la solution pacifique que tous nous recherchons. »

Assumant son évolution, il préconise désormais la solution
fédérale. Il existe depuis 1958, constitutionnellement, une
Communauté franco-africaine ; il est inconcevable qu'on ne s'en
serve pas pour aborder le problème algérien : « S'il est une intégration désirable, ce n'est pas celle de l'Algérie et de la France,
c'est celle de l'Algérie dans l'ensemble de la Communauté
franco-africaine. »

Quelques semaines plus tard, le général de Gaulle, dans son
discours choc sur l'autodétermination, proposera aux Algériens
de choisir entre l'intégration (la « francisation »), l'indépendance
(la « séparation ») ou l'« association » dans le cadre de la Communauté, cette dernière solution ayant visiblement la préférence du
président de la République. Il est remarquable qu'à ce moment-
là, sur le problème algérien, Mitterrand soit sans le savoir en

harmonie avec le général de Gaulle. Ne pourrait-il se rallier à lui ? Non, car, la question algérienne mise à part, le régime gaullien reste un régime de pouvoir personnel qu'il récuse. Et puis, sur le point de devenir l'opposant en chef à de Gaulle, un tel ralliement anéantirait le meilleur de ses atouts. En politique, on peut avoir des rivaux, des concurrents, des faux amis, l'important est de savoir désigner l'adversaire principal — pour lui, c'est le régime mis en place par les prétoriens.

Le piège de l'Observatoire

Le discours du général de Gaulle sur l'autodétermination provoque la colère des ultras de l'Algérie française. Nombre d'activistes qui avaient appelé de Gaulle en mai 1958 se retournent contre lui. Intrigues et complots recommencent. En janvier 1960, ce sera la semaine des barricades à Alger, où les extrémistes espèrent susciter un nouveau 13 mai, cette fois contre de Gaulle. Le 15 octobre précédent, *Paris-Presse* publiait à la une cette déclaration du député gaulliste Lucien Neuwirth : « Il est urgent de se ressaisir. Le drame peut être pour demain. Déjà, des commandos de tueurs ont passé la frontière espagnole. Les personnalités à abattre sont désignées. » François Mitterrand lui-même n'est pas à l'abri. Dans la nuit qui suit, il évite de justesse un attentat, en réussissant à s'échapper de sa voiture juste avant que celle-ci soit mitraillée.

Depuis quelque temps, Mitterrand et son épouse, Danielle, ont reçu plusieurs fois par jour et dans la nuit des coups de téléphone menaçants. Surtout, le sénateur de la Nièvre avait rencontré un étrange bonhomme, qui l'avait prévenu du danger qu'il courait : le 7 octobre, alors qu'il exerçait sa fonction d'avocat au Palais de justice, il est abordé par un individu, nommé Pesquet, ancien député poujadiste battu aux élections de 1958, qui lui avoue son engagement parmi les ultras et lui révèle que lui, Mitterrand, est en tête de liste des personnalités à abattre. Mitterrand ne prend pas d'emblée au sérieux cette mise en garde, mais, dans les jours suivants, Pesquet tente sans arrêt de le joindre au téléphone, tant et si bien que le sénateur accepte de revoir l'ancien député, le 14 octobre, dans un café des Champs-Élysées, le Marignan. L'homme lui confirme qu'un attentat est préparé contre lui et qu'il le préviendra dès que possible du jour et de l'heure, mais que, surtout, il n'en parle à personne car il risque lui-même sa vie !

Cette fois, Mitterrand ne prend pas la menace à la légère et, par précaution, passe la nuit chez son ami Georges Dayan. Le lendemain, c'est au Sénat qu'il revoit Pesquet, lequel lui annonce l'imminence de l'attentat, qui doit se produire non loin de son domicile, rue Guynemer. Mais, dans cette rue, entre la porte de son immeuble et les grilles du jardin du Luxembourg, il n'y a pas moyen de s'échapper. C'est pourquoi il recommande à Mitterrand de rentrer chez lui en contournant le jardin du Luxembourg : il pourra, s'il est poursuivi, arrêter sa voiture dans la rue Auguste-Comte et se réfugier dans le jardin de l'Observatoire. Mitterrand lui promet encore une fois de n'en rien dire à la police. Dans la soirée, après avoir dîné chez Georges Dayan, il se rend à la brasserie Lipp, boulevard Saint-Germain, où il était convenu de se retrouver avec Pesquet s'il y avait du nouveau. Il attend en vain jusqu'à minuit et demi, heure à laquelle il prend sa 403 pour rentrer chez lui, par l'itinéraire habituel. « Au début de la rue de Seine, raconte-t-il, une voiture colle la mienne contre le trottoir. Je deviens vigilant. Arrivé en haut de la rue de Tournon, devant le Sénat, je me rends compte qu'elle me suit toujours. Au lieu de tourner à droite, pour aller chez moi, je prends la rue de Médicis, à gauche, histoire de me donner un temps de réflexion. Au square Médicis, voilà que la voiture cherche à nouveau à me coincer. Alors là, mes derniers doutes se dissipent, je mets les pleins gaz et leur prends quelques mètres sur le boulevard Saint-Michel. Je tourne brusquement rue Auguste-Comte, saute de ma voiture au square de l'Observatoire

et, vite fait, je cours dans les jardins où je me jette à terre[1]. »
C'est alors que, de la voiture qui le suit, plusieurs tirs au pistolet-
mitrailleur partent en direction de la 403. Sortant du square par
l'avenue de l'Observatoire, Mitterrand déclare à la police, survenue à la suite du coup de téléphone d'un habitant que les déto-
nations ont réveillé, qu'il a été l'objet d'un attentat, sans pouvoir
préciser les détails et sans dire mot de Pesquet au commissaire
divisionnaire Clot qui l'interroge. Dans les jours qui suivent,
l'indignation est générale, il reçoit des messages de soutien de la
part de ses amis, tandis que les journaux donnent l'alarme.
« Sachez bien, lui écrit Mendès France, que, dans ces circonstances où tant de haine de nouveau se déchaîne contre vous, tous
vos amis vous entourent affectueusement et éprouvent le désir
de vous aider s'ils le peuvent. » Le 19 octobre, Mitterrand revoit
Pesquet dans un bar pour le remercier de lui avoir sauvé la vie.

Coup de théâtre ! Le 22 octobre, Pesquet sort de l'ombre et,
dans une conférence de presse, raconte que Mitterrand n'a été
« victime » que d'un attentat bidon, qu'il avait organisé avec lui,
Pesquet. Deux lettres authentifiées par huissier en font foi, que
Pesquet s'était adressées à lui-même avant l'événement, et où il
décrivait d'avance le pseudo-attentat. Quel était le but ? Selon le
faux complice, il s'agissait pour Mitterrand de renforcer la lutte
contre l'extrême droite et aussi de prendre héroïquement l'avantage sur son rival Mendès France. Le drame est devenu farce, les
journaux tirent à boulets rouges sur l'imposteur, les adversaires
de droite sont hilares, les amis de gauche atterrés. Des journalistes tombent des nues, se sentent ridiculisés pour avoir été
menés en bateau et avoir du même coup trompé leurs lecteurs[2].
Mitterrand est foudroyé. « Je suis tombé dans un guet-apens... »

1. Témoignage recueilli par F.-O. Giesbert, *François Mitterrand, une vie, op. cit.*,
p. 189.
2. Voir Pierre-Viansson Ponté, *Lettre ouverte aux hommes politiques*, Albin Michel,
1976.

Il s'efforce de donner une explication (« je répugne à dénoncer un homme qui prétendait me sauver la vie ») et soutient qu'un attentat a bien eu lieu : « De deux choses l'une : ou j'étais abattu, et je ne pouvais plus parler ; ou j'en réchappais, ce qui était le cas, et je tombais dans cette machination[1]. » Pesquet révèle le nom du tireur, le gardien de sa propriété, dénommé Dahuron, et maintient sa version de l'attentat bidon. Tous les deux seront inculpés d'infractions à la législation sur les armes. Mais qui se cache derrière eux ?

Le gouvernement dirigé par Michel Debré saisit l'occasion pour porter un coup fatal à son principal opposant : le 27 octobre, le parquet demande au Sénat la levée de l'immunité parlementaire de François Mitterrand pour outrage à magistrat. Le fait d'avoir tu l'existence de Pesquet dans l'affaire était en effet considéré comme ayant porté « atteinte à la considération et à l'autorité morale » du chef de la brigade criminelle de la préfecture de police. Cette fois, l'adversaire se découvre à ses yeux ; ce ne sont plus d'obscurs conjurés qu'il doit combattre dans l'ombre, mais le pouvoir gaulliste, incarné en l'occurrence par Michel Debré, qu'il va affronter en pleine lumière. Le voilà en mesure de rendre coup pour coup — c'est, à tout prendre, ce qu'il espérait.

Le 18 novembre 1959, le Sénat consacre sa séance à la levée de l'immunité parlementaire de François Mitterrand. Une commission spéciale s'est réunie et son rapporteur Delalande, un député Indépendant, présente les attendus d'une conclusion favorable à la levée de cette immunité. Le grief porte sur son mutisme quant à Pesquet : « M. Mitterrand, d'après M. le procureur général, a laissé l'enquête s'orienter dans une direction qu'il savait inutile et il a, au contraire, écarté la seule direction utile qu'auraient pu prendre les recherches de police, c'est-à-dire la direction Pesquet. Par cette omission voulue, toujours d'après M. le procureur géné-

1. *Le Monde*, 24 octobre 1959.

ral, M. Mitterrand a manqué au devoir qu'il avait envers la police dont il venait de solliciter le secours […]. »

Mitterrand était-il fondé à se taire ? « Il estime, continue le procureur général, que M. Pesquet lui avait donné de tels avertissements qu'il le considérait alors comme son sauveur et qu'il avait cru, en conscience, de son devoir de ne pas le dénoncer en vertu de l'engagement pris vis-à-vis de lui. Cette défense, c'est le fond de l'affaire. Elle a sa valeur qui n'est nullement négligeable, qui est loin d'être dénuée de pertinence. Nous souhaitons que M. Mitterrand parvienne à le faire admettre par ses juges. Encore faut-il qu'il ait l'occasion de s'expliquer devant eux, car il n'est pas de notre rôle de juger l'affaire au fond. »

Mitterrand a la parole. Il va s'en servir avec force et brio. Le rapporteur a affirmé qu'une levée d'immunité parlementaire n'était pas un jugement, mais un renvoi à la procédure judiciaire ? Pure rhétorique ! « Le gouvernement, le parquet, de puissants organes de presse, une vaste partie de l'opinion attendent de vous le signe qui me frappera. » Il rappelle sa version des faits, narre ses rencontres avec Pesquet. Les lettres que celui-ci exhibe aujourd'hui ? « Il m'appartiendra de démontrer devant le juge d'instruction que ces lettres ne prouvent ni ma complicité ni ma connivence, mais qu'elles révèlent le degré de technique dans la vilenie auquel les inspirateurs de la machination sont parvenus. » Oui, il a cru Pesquet, qui l'a supplié de garder son nom secret, il y allait de sa vie et de la vie des siens : « Si je parle, il sera abattu. […] Cela ne me garantira d'ailleurs pas pour autant du danger, de même qu'il ne sera pas inutile de veiller à la sécurité de mes fils dont il me signale au passage qu'on saurait parfaitement les trouver, l'un dans son lycée de Paris, l'autre dans son école communale de Bourgogne, le jour où on l'estimera nécessaire. Tout ceci paraîtra bien romanesque, et d'un mauvais roman, à qui aura oublié le climat dans lequel se déroule cette conversation. » Quand la rafale de mitraillette sera lâchée, il sera alors convaincu qu'il doit la vie à son informateur.

Jusque-là, l'affaire semble connue, on risque de tourner en rond. Mais non ! Voici du nouveau. Mitterrand révèle que le 22 octobre, le jour même où Pesquet le dénonçait, un ancien président du Conseil, Maurice Bourgès-Maunoury, qui n'est pas de ses amis, signalait au directeur de la Sûreté générale que lui-même, quatre semaines auparavant, avait été informé par le même Pesquet de la préparation d'un attentat contre lui, suivant le même scénario. Or cette déposition est tenue sous le secret jusqu'au moment où, le 3 novembre, Bourgès-Maunoury, étonné de ce silence, demande lui-même à être entendu par le juge d'instruction.

Cette demande de levée d'immunité est politique, et Mitterrand, avant de conclure, met en cause celui qui en est l'instigateur, son adversaire, Michel Debré. C'est alors qu'il rappelle l'affaire du bazooka, l'entretien qu'il a eu avec Debré en février 1957, les lourds soupçons qui pèsent sur son rôle dans ce complot visant le général Salan et ayant causé la mort du commandant Rodier : « L'homme qui arpentait nerveusement la pièce où nous nous trouvions, qui me disait que je n'avais pas le droit, quels que fussent les éléments du dossier, d'agir de manière prématurée, avant qu'il ait eu le temps de réunir les éléments contradictoires, cet homme, c'est le Premier ministre, c'est M. Michel Debré ! »

Ces révélations laissent nombre de sénateurs perplexes. Des rangs de la majorité se lève alors Jean-Louis Vigier. Il dit ne pas pouvoir accepter les attaques contre le gouvernement, mais il invite ses collègues à suspendre leur décision : « Dans le climat passionné où nous vivons, la levée d'immunité, vous le sentez comme moi, est une prise de position politique qui revêt un caractère d'une exceptionnelle gravité. Je ne pourrai voter cette levée d'immunité, car la gravité de la faute présumée, et d'ailleurs contestée, ne correspond pas à la gravité de notre acte. Je ne pourrai voter la levée d'immunité car trop de faits connus me troublent. La gravité de l'acte que l'on me demande d'accomplir est hors de proportion avec l'état de notre information. »

Vigier a convaincu ses collègues qu'il fallait des éclaircisse-
ments, que des éléments nouveaux sont intervenus auxquels la
commission n'avait pas eu accès. Pierre de la Gontrie (gauche
démocratique) demande le renvoi à la commission pour un com-
plément d'information qui devra notamment porter sur ce qu'il
appelle l'«incident Bourgès-Maunoury». La demande est mise
aux voix et acceptée.

Une semaine plus tard, le 25 novembre, nouveau débat sur la
levée d'immunité de François Mitterrand. Nouvelle bataille
entre le rapporteur Delalande, suivi par la majorité du Sénat,
et Mitterrand, soutenu par quelques-uns, comme Gaston
Defferre. L'affaire du bazooka est revenue sur le tapis. Entre
les deux séances, Debré a proclamé que Mitterrand avait
menti, «une fois de plus». Celui-ci maintient son récit et se dit
prêt à examiner «une procédure convenable pour établir qui
dit la vérité et quel est le fond de l'affaire». Mais le rapport
des forces n'est pas en faveur du sénateur de la Nièvre. Le président Gaston Monnerville en arrive à la proposition de
résolution déposée par la commission, la suspension de l'immunité parlementaire du sénateur Mitterrand. 175 sénateurs
votent l'adoption contre 27, dont les 11 communistes présents.
La majorité des socialistes, 20 sénateurs, a voté pour l'adoption,
contre 15.

Cette levée d'immunité parlementaire ne servira en l'occurrence à rien. Pesquet, un moment incarcéré, sera libéré ; il se
réfugiera en Italie. Mitterrand sera inculpé, mais nul procès
n'aura lieu. Peut-être le gouvernement n'y avait-il pas intérêt, à
cause de cette affaire du bazooka. Des aveux tardifs de Pesquet
tendraient à le faire croire. En 1974, il déclarera au journal
d'extrême droite *Minute* : « C'est Michel Debré, alors Premier
ministre, et Christian de la Malène qui ont tout organisé. » Ce
sont des accusations sans preuve, et l'on ne peut guère faire
confiance à un Pesquet, plus fripon qu'honnête homme.
Demeure le doute.

Ce doute, Mitterrand en a lui-même été victime. Il s'était fait piéger comme un enfant, selon sa propre expression. Mauriac, son magnifique défenseur, y a vu une faiblesse révélatrice de ce qui restait d'âme chrétienne à son compatriote : « Mitterrand aura payé cher d'avoir été moins fort que ses ennemis eux-mêmes n'avaient cru. Et moi, je lui sais gré de sa faiblesse : elle témoigne qu'il appartient à une autre espèce que ceux qui l'ont fait trébucher et qui, sans doute, avaient deviné en lui cette faille secrète. Mitterrand demeurait capable de faire confiance à un homme taré qui feignait de se livrer à lui […] : c'est la blessure chrétienne qui ne se cicatrise jamais tout à fait dans le cœur en apparence endurci[1]. »

Cette explication religieuse éclaire plus François Mauriac que François Mitterrand, dont on ne discerne pas le réflexe chrétien en la circonstance comme en d'autres. Sa crédulité a des excuses ; son manque de discernement sur la conduite à tenir après le pseudo-attentat en a moins. Bourgès-Maunoury avait su, lui, en faisant état de la tentative auprès du directeur de la Sûreté générale, déjouer le piège qui lui était tendu par le même exécuteur des basses manœuvres. Du coup, François Mitterrand ne fut jamais complètement disculpé des accusations de ses adversaires. On le savait manœuvrier, aux yeux de beaucoup sa réputation d'intrigant était confirmée. Cette ténébreuse affaire va lui coller à la peau — une tache qu'il aura du mal à effacer. Il est symptomatique qu'Henri Frenay, le grand ami de la Résistance, parrain de son fils Gilbert, lui en tiendra rigueur. Mais l'homme a du ressort. Ébranlé, accusé, injurié, il surmonte l'adversité comme toujours, comme si la pire épreuve qu'il ait subie devait être le coup de fouet nécessaire. Le combat continue.

---

1. F. Mauriac, *Bloc-notes*, t. II, *1958-1960*, *op. cit.*, p. 333-334.

Le redressement

Jusqu'à la fin de la guerre d'Algérie, officiellement conclue par les accords d'Évian signés le 18 mars 1962 et confirmée par le référendum du 8 avril suivant qui donne près de 90 % de « oui » à l'indépendance, François Mitterrand a réussi à reconstituer son image d'opposant irréductible au « pouvoir personnel ». La mésaventure de l'Observatoire l'avait confirmé dans sa perspective stratégique de bâtir une nouvelle union de la gauche mais qui, cette fois, contrairement à ce qu'avait été le Front républicain, comprendrait les communistes. Cependant, dans l'actuel rapport de force, ceux-ci pèsent trop lourd, tandis que les socialistes de la SFIO, entraînés par Guy Mollet, accordent encore leur soutien au Général. Il faut attendre, le régime s'usera, les mouvements de gauche qui se sont alliés à de Gaulle à cause de l'Algérie reprendront leur autonomie quand la guerre sera finie. Mitterrand a réussi dans le Morvan à réunir une bonne partie des forces de gauche, PCF compris, et cette union lui a permis de revenir au Parlement. À Paris, les choses sont moins avancées. Après l'« Observatoire », il ne peut compter que sur quelques fidèles, toujours les mêmes : Georges Beauchamp, Georges Dayan, Louis Mermaz, Roland Dumas, Joseph Perrin, Louis Périllier, le bâtonnier Thorp, Ludovic Tron… Avec eux, il fonde, sur les ruines de l'UDSR, une Ligue pour le combat républicain (LCR), une sorte de club à un moment où les clubs politiques se multiplient, pour compenser la décrépitude de la gauche non communiste. Avec Charles Hernu, un mendésiste, lui-même fondateur du club des Jacobins, ils unissent leurs forces en 1963 pour créer un comité de coordination qui prend le nom de Centre d'action institutionnel. En 1964, de cette multitude de clubs sortira la Convention des institutions républicaines, appelée à devenir pour Mitterrand son instance de légitimation d'homme de gauche rigoureusement opposé au « caractère autoritaire du régime ».

Cependant, le sénateur ne vit plus au même *tempo* que le ministre dandy qu'il fut. Il fait de longs séjours dans le Morvan et assume pleinement ses responsabilités de maire de Château-Chinon, en donnant un certain dynamisme à la ville et à son canton ensommeillés. C'est ainsi qu'il parvient à faire installer dans sa commune l'entreprise DIM, spécialisée dans la fabrication des bas et collants féminins — une aubaine pour l'emploi dans cette région où l'artisanat traditionnel et le commerce du bois de chauffage périclitent.

À Paris, quand il est là, il vit avec sa femme, Danielle, et leurs deux garçons, Jean-Christophe et Gilbert, dans cet immeuble de la rue Guynemer qui n'échappera pas, comme tant d'autres, aux plastiqueurs de l'OAS, en avril 1961, juste avant le putsch des généraux à Alger. Mais la politique ne dévore pas ses jours et ses nuits. Il vit, il lit, il voyage. Il se rend même en Chine, où il aura un entretien avec le Grand Timonier, et il se croira tenu d'en rendre compte dans un ouvrage, *La Chine au défi*, qui ne restera pas dans les annales. Jadis, Édouard Herriot était allé voir Staline, désormais on se pose en homme d'État en serrant la main de Mao, dans les deux cas avec la belle ignorance des voyageurs occidentaux en pays totalitaire. Avec Mendès France, il se rend à une invitation de Sékou Touré en Guinée. Une manière de faire la nique à de Gaulle, auquel le leader guinéen avait dit « non » en 1958. À Paris, on peut l'apercevoir entre le Luxembourg et les berges de la Seine, marchant tranquillement flanqué d'un ami, visitant les galeries et les librairies. Il a refusé d'avoir les deux gardes du corps auxquels il avait droit comme ancien ministre, et un ministre menacé ! « N'imaginez pas que ma vie soit remplie par la politique. [...] J'ai travaillé, rêvé, flâné, réappris à aimer les choses et les êtres. Je connais des houx dans la forêt des Landes qui donnent au temps sa densité et rien ne me parle mieux de l'esprit et de la matière que la lumière d'été à six heures de l'après-midi, au travers d'un bois de chênes[1]. »

On lui prête de nombreuses liaisons féminines mais l'époque n'est pas encore aux paparazzi qui cernent les hommes politiques. Danielle n'en est pas dupe. Au point qu'à la fin des années 1950, elle lui propose de divorcer[2]. Quelle idée ! François n'est pas de ceux qui divorcent ! Du reste, il apprécie la vie de famille, les grandes tablées avec les amis, soit à Paris, soit l'été dans la maison d'Hossegor que le couple a acquise en 1955. Il s'entend bien avec sa belle-famille, Christine Gouze, sa belle-sœur, mariée à l'acteur Roger Hanin dont il aime les facéties, et Roger Gouze, son beau-frère, un allié politique. Donc pas de divorce ! Mais cela n'empêche pas de vivre sa vie en toute indépendance : c'est un pacte que lui propose le mari et que finit par accepter sa femme sans enthousiasme. « Le couple, écrit Robert Schneider, vivra ainsi pendant près de quarante ans, ni vraiment uni ni vraiment séparé, suffisamment lié pour résister à tout, même à la naissance de Mazarine et au choc du pouvoir. » C'est au début des années 1960 que Mitterrand rencontre Anne Pingeot, tandis que Danielle se liera à Jean, un professeur de gymnastique et moniteur de club de loisirs qu'elle logera dans une chambre de service au-dessus de leur appartement et qu'on verra souvent à la table familiale des Mitterrand[3]. On ne divorce pas, mais on est moderne !

L'année 1962 marque un tournant politique. L'attentat manqué de l'OAS au Petit-Clamart décide le général de Gaulle à procéder sans plus attendre à la réforme constitutionnelle qui instaurera l'élection du président de la République au suffrage universel. C'est une première cause de rupture entre l'Élysée et le

---

1. F. Mitterrand, *Ma part de vérité*, op. cit., p. 46.
2. R. Schneider, *Les Mitterrand*, op. cit., p. 295.
3. Danielle Mitterrand ne parle pas de « Jean » dans ses *Mémoires*, mais dans le film de Thierry Machado, *Danielle Mitterrand l'insoumise*.

Palais-Bourbon. Une seconde provient du moyen choisi par le chef de l'État pour réaliser cette réforme : le référendum, autorisé, selon lui, par l'article 11 de la Constitution et qui court-circuite les deux Chambres. Hormis les députés de l'UNR gaulliste (Union pour la nouvelle République), la majorité de l'Assemblée nationale, la droite et la gauche, s'oppose vigoureusement au projet présidentiel. Ces opposants obtiennent du Conseil d'État un sérieux appui, qui estime le recours à l'article 11 inconstitutionnel en la matière. Le lendemain, une motion de censure est votée contre Georges Pompidou, qui a succédé à Michel Debré. De Gaulle passe outre et prononce, le 10 octobre, la dissolution de l'Assemblée. Jusqu'au 28 octobre, jour du référendum, la France connaît une agitation politique nouvelle. Communistes, socialistes, Indépendants font entendre leur hostilité à la révision constitutionnelle. Le 3 juillet, l'indépendance de l'Algérie a été proclamée. Les derniers feux allumés par l'OAS s'éteignent. L'exode massif des pieds-noirs, dont la majorité gagne la métropole, achève le douloureux et tragique épisode de la guerre d'Algérie. On n'a plus besoin de l'homme providentiel ni d'état d'exception, on veut en revenir à la norme, et les parlementaires mesurent l'amenuisement aggravé de leurs pouvoirs dans un régime devenu quasi bonapartiste.

François Mitterrand s'associe à la fronde antigaulliste, mène campagne pour le « non » au référendum, dénonce le « plébiscite ». Au vrai, sans le dire, il perçoit que cette réforme, comme on le verra bientôt, peut devenir un instrument de reconquête du pouvoir. L'élection présidentielle, en effet, se fera à deux tours, le tour décisif laissant en place les deux candidats arrivés en tête au premier tour. Dès lors, les divisions de la gauche, cette plaie jamais refermée, seront dépassées : il faudra soutenir, selon la « tradition républicaine », le candidat de la gauche arrivé en tête. Par une ruse de l'histoire, le général de Gaulle, qui entendait installer une république « au-dessus des partis », une république de « rassemblement », va, mieux que personne, favoriser ce qu'il honnit : le clivage droite-gauche. Mitterrand a compris d'emblée l'aubaine que pouvait représenter la nouvelle institution dans sa stratégie d'union de la gauche. Il en fait l'aveu dans *Ma part de vérité* : «Depuis 1962, c'est-à-dire depuis qu'il a été décidé que l'élection du président de la République aurait lieu au suffrage universel, j'ai su que je serais candidat.» Peut-être pas dès 1965, date de la prochaine consultation, car la situation doit se décanter, et cela peut prendre du temps, mais un jour ou l'autre il sera le porte-parole de cette union de la gauche à laquelle il aspire.

Le référendum a été gagné par de Gaulle le 28 octobre (treize millions de oui contre huit millions de non), et les élections législatives qui suivent en novembre ont été largement gagnées par les gaullistes. Toutefois, en maints endroits, au second tour, la discipline républicaine a joué, entre socialistes et communistes. La conjoncture internationale s'y prête : le dénouement de la «crise des fusées» de Cuba qui a éclaté le 14 octobre 1962 ouvre une ère de détente entre l'Ouest et l'Est. François Mitterrand se présente dans la circonscription de Château-Chinon sous l'étiquette «Rassemblement démocratique - UDSR». Il arrive en tête au premier tour devant son rival socialiste Daniel Benoist et le candidat communiste, mais ces deux derniers se désistent en sa faveur face au candidat UNR. Benoist en sera récompensé en février 1963 par le siège de sénateur laissé par Mitterrand. Un renvoi d'ascenseur qui témoigne du bon fonctionnement de la stratégie mitterrandienne, du moins pour la Nièvre. Dans le département, à Saint-Honoré-les-Bains, Charles Hernu, le 15 septembre 1963, organise un grand banquet républicain auquel participent près de neuf cents personnes : Mitterrand y est entouré de Maurice Faure, le radical, et de Gérard Jaquet, le socialiste, et l'on compte parmi les invités de nombreux communistes.

Dans cette longue marche vers le pouvoir, l'un des principaux obstacles est *a priori* la rivalité de Pierre Mendès France, dont l'aura est très supérieure à celle de François Mitterrand. On se

dit encore fréquemment « mendésiste », non « mitterrandiste ».
À vrai dire, Mendès est en train de s'éliminer lui-même de la vie
politique. En 1958, il a estimé que le nouveau régime ne tien-
drait pas la route. En 1962, dans *La République moderne*, il
conçoit toujours la Ve comme un « régime intérimaire ». Il a
adhéré au PSU (Parti socialiste unifié), né en 1960 d'une fusion
entre le PSA et divers groupes de gauche, mais il n'en a pas pris
la tête, on ne lui a offert qu'un strapontin : le PSU, dont la base
est fortement marxiste, l'accuse de « néocapitalisme ». Autrement
habile est la manœuvre de Mitterrand, qui vise à se couler dans
le régime en place tout en le dénonçant et, à l'intérieur de celui-
ci, à préparer l'alternance grâce à l'élection présidentielle.

Cette acceptation du régime semi-présidentiel reste encore
une conviction intime. Pour le moment, il doit surtout apparaître
comme le héraut, le porte-parole, le champion de l'opposition de
gauche au pouvoir gaulliste. À l'Assemblée, dans les réunions
publiques, dans la presse, il fait flèche de tout bois contre le
pouvoir en place qu'il nomme « dictature » : force de frappe, politique étrangère, traité franco-allemand, politique économique et
sociale… rien n'a grâce à ses yeux, rien n'échappe à ses traits.
Comme Clemenceau dans son célèbre discours à la Chambre des
députés du 8 mars 1918, Mitterrand aurait pu dire : « Ma politique étrangère et ma politique intérieure, c'est tout un. Politique
intérieure, je fais la guerre ; politique extérieure, je fais toujours la
guerre. » La guerre contre le régime issu du coup de force, contre
le pouvoir personnel, contre l'asphyxie des libertés publiques.
Comme un point d'orgue, *Le Coup d'État permanent* en 1964
prolonge sa critique. Un livre de combat qui reprend les philip-
piques de celui qui est redevenu un des meilleurs orateurs de
l'Assemblée nationale face à Georges Pompidou, reconduit Premier ministre après la motion de censure. Au moment où son
pamphlet paraît, l'opinion est suspendue au sort de la prostate du
Général, comme jadis à la cour de Versailles chacun s'inquiétait
de la fistule du Roi-Soleil. L'opération que doit subir le chef de

l'État agite les esprits, la succession devient un sujet d'actualité. Une bonne situation pour servir ce livre qui décrit le régime gaulliste comme un pouvoir absolu conquis à la suite d'un coup d'État, et que de Gaulle maintient par des manquements continus à sa propre Constitution. Il attaque l'usage par de Gaulle de l'article 11 lors du référendum de 1962, il attaque l'article 16 qui abaisse le Parlement en donnant des pouvoirs exceptionnels au président de la République en cas de crise grave, il attaque la justice d'exception qui a présidé aux procès des OAS. Le ton est incisif, cinglant, ironique : « Deux Premiers ministres se sont succédé jusqu'ici depuis l'origine de la Ve République. L'un, qui avait la confiance de l'Assemblée, partit ; l'autre, qui ne l'avait pas, resta. Le général de Gaulle en moins de cinq années a liquidé ces modestes brouilles inventées on ne sait par qui ni pour quoi à l'âge d'or de la démocratie et qu'on nomme pouvoir exécutif, pouvoir législatif, gouvernement, parlement. L'État, c'est lui. »

La libre publication et la vente du *Coup d'État permanent* prouvent à elles seules qu'en matière de dictature on fait certes mieux. Comme le veut l'art du pamphlet, Mitterrand est injuste, excessif, approximatif, on le lui reprochera, mais il se montre un brillant libelliste à la romaine, en Caton d'Utique contre César. Plus tard, alors qu'il n'avait rien changé à un système qui lui convenait très bien, on lui rappellera ses accusations péremptoires : « Il n'y a d'opposition qu'inconditionnelle, écrira-t-il, dès lors qu'il s'agit de substituer un système de gouvernement à un autre. Mais nous sommes loin de l'échéance. Pour l'heure, il faut apparaître comme l'opposant type, le futur leader de la gauche. » Or voici un nouveau frein à son ascension : dans la perspective de l'élection de 1965, son ami Gaston Defferre devient son rival.

L'initiative revient à *L'Express* et à son fringant directeur Jean-Jacques Servan-Schreiber. Celui-ci, dépité de voir Mendès qu'il a tant soutenu se maintenir en retrait, figé dans une opposition de principe à cette élection « bonapartiste », invente avec Françoise Giroud et leurs collaborateurs une candidature pour la gauche sous le nom de « Monsieur X ». Il s'agit d'un portrait-robot dont l'hebdomadaire livre les qualités semaine après semaine, avec l'intention de montrer en fin de compte que ce candidat idéal c'est Gaston Defferre. Mais avant qu'il soit question de conclure, le pot aux roses est découvert par *Le Canard enchaîné* : « Ce Monsieur X qui doit être candidat contre de Gaulle c'est l'homme au masque Defferre. » Concurrent redoutable que celui-là, car s'il reste fidèle à la SFIO, il a su montrer ce qui le différenciait de Guy Mollet. Il est l'auteur de la loi-cadre de juin 1956 qui prévoyait l'émancipation progressive des colonies d'Afrique. Il est maire de Marseille, à la tête d'une des principales fédérations socialistes, et dispose d'un puissant quotidien, *Le Provençal*. Cependant, s'il avait accepté la mise sur orbite de *L'Express*, c'était à une condition : sceller l'alliance des socialistes et des centristes du MRP. Stratégie inverse de celle de Mitterrand, préconisant, lui, un nouveau Front populaire avec les communistes. Cette alliance, Defferre la désigna sous le nom de « Grande Fédération démocrate et socialiste », et les négociations allèrent bon train entre socialistes et républicains populaires. Jusqu'au jour où les manigances de Guy Mollet, sourdement opposé à Defferre, et les résistances des chefs du MRP, hostiles au mot « socialiste » et craignant l'option laïque de cette Fédération, conduisirent à l'échec de l'entreprise. Le 25 juin 1965, Gaston Defferre retirait sa candidature. La voie, pour François Mitterrand, était dégagée.

Le candidat de la gauche

Mitterrand, loyal, avait soutenu Defferre, mais contestait sa stratégie de l'alliance au centre. L'intégration des communistes restait sa préoccupation : sans leurs électeurs, il n'était pas de succès possible. Et puis, la « Grande Fédération » aurait eu pour danger d'abandonner au parti communiste l'exclusivité de l'opposition de gauche et de la représentation ouvrière. « Pour reprendre aux communistes le terrain perdu, pensait-il, il fallait s'ancrer résolument à gauche tandis qu'aller vers le centre revenait à leur abandonner ce terrain et à leur laisser le monopole de l'authenticité[1]. » Cependant, il fallait y aller sans brusquer les choses, sans rallumer l'anticommunisme traditionnel des socialistes, et donc sans proclamer *urbi et orbi* une alliance dans les formes, programme de gouvernement à l'appui.

Dans cette perspective aussi résolue que feutrée, Mitterrand disposait de quelques atouts sûrs. Au début d'août, il rencontre Mendès qui lui assure qu'en aucun cas il ne fera acte de candidature. Après l'échec de Gaston Defferre, la SFIO n'avait plus de candidat et ne voulait pas en avoir un sorti de ses rangs. Le PCF, conduit par Waldeck Rochet depuis la mort en 1964 de Maurice Thorez si rétif à la déstalinisation, n'avait guère intérêt à exposer l'un des siens à un résultat électoral périlleux pour le parti. La conjoncture était favorable à Mitterrand, décidé à convaincre les deux grands partis ennemis de la gauche à se rassembler sur sa candidature. La faiblesse même de son organisation, reposant sur une fédération de clubs et sur une bande d'amis, était un avantage pour lui : il paraissait isolé, sans divisions derrière lui — comme Staline l'avait dit du pape —, et son nom pouvait neutraliser la rivalité entre les deux partis. Mitterrand lança les siens auprès de leurs instances dirigeantes pour avancer sa candidature. Un rôle de messager qui fut particulièrement bien assumé par Charles Hernu, prenant langue avec les uns et les autres.

Waldeck Rochet décide alors de se rendre, en compagnie de Charles Fiterman, cité Malesherbes, siège de la SFIO et bureau de Guy Mollet. « Nous avons un candidat à te proposer », dit tout de go le communiste au socialiste. C'est François Mitterrand ! Mollet n'en croit pas ses oreilles : « Mais vous êtes

---

1. F. Mitterrand, *Ma part de vérité*, *op. cit.*, p. 61.

fous, c'est un aventurier[1] ! » Remis de son émotion, Mollet propose d'autres noms : Daniel Mayer, président de la Ligue des droits de l'homme, l'écrivain Jean Guéhenno, le metteur en scène Jean Vilar... Mais Waldeck Rochet n'en démord pas et finalement Guy Mollet se rend à ses raisons. De toute façon, le candidat de la gauche, face à de Gaulle, n'a aucune chance !

Le 9 septembre, après s'être assuré le matin même du mol soutien de Guy Mollet et du soutien personnel de Gaston Defferre, le député de la Nièvre joue son va-tout. Au cours du déjeuner pris avec ses fidèles, il rédige sur la nappe du restaurant un communiqué pour l'Agence France Presse, qui le rend public à l'heure même où le général de Gaulle fait une énième conférence de presse : « Il s'agit essentiellement pour moi d'opposer à l'arbitraire du pouvoir, au nationalisme chauvin et au conservatisme social le respect scrupuleux des lois et des libertés, la volonté de saisir toutes les chances de l'Europe et le dynamisme de l'expansion ordonné par la mise en œuvre d'un plan démocratique. » C'étaient des généralités, mais l'allusion à l'Europe aurait pu refroidir le PCF ; elle avait pour but de rallier les centristes. Les communistes, sans illusions sur l'issue de l'entreprise, y trouvaient le bénéfice de sortir de leur ghetto. Le 21 septembre, au cours d'une conférence de presse à l'hôtel Lutetia, Mitterrand commente sa candidature. Waldeck Rochet et Guy Mollet sont là, silencieux, mais leur présence suggère aux journalistes que quelque chose est en train de changer dans le paysage politique.

François Mauriac, qui, malgré sa ferveur gaulliste, n'a jamais manqué de tendresse pour Mitterrand, le défend encore : « De son point de vue, François Mitterrand n'a pas tort de poser sa candidature. Non qu'il ait aucune chance de l'emporter, il n'est pas si naïf que de le croire. Mais dans cette faillite des anciens partis, dans ce vide sinistre dont au fond nous souffrons tous,

---

1. La scène est relatée par Charles Fiterman dans *Profession de foi*, Éd. du Seuil, 2005, p. 77.

l'intelligence, le courage, le talent d'un homme, cela compte et peut lui assigner pour demain ou pour après-demain une place imminente, mais à une condition : c'est de ne pas jouer les roquets, c'est de suivre un adversaire de cette taille sur son terrain et de ne rien lui refuser de ce que le reste du monde lui accorde et de prendre acte de ce qui a été acquis grâce à lui et de ce qui doit être maintenu[1]. »

La presse est sceptique, ironique, ou franchement hostile. De nombreuses oppositions de gauche restent à vaincre. Les communistes sont disciplinés, ce n'est pas le cas des socialistes. Dans la Nièvre, le 7 octobre suivant, le secrétaire fédéral de la SFIO, André Beauchet, donne sa démission et lance à Guy Mollet : « Je ne m'associerai personnellement sous aucun prétexte et à aucun moment à la campagne en faveur de la candidature de M. François Mitterrand[2]. » Mollet lui-même, dans une interview de *Paris-Presse*, fait, le 2 octobre, une déclaration incongrue : « Nous ne lâcherons pas Mitterrand maintenant que nous avons décidé de le soutenir. Ce qui est exact, c'est que je souhaite la candidature de M. Pinay car c'est lui qui ferait le plus de voix dans la famille des démocrates libéraux. » Drôle de soutien ! Mitterrand demande alors à son frère Robert d'inviter Pinay à déjeuner, de sorte que François, les rejoignant au moment du café, s'emploie à dissuader l'ancien président du Conseil de se présenter.

Peu de jours après, Pinay fait savoir qu'il renonce. Au PSU, dont les membres lui étaient en majorité hostiles et qui avait avancé la candidature de Daniel Mayer avant que celui-ci ne se rallie à Mitterrand, on peut lire dans l'organe du parti, *Tribune socialiste*, ce commentaire d'Édouard Depreux sur le communiqué de Mitterrand : « Faibles et habiles ou, si l'on veut, faiblement habiles, ses sept options se placent exclusivement sous le

---

1. François Mauriac, *Bloc-notes, t. IV, 1965-1967*, Éd. du Seuil, 1993, p. 130.
2. J. Battut, *François Mitterrand le Nivernais, op. cit.*, p. 98.

signe de la banalité, de l'indigence. Le résultat d'une aussi médiocre opération est facile à prévoir : cinq à six millions de suffrages sur les vingt-deux ou vingt-quatre millions de votants ; c'est vers cette défaite que l'on s'achemine. » Quant au parti radical, il invite à voter Jean Lecanuet, maire MRP de Rouen, qui avait annoncé le 19 octobre sa candidature. L'union de la gauche était loin d'être accomplie.

On reparle de Pesquet et de l'Observatoire, on conteste la moralité de l'éternel ministre qui a fait sa carrière avec les voix de la droite. Mais toute cette grogne peu à peu se dissipe. Le 28 octobre, Pierre Mendès France déclare sans ambages son soutien dans *Le Nouvel Observateur* (qui succède à *France-Observateur*) : « Mitterrand est le mieux pour réunir l'ensemble des voix démocrates et socialistes. Je ne vois pas comment on peut encore hésiter. [...] Je vote pour lui, et à ceux qui me font confiance je demande de voter pour lui. » Au PSU, on se rallie du bout des lèvres. Michel Rocard, qui signe alors sous le pseudonyme de Georges Servet, fait admettre cette conclusion de synthèse alambiquée : on vote pour lui, mais on ne fera pas campagne en sa faveur. Jean-Paul Sartre, qui a encore du crédit parmi les intellectuels de gauche, avait d'abord été hostile, mais il se résigne dans un article des *Temps modernes* : « Voter Mitterrand, ce n'est pas voter pour lui, mais contre le pouvoir personnel et contre la fuite à droite des socialistes. Beaucoup voteront Mitterrand sans illusions et sans enthousiasme. » Le comité directeur de la revue *Esprit*, autre pôle de l'intelligentsia, est divisé. Dans une profession de foi de gauche passionnée, Jean-Marie Domenach, directeur de la revue, donne de bonnes raisons de ne pas voter pour de Gaulle, dont la politique « repose sur un verbe et une volonté solitaires, sans que les Français soient appelés à participer à une entreprise qui risque de disparaître avec son promoteur », mais il se cabre face à Mitterrand, « ministre de dix gouvernements, garde des Sceaux de Guy Mollet au temps de la "bataille d'Alger", et lié par trop de fils noirs à l'époque la plus pénible de notre après-guerre[1] ». Les uns voteront de Gaulle *malgré tout* (son refus d'une démocratie vivante), les autres voteront Mitterrand *malgré tout* (la défiance à l'endroit de l'« aventurier »).

Après avoir entretenu un faux suspense (« Serai-je candidat ? Vous le saurez dans deux mois », avait-il déclaré le 9 septembre), le général de Gaulle, juste un mois avant le premier tour de l'élection, annonce le 4 novembre à la télévision sa candidature. Il y aura six candidats en compétition, trois sérieux, de Gaulle, Mitterrand et Lecanuet, trois plus ou moins marginaux, Tixier-Vignancour pour l'extrême droite, Pierre Marcilhacy, qui se présente en l'absence d'Antoine Pinay, et un inconnu, Marcel Barbu, le « candidat des chiens battus », qui a l'ingéniosité d'utiliser la puissance des médias pour promouvoir sa communauté de travail dans la Drôme.

Au départ, les chances de Mitterrand sont faibles. Les sondages de l'Ifop auxquels on commence à s'intéresser ne lui donnent d'abord que 11 % des suffrages, puis 16 % et 27 % début décembre. Hormis le parti communiste, qui joue le jeu à fond, organise des meetings et use de toute la puissance de sa propagande en sa faveur, les autres partis de gauche traînent les pieds. Cependant, malgré les résistances, les répugnances, les réprobations, le candidat de la gauche trouve ses marques, convainc, séduit. Il dispose de peu de moyens matériels, cinq bureaux dans un appartement de la rue du Louvre avec quatre téléphones, mais les dévouements ne lui manquent pas. Les campagnes, il connaît ; ses dons d'orateur le servent, son habileté à ménager les divers courants qui le soutiennent est un art dont il use à la perfection. L'élan est donné. De Gaulle, trop sûr de lui, commet la faute de négliger les impératifs de toute candidature. Sa cote de popularité décline, ses partisans s'inquiètent, il n'interviendra que dans les derniers jours.

Un élément nouveau dessert le Général, la télévision. Un quota de temps radiotélévisé est attribué à chaque candidat, qu'il

1. Jean-Marie Domenach, « Sauver la gauche ? », *Esprit*, novembre 1965.

dédaigne d'utiliser. Le petit écran favorise surtout Jean Lecanuet, au sourire avenant, qui plaide avec éloquence pour l'Europe. Mitterrand a du mal à s'y adapter : « Je n'avais pas eu l'occasion au cours des sept années du régime gaulliste de me colleter avec cette machine. J'eus du mal à m'y faire. » Malgré sa maladresse initiale — les éclairages le gênent, il cligne des yeux, il a horreur du maquillage — il observe toutefois que la télévision est une arme que de Gaulle a dédaignée : « À l'avantage des candidats de l'opposition la télévision joua néanmoins un grand rôle dans cette campagne présidentielle. Non pour leur talent car le général de Gaulle n'en manquait point, mais en raison de l'effet de choc produit sur l'opinion par la soudaine liberté d'expression et l'échange public d'arguments contradictoires[1]. » Les Français ont commencé à s'équiper en masse de téléviseurs (plus du tiers d'entre eux) et, quand ils n'en ont pas encore, ils vont chez le voisin, chez le cousin ou au bistrot. Jusque-là, la télévision (dont la deuxième chaîne date seulement de 1964) professait une pensée unique, un monologue, celui du pouvoir gaullien. Or voici que d'autres sons de cloche se font entendre, que le Président si impérieux peut être critiqué, son ascendant relativisé, la désacralisation du chef en résulte. La popularité de De Gaulle était de 66 % en septembre ; elle tombe à 52 % à la veille de l'élection. Il existe peu d'exemples alors d'une campagne électorale qui exerce une telle influence sur les électeurs.

Mitterrand peut compter sur ses fidèles, dévoués, actifs, entreprenants. Son vieux réseau d'autrefois est réactivé : « Les anciens prisonniers, confie-t-il à Catherine Nay, ont été mes premiers délégués départementaux pour ma campagne. Le soir, j'allais coucher chez ces gens que, pour la plupart, je n'avais pas revus depuis la guerre[2]. » Infatigable, il multiplie les réunions, les meetings, les rencontres de toutes sortes, dans la France entière. Il a

1. F. Mitterrand, *Ma part de vérité, op. cit.,* p. 53.
2. C. Nay, *Le Noir et le Rouge…, op. cit.,* p. 286.

provoqué une ferveur, il déplace des milliers de personnes, il est ovationné à Lens, à Lyon, à Montpellier, à Toulouse... D'une manière générale, cette élection du Président au suffrage universel, si décriée par l'opposition de droite comme de gauche, passionne et mobilise. Il n'y aura que 15 % d'abstentions, un record.

Le 5 décembre, à la surprise générale, le général de Gaulle n'obtient que 43,7 % des suffrages, il y aura donc un second tour. Mitterrand, qui a voté à Château-Chinon avant de revenir à Paris où, rue Guynemer, il suit avec les siens les résultats à la télévision, arrive deuxième avec 32 % des voix. Les journaux de gauche crient victoire. Il n'avait pas réussi pourtant à faire le plein des voix de gauche, n'ayant pas dépassé le chiffre de l'ensemble du vote à gauche des législatives de 1962. Mais que de Gaulle soit obligé d'en passer par un second tour alors qu'il était si sûr de l'emporter dès le premier apparaît comme un succès retentissant. On dira que Mitterrand a mis de Gaulle en ballottage, ce qui est inexact : sans les 16 % de voix de Lecanuet, ce ballottage n'eût pas été possible. « Probablement le général de Gaulle aurait-il obtenu la majorité absolue dès le premier tour, constate Raymond Aron, si M. Lecanuet ne s'était pas présenté[1]. » En tout cas le voici seul, Mitterrand, face au Général pour le tour décisif. Celui-ci, quelque peu abattu par ce résultat décevant, avait songé à claquer la porte, mais, aiguillonné par les siens, il se reprend et, cette fois, s'engage à fond dans la bataille.

Une bataille qui excite l'attention publique. Non pas un duel face à face, mais un combat par meetings, radio et télévision interposés. De Gaulle refuse d'utiliser les attaques *ad hominem* que certains de ses conseillers lui suggèrent contre l'homme à la francisque, contre le menteur de l'Observatoire, le petit Machiavel de la IVe, mais il se livre, devant les téléspectateurs médusés, à des apparitions de haute volée, usant tour à tour de la gouaille et de la solennité. Au Palais des sports de Paris, André

---

1. Raymond Aron, « Que s'est-il passé ? », *Le Figaro*, 11-12 décembre 1965.

Malraux s'exclame : « M. Mitterrand n'est pas le successeur du général de Gaulle, il est son prédécesseur. » Mauriac, moins indulgent qu'au départ, a cette pique : « En fait, la victoire de Mitterrand serait considérée dans le monde entier comme la défaite des peuples pauvres dont de Gaulle est partout le champion[1]. » Les publicistes de la majorité usent de toutes les insultes : « prestidigitateur », « imposteur », « sauteur ». L'adversaire se défend bien, rallie à lui beaucoup de monde, tel Jean Monnet, des écrivains, des artistes, des universitaires qui signent une motion en sa faveur par centaines, mais aussi une extrême droite qui ne pardonnera jamais à de Gaulle d'avoir « bradé » l'Algérie, Tixier-Vignancour en tête, Jacques Isorni, l'ancien avocat du maréchal Pétain, Jacques Soustelle, Georges Bidault, faisant le plein de toutes les rancunes accumulées contre le président de la République. Le lui reproche-t-on ? « Je n'ai pas à trier les bulletins de vote qui se porteront sur moi », répond-il.

Le 19 décembre 1965, de Gaulle est élu par 54,5 % des suffrages contre 45,5 % pour Mitterrand. Qui perd gagne : celui-ci avait réussi à s'imposer avec brio comme l'incontestable chef de la gauche — provisoirement peut-être, mais enfin ! Il avait réussi à réintégrer le parti communiste dans le jeu politique positif. « Sur un plan général, dira-t-il, ma candidature a rendu possible ce qui ne l'était pas avant 1965. Elle a amené la gauche à se reconnaître et à se redéfinir[2]. » On en est encore loin ce soir de décembre, mais la stratégie de Mitterrand s'est révélée efficace. Cette élection est pour lui et l'unité de la gauche un repère, un tremplin, une espérance. Raymond Aron risque un pronostic sur Mitterrand qui dément pour une fois sa lucidité : « M. Mitterrand, écrit-il entre les deux tours, a favorisé l'unité de la gauche — unité toute relative et pour un seul jour — précisément parce qu'il ne peut pas en être le véritable

---

1. F. Mauriac, *Bloc-notes, t. IV, op. cit.*, p. 177.
2. F. Mitterrand, *Ma part de vérité, op. cit.*, p. 55.

chef et que, de ce fait, il ne porte pas ombrage aux partis[1]. »
C'était compter sans la *virtù* d'un politicien hors pair.

L'homme est resté le même, quoique « un léger embonpoint,
une calvitie naissante [aient] un peu atténué le masque caustique
et autoritaire qui fit sa légende au ministère de l'Intérieur » : « un
prodigieux animal politique, une bête de combat[2] ». Le surnom
de « Florentin » devient courant sous la plume des journalistes,
mais l'allusion à Machiavel doit être précisée : ce n'est pas en lion
qu'il livre son combat (« ceux qui veulent seulement faire le lion
ne comprennent rien à rien », lit-on dans *Le Prince*), c'est en
renard, symbole de la ruse et de la dissimulation. Lion, il peut
l'être, on l'a vu quand, au Sénat ou à l'Assemblée, il attaque le
gouvernement en place toutes griffes sorties, mais pour faire
tomber les portes devant lui et atteindre le but suprême, la
conquête du pouvoir, la circonspection, la patience et l'ambiguïté
s'imposent autant que la bravoure : c'est en maître Renard qu'il
continue à gravir la pente.

1. R. Aron, « Que s'est-il passé ? », art. cité.
2. *Le Nouvel Observateur*, 15 septembre 1965.

VI

LE CONVERTI

L'élection présidentielle a créé une dynamique favorable à l'union des formations de gauche, qui est l'objectif le plus cher de François Mitterrand et dont il est pour ainsi dire le concepteur. Le processus était en cours, il s'accélère. Depuis juin 1964, on s'en souvient, avait pris place dans la vie politique la Convention des institutions républicaines qui fédérait plusieurs dizaines d'organisations, de clubs, d'associations de la gauche non communiste. La CIR s'était donné une charte, affirmant trois principales revendications : la défense des libertés, la construction d'une Europe fédérale et la réalisation d'une démocratie économique.

Aux côtés de ses amis fidèles, Georges Beauchamp, Georges Dayan, Roland Dumas, Louis Mermaz (délégué général de la Convention), d'autres se rallièrent à celui qui devait devenir le candidat de la gauche : Robert Badinter, avocat à la cour d'appel de Paris, Pierre Joxe, auditeur au Conseil d'État, Georges Fillioud, journaliste à Europe 1, Marie-Thérèse Eyquem, inspectrice générale des sports. Ce n'était qu'une étape, il fallait élargir le cercle. Après l'échec de la « Grande Fédération » de Gaston Defferre, Mitterrand et ses amis furent à l'origine de la création de la Fédération de la gauche démocrate et socialiste regroupant la SFIO, composante principale, la Convention, le parti radical, des clubs comme Socialisme et Démocratie d'Alain

Savary, le club Jean Moulin, le club Socialisme moderne de Pierre Bérégovoy ou encore l'Union des groupes et clubs socialistes de Jean Poperen. Tous ces ruisseaux donnent donc naissance à une large rivière, la FGDS, au lendemain même de la déclaration de candidature à la présidentielle de François Mitterrand le 9 septembre 1964. Entre les deux tours de la présidentielle, François Mitterrand était élu président de la Fédération et Charles Hernu son délégué général.

Les premiers fruits de l'union

L'élan de la campagne profite à la Convention, vers laquelle affluent des militants d'anciennes formations ou des nouveaux venus en politique. Généralement, on commence par la création d'un club local avant que celui-ci n'adhère à la Convention. Pierre Lévêque, professeur d'université à Dijon, ancien communiste, raconte dans ses Mémoires le processus d'adhésion. Un groupe des partisans de Mitterrand forme pendant la campagne le Club pour la gauche unie, dont Lévêque devient président. En mars 1966, il va représenter ce club au congrès de la Convention des institutions républicaines à Lyon, où il prend contact avec Mitterrand : « Notre adhésion à la Convention fut immédiatement entérinée. Dès le 26 mars, la réunion constitutive de la Fédération en Côte-d'Or put se tenir dans un local de la Grande Taverne[1]. » Cet exemple bourguignon donne la mesure de l'effet qu'avait provoqué la campagne de François Mitterrand auprès de militants souvent inorganisés, dégoûtés par les partis de gauche traditionnels, ou transfuges du parti communiste comme Pierre Lévêque, désireux de participer à une refondation de la gauche unie.

La fondation de la FGDS n'est pas sans soulever le cœur des purs, pour lesquels elle apparaît souvent comme un rapetassage

---

1. Pierre Lévêque, *Souvenirs du vingtième siècle*, t. II, L'Harmattan, 2012, p. 46-47.

de vieilles nippes. C'est ainsi que, au début de 1967, Pierre Lévêque, lors d'une réunion à Paris de tous les candidats aux législatives qui se tient à la Mutualité, reconnaît dans l'assistance Georges Bonnet, l'ancien ministre des Affaires étrangères munichois, Robert Lacoste, qui « avait couvert tous les excès de la répression » durant la guerre d'Algérie, ou encore Robert Hersant, un ancien « collabo » patron de presse. « Je pensais toutefois, explique le mémorialiste, qu'il fallait s'accommoder momentanément de la présence de tels hommes dans l'organisation à laquelle j'appartenais : ils seraient sans doute vite dépassés par le mouvement unitaire et s'élimineraient d'eux-mêmes[1]. » Certains jugèrent cependant qu'il faudrait du temps quand ils apprirent la constitution par la FGDS d'un contre-gouvernement, visant à rendre crédible l'alternance. Y figuraient, entre autres sépulcres blanchis, Guy Mollet, symbole pour beaucoup de la « trahison », le socialiste qui avait enfoncé la France dans la guerre d'Algérie, nié la pratique de la torture, engagé l'armée dans l'expédition de Suez... Il est vrai que François Mitterrand avait fait partie de son gouvernement. Vaille que vaille, la FGDS était une étape nécessaire vers l'union de la gauche. Désormais, ses élus ne formeraient qu'un seul groupe à l'Assemblée, elle n'aurait qu'un candidat par circonscription aux élections législatives, elle passerait des accords de désistement avec le PCF pour le second tour.

Mitterrand et la FGDS n'avaient pas le monopole de la rénovation à gauche. Le PSU, auquel adhérait Mendès France, restait un concurrent. Justement, en avril 1966, le jeune parti organise un colloque socialiste. Mitterrand s'y fait représenter par Marc Paillet auquel il a confié le soin de lire son message. Il est sifflé. Mendès France lui rend hommage à la tribune, mais la note dominante du congrès est hostile aux « accords purement électoraux » imputés à la FGDS. S'allier à un Guy Mollet qu'on avait

1. *Ibid.*, p. 49.

si violemment combattu, ce n'était pas pensable ! Gilles Martinet était favorable, lui, à l'entrée du PSU à la FGDS ; il écrira à Édouard Depreux, son président : « L'ambition d'un parti, c'est le pouvoir, ce n'est pas le témoignage. Nous travaillons pour une gauche victorieuse et non pour une gauche éternellement minoritaire[1]. » Telle est bien la conviction de François Mitterrand qui veut dépasser les vieilles querelles, les scrupules de l'angélisme, les rancunes accumulées, les conflits personnels, les jalousies de clocher. En vue des élections de 1967, il réussit à passer un accord avec le parti communiste, le 20 décembre 1966, après une semaine de négociations menées au siège de la Fédération, rue de Lille à Paris. Les désistements étaient prévus entre les deux formations en faveur du candidat de gauche « le mieux placé pour l'emporter », et non pas nécessairement du candidat arrivé en tête. La rencontre, note Mitterrand, se déroula « dans un climat de profonde gravité. Nous avions conscience de vivre un moment important de l'histoire de notre temps. [...] Ce jour-là a commencé la marche irréversible vers l'unité[2] ». Au mois de janvier suivant, un accord semblable était signé avec le PSU.

Les élections de mars 1967 allaient vérifier la bonne direction que Mitterrand avait donnée à la FGDS. Le 31 janvier, entouré de Guy Mollet, de René Billères et de Charles Hernu, il préside les premières assises de la Fédération, en présence de trois mille personnes et avec les quelque quatre cents candidats investis. Mitterrand mène une campagne à la hussarde sur l'ensemble du territoire, tandis que son suppléant, Pierre Saury, le représente dans la Nièvre. C'est à Nevers cependant, au Palais des expositions, qu'il rompt des lances, le 22 février, avec Georges Pompidou, le Premier ministre. Au cours d'un assaut qui dure trois heures, devant une salle tenue en main par les Comités de défense de la République dirigés par Pierre Comiti, il énonce dans le

1. Gilles Martinet, *L'Observateur engagé*, Jean-Claude Lattès, 2004, p. 150.
2. F. Mitterrand, *Ma part de vérité, op. cit.*, p. 65.

brouhaha son programme en quinze points qu'il appelle « programme de législature ». La suppression de l'article 16 de la Constitution, la réduction du mandat présidentiel à cinq ans, la reconversion de la force de frappe, la révision du Ve Plan, la promotion des femmes sont quelques-uns des thèmes défendus. « Il ne sert à rien de prétendre qu'on ne va pas revenir à la IVe République, déclare Pompidou, alors qu'on réunit les conditions qui fatalement nous y ramènent. » À quoi Mitterrand réplique : « La Constitution est tombée du côté où elle penchait, celui du pouvoir personnel. » Selon son habitude, de Gaulle intervient sans scrupule dans le débat, une première fois le 9 février 1967, avant l'ouverture officielle de la campagne électorale, et le 4 mars, à la veille du scrutin. L'opposition proteste. Mitterrand a la formule : « Autrefois de Gaulle était de Gaulle. Il n'est maintenant qu'un gaulliste. »

Au soir du premier tour, le parti communiste a renforcé ses positions ; il devance avec 22,45 % des voix la Fédération qui en obtient un peu moins de 19 %. C'est une semi-déception, d'autant que les gaullistes sont toujours en tête avec 37,75 % des suffrages. Cependant, François Mitterrand, pour la première fois, est élu au premier tour dans sa circonscription de Clamecy - Château-Chinon. Pour le second tour, les accords à gauche fonctionnent à de rares exceptions. Les communistes acceptent de se désister dans une quinzaine de circonscriptions en faveur de candidats arrivés derrière les leurs mais mieux placés pour l'emporter grâce aux voix centristes. On assiste à un ralliement étonnant dans le Lot : Maurice Faure, qui s'était présenté sous une étiquette radicale avec l'appui du Centre démocrate de Lecanuet, arrivant deuxième derrière un UNR, adhère sans vergogne, le 7 mars, à la FGDS, entraînant avec lui le parti radical du Lot et assurant du même coup sa réélection. Le lendemain, Mitterrand, qui annonce 71 batailles triangulaires, se plaît à déclarer : « L'accord avec les communistes a été loyalement appliqué. L'argument selon lequel la Fédération serait mangée

par les communistes est une vieille lune, une rengaine [...]. » Au
final, Waldeck Rochet peut se féliciter de l'alliance : le PCF
obtient 73 sièges au lieu de 41 ; la Fédération porte le nombre de
ses élus à 116, soit 25 de plus. De son côté le PSU a quatre élus.
Résultats remarquables, puisque l'UNR gaulliste et ses alliés gis-
cardiens ne conservent plus la majorité à l'Assemblée que d'un
seul siège (244 sièges sur 487). La gauche est redevenue une
force parlementaire inquiétante pour la majorité. À ce bonheur,
Mitterrand ajoute celui de voir ses plus chers amis élus eux aussi :
Claude Estier à Paris, Georges Dayan à Nîmes, Roland Dumas
à Brive, Georges Fillioud à Romans, Louis Mermaz à Vienne,
André Rousselet à Toulouse.

Dans cette Assemblée, présidée par Jacques Chaban-Delmas,
François Mitterrand se pose en leader de l'opposition, avec une
confiance décuplée, face à Georges Pompidou reconduit à la tête
du gouvernement. La poussée de la gauche a stimulé le mouvement social. À Saint-Nazaire, en Lorraine, à Dunkerque chez
Usinor, les grèves s'étendent, des violences se produisent. Ici
revendications de salaires, là inquiétude pour l'emploi, car le chômage est devenu une préoccupation nouvelle. La France, prospère, connaît des mutations qui provoquent l'inquiétude et
encouragent les syndicats à l'action. Le gouvernement a mis en
route le plan Ortoli, du nom du commissaire général au Plan
devenu ministre de l'Équipement. Mitterrand, mordant, l'attaque à l'Assemblée : « Découvrir les problèmes sociaux en avril
1967, non, cela ne peut pas être porté à l'actif du régime. » Toujours le « régime », pas le gouvernement. Ce régime, c'est aussi
une Constitution que le président de la FGDS ne se lasse pas de
pourfendre : « On ne peut pas dire, lance-t-il à Pompidou, que
nous venons d'entendre le discours du trône ; celui-ci sera prononcé par un autre et hors de la sanction des représentants du
peuple. »

Hors de l'Assemblée, Mitterrand travaille toujours à la formation du grand parti de gauche qui devrait résulter de la fusion de

toutes les composantes de la FGDS. Parallèlement, les négociations reprennent avec le parti communiste, afin d'élaborer, au-delà des accords électoraux, un vrai programme commun. L'entreprise est difficile, surtout sur les questions de politique extérieure : Mitterrand et la FGDS sont fidèles à l'Alliance atlantique et favorables à la construction européenne. Mais on observe la volonté de part et d'autre de trouver un compromis. Le secrétaire général du PCF déclare le 4 juin : « Nous avons le sentiment que notre parti communiste et la Fédération de la gauche parviendront finalement à réaliser une entente solide et durable autour d'une plate-forme ou d'un programme commun. »

L'union est en marche. Aux élections cantonales de septembre 1967, les communistes obtiennent un score flatteur en dépassant 26 % de suffrages, ce sont les grands gagnants, mais la Fédération, elle aussi, progresse : 21,55 %. Mitterrand, lui, est réélu sans difficulté à Montsauche avec trois de ses amis. Le dimanche 1ᵉʳ octobre, au second tour, le nombre des élus de la FGDS se tasse, mais, avec 444 sièges, elle montre sa puissance locale, là où les communistes, malgré leurs progrès, ne disposent que de 97 élus. Ces résultats donnent une idée du rapport de force : plus d'électeurs pour le parti communiste, mais une marge de manœuvre beaucoup plus grande pour la gauche non communiste qui, au second tour, peut recueillir des voix centristes. Ces élections cantonales sont observées aussi comme un nouveau bond en avant des forces de gauche, puisque le ministère de l'Intérieur reconnaît officiellement que l'ensemble des formations de gauche et d'extrême gauche recueille 49,8 % des voix. Le communiste Étienne Fajon, au lendemain du scrutin, affirme : « Il est temps pour [les partis de gauche] d'établir comme nous le proposons inlassablement le programme commun de progrès social et de paix qu'il leur appartiendra de mettre en œuvre après l'élimination du gaullisme. » Toutefois, le succès même du PCF à ces élections accentue les craintes de ceux qui, à la FGDS et notamment à la SFIO, rechignent à être les dupes d'un accord avec lui.

Mitterrand a plutôt tendance à se réjouir des réussites de sa stratégie, mais il ne veut pas s'aveugler sur ce danger. Pas de remise en question de l'alliance, mais prudence !

Au cours des assises de la Convention des institutions républicaines au palais d'Orsay des 4 et 5 novembre 1967, il réaffirme la nécessité de l'alliance, parce que la Fédération est solide, parce qu'elle a fait de grands progrès, parce qu'elle saura resserrer ses structures pour en arriver à créer un grand parti. Et il lance en forme de conclusion : « Il n'y a qu'un mot pour résumer nos espérances et pour rassembler tous les hommes, et ce mot c'est le socialisme. » En décembre, dans une réunion avec les radicaux, il réaffirme l'objectif : « Socialisme et épanouissement de l'homme. Il faut beaucoup de socialisme, d'idéal et de constance pour obliger à reculer les forces qui dominent aujourd'hui. Il faudra beaucoup de démocratie pour que ce socialisme reste au service de l'homme et ne débouche ni sur la bureaucratie ni sur la dictature. La Fédération, c'est la synthèse[1]. »

Socialiste, François Mitterrand ? Toute sa stratégie d'union de la gauche l'entraîne à le prétendre, aussi bien à l'égard de ses alliés de la SFIO qu'à l'égard des communistes. Ce choix du socialisme n'est pas complètement nouveau, puisque le parti auquel il adhérait sous la IVe s'appelait Union démocratique et *socialiste* de la Résistance. Au lendemain de la guerre, il est vrai, tous les partis de gauche — et même pas trop à gauche — se réclamaient du socialisme. Mais le mot avait pris un sens désuet avec la croissance capitaliste : il s'affadissait, et ce n'était assurément pas la politique droitière de la SFIO au gouvernement qui l'avait rafraîchi. Dans l'esprit de Mitterrand, il doit reprendre consistance. Comme toujours chez lui, le réalisme politique l'emporte sur les convictions théoriques. Le mot « socialisme », à condition qu'il soit allié au mot « démocratie », doit alors signifier clairement

---

1. *L'Année politique, économique, sociale et diplomatique en France, 1967*, PUF, 1968, p. 91.

une perspective de politique sociale plutôt que la collectivisation des moyens de production. Au lendemain de la guerre, à l'orée de sa carrière, il dénonçait les « nationalisations » et autres « réglementations ». Le choix du socialisme résulte d'abord de la stratégie d'union de la gauche. Plus un instrument, un moyen, qu'une idéologie bien structurée. Il faut se demander cependant si, à son égard, il ne faut pas faire justice de l'accusation de pur opportunisme, si son socialisme n'est que poudre aux yeux, ou bien si, au contraire, il a existé chez lui un temps de conversion sincère. Ses idées ne sont pas arrêtées ; on peut avancer l'hypothèse que le mouvement de mai 68 a renforcé son ancrage.

La panne de 1968

Un soulèvement d'étudiants à Paris, à la suite de l'arrestation de quelques manifestants à la Sorbonne, est suivi bientôt par de violents affrontements avec la police, par une grève générale de solidarité le 13 mai, puis par un mouvement de grèves sans précédent dans toute la France. Cette éruption prend de court les organisations syndicales et politiques, qui tentent avec plus ou moins de réussite de s'adapter à l'événement. Les formations les plus motivées sont le PSU et la CFDT qui reprochent à un parti communiste en retrait son manque de conviction révolutionnaire. La FGDS, quant à elle, va tout simplement sombrer.

La situation devient dramatique pour le régime gaulliste le 27 mai, après que, au terme des négociations menées rue de Grenelle entre le gouvernement et les « partenaires sociaux », la CGT, poussée par sa base échauffée, refuse de ratifier le protocole d'accord. Pierre Viansson-Ponté avait lancé cet avertissement dans *Le Monde* : « Si la négociation de Grenelle ne réussit pas à résoudre le conflit social et n'est pas admise par la "base", alors la France risque de passer, dans un climat de violences et de troubles, d'une grave crise nationale à une situation révolutionnaire. » L'État, trop concentré dans l'exécutif, donne alors l'impression de vaciller. Mais, en face, le mouvement n'a pas de véritable relais politique. Le parti communiste est dénoncé par l'avant-garde étudiante. Le 27 mai, l'Unef et le PSU organisent une réunion au stade Charléty, à laquelle s'associe la CFDT. En présence de Mendès France, silencieux, les orateurs parlent de la révolution possible et conspuent l'attitude des communistes. François Mitterrand, dont toute la stratégie repose sur l'alliance avec le parti communiste, est quelque peu déconcerté par la tournure des événements ; il prend langue avec les dirigeants du PCF. Mais il décide de tenir une conférence de presse avant cette rencontre pour garder l'initiative. Le matin du 28 mai, considérant comme acquis l'échec du référendum annoncé quatre jours plus tôt par de Gaulle, il fait connaître sa candidature à l'élection présidentielle qui devrait en résulter. En attendant, un « gouvernement provisoire de gestion » que Mendès France présiderait assurerait l'intérim. Le même jour, à dix-sept heures, la réunion des représentants du PCF et de la FGDS reste sans suite ; il n'en résulte qu'un bref communiqué, masquant mal la mésentente. « Il n'est pas sérieux, déclare Waldeck Rochet, de prétendre aller au socialisme sans les communistes, et encore moins en faisant de l'anticommunisme comme au stade Charléty. » Le PCF ne veut pas servir d'appoint à un gouvernement de gauche qui le marginaliserait. La gauche non communiste quant à elle redoute ses propres faiblesses dans un gouvernement populaire dirigé par le PCF.

Le 29 mai, coup de théâtre ! Tandis que la CGT organise des manifestations dans la France entière, le général de Gaulle disparaît, laissant derrière lui son propre camp dans le désarroi, à l'exception de Georges Pompidou qui tient fermement la barre dans la tempête. Le lendemain, le Général, de retour de Baden-Baden, où il était parti auprès du général Massu s'assurer du soutien de l'armée, annonce dans l'après-midi la dissolution de l'Assemblée, la remise à plus tard du référendum prévu et, à la place, de nouvelles élections législatives. L'intervention du Président est suivie d'une puissante manifestation de soutien sur les Champs-Élysées, qui prélude à la fin de la crise.

Quelle fut l'attitude de François Mitterrand pendant ces semaines de barricades, de déluge politique et d'illuminations utopiques ? Surpris, dépassé, déphasé, il a vu sa stratégie d'union de la gauche voler en éclats. Pendant des jours et des jours, il fait semblant d'être là, absent d'un mouvement qu'il condamne comme un « méli-mélo similimarxiste, [...] une révolution qui a les cheveux longs et les idées courtes ». Dans quelques meetings, à Vichy, à Chambéry, à l'Assemblée les 8 et 14 mai, il dénonce les violences policières et s'associe, le 13 mai, à la protestation des syndicats. On le voit à Paris tenter d'entrer en contact avec les dirigeants du mouvement étudiant, mais il est rejeté. Plus à l'aise dans l'enceinte parlementaire, il appuie, le 22 mai, la motion de censure dirigée contre Georges Pompidou, laquelle n'est pas votée mais obtient le soutien d'Edgar Pisani, un ministre démissionnaire. Enfin, devant la déliquescence de l'État, le voici, le 28 mai, alors que le pays est paralysé par la grève générale, en train de proposer le scénario de l'effondrement gaulliste dans le lieu le moins adapté aux circonstances, le luxueux hôtel Continental.

Cette initiative lui vaut l'hostilité aussi bien de ses partenaires socialistes que des communistes. La télévision d'État a rendu compte de sa conférence au moyen d'un montage et d'un truquage qui le font apparaître en apprenti dictateur, fourrier du communisme totalitaire. Cette calomnie avait un fondement : l'aspect inconstitutionnel du passage proposé d'un président à l'autre, un « gouvernement provisoire de gestion », alors que, en cas de vacance du pouvoir présidentiel, la Constitution prévoit un intérim confié au président du Sénat. Il se justifiera plus tard : sa proposition était fondée sur l'hypothèse d'un départ du Général désavoué par le résultat de son référendum. Certes, la Constitution attribuait au Sénat, en l'occurrence à Gaston Monnerville, la responsabilité de l'intérim présidentiel et Georges Pompidou pouvait continuer à gouverner jusqu'à la nouvelle élection présidentielle, mais il était hautement probable, toujours selon Mitterrand, que Pompidou démissionnerait en même temps que de Gaulle. Il y avait là une justification *a posteriori* qui laissa sceptique. En tout cas, l'initiative personnelle de Mitterrand est désapprouvée par les socialistes et par les communistes, peu disposés au retour au pouvoir de Mendès France et qu'une solution aventuriste inquiète.

Le 7 juin, s'ouvre une nouvelle campagne électorale. La réaction à la crise de mai est à l'œuvre dans tous les départements, où sont dénoncés la « subversion » et le « péril rouge ». De Gaulle ne lésine pas sur les moyens symboliques : le général Salan et le colonel Argoud ainsi que neuf autres détenus OAS sont graciés à l'occasion de l'anniversaire du 18 juin 1940, et d'autres mesures de clémence suivent à l'égard des putschistes d'avril 1961. Dans la Nièvre, Mitterrand se heurte à la vague gaulliste qui va provoquer l'élection d'une chambre introuvable, due à la peur, à la demande d'État, au désir de sécurité, au besoin d'ordre après des semaines de troubles. En face de lui, il a pour principal adversaire Jean-Claude Servan-Schreiber qui, sous le sigle UDR (Union des démocrates pour la République qui a remplacé l'UNR), ne le ménage pas. Le professeur Mathé, Nivernais d'origine, une sommité médicale, demande à ses compatriotes de chasser Mitterrand, « ce politicien au rancart qui ne peut désormais que se servir de vous pour aider le parti communiste, cela veut dire l'expropriation de vos terres, la dictature, la misère et la peur ». Le député sortant se défend : « Vous n'aurez pas peur si vous refusez le chantage de la peur, si vous soutenez la gauche dans son effort de réconciliation nationale[1]. » Dans une émission de propagande officielle, il se montre toujours combatif et mordant : « C'est toute la France de demain qui rejette la France officielle d'aujourd'hui. Le régime a

---

1. Cité par J. Battut, *François Mitterrand le Nivernais, op. cit.*, p. 118.

subi sa plus cruelle condamnation : celle que portent contre des parents qui ont failli leurs enfants devenus des hommes. »

Le 23 juin, s'il arrive encore en tête, Mitterrand a perdu en un an 25 % de son capital électoral. Une semaine plus tard, il est élu, avec une confortable avance, mais la débâcle de la gauche à l'échelle nationale est consommée, tous ses amis de la Convention sont battus. Ses alliés socialistes de la FGDS lui reprochent d'être responsable de leur défaite : six cent mille électeurs perdus au premier tour et 60 députés au final, tandis que le PCF voyait sa représentation passer de 72 à 33 sièges.

Ce Trafalgar électoral jette une ombre sur la stratégie de Mitterrand, de nouveau isolé. Au Palais-Bourbon, il se classe parmi les « non inscrits ». Brochant sur le tout, les rapports avec les communistes, déjà ébranlés, deviennent impossibles au mois d'août suivant, lorsque les Soviétiques décident de mettre fin avec leurs chars au « printemps de Prague », démontrant ainsi l'incompatibilité du socialisme et de la liberté. « Comment ne pas être terriblement froissé, déclare-t-il à la radio, révolté contre l'intervention militaire et policière de l'Union soviétique ? Le choix d'un fédéré est simple et clair : condamner brutalement et sans ambiguïté cette intervention[1] ! » Dans les rangs du parti communiste, s'étaient manifestés des signes de divergence avec l'URSS, mais le PCF devait finalement accepter le limogeage de Dubček et la « normalisation » imposée aux Tchèques par Moscou. C'était un coup de massue donné au projet d'union.

Mitterrand n'abandonne pas pour autant le combat, ni même sa stratégie : l'urgent est de reconstruire une force de gauche non communiste, un nouveau parti socialiste qui sera à même d'équilibrer le rapport des forces entre la gauche et l'extrême gauche. « Le nouveau parti socialiste, déclare-t-il à *Paris-Match*, je travaillerai de toutes mes forces à sa création. Il faut qu'il devienne la plus puissante formation politique de la gauche [...]. C'est une

---

1. C. Moulin, *Mitterrand intime, op. cit.*, p. 205-206.

stratégie simple, linéaire ; il n'y en a pas d'autres[1]. » L'initiative cependant lui échappe. Il a donné sa démission de président de la FGDS le 7 novembre 1968. Tout semble à recommencer.

De son côté, de Gaulle a repris l'idée d'un référendum, espérant de la consultation populaire un redressement politique : « Approuvez-vous le projet de loi soumis au peuple français par le président de la République, et relatif à la création de régions et à la rénovation du Sénat ? » Par 53 % des voix, les Français répondent « non ». Le président de la République donne alors sa démission, remplacé provisoirement à l'Élysée par le président du Sénat, Alain Poher. L'élection présidentielle est fixée au 1er juin 1969. Malgré qu'il en ait, Mitterrand s'efface, il n'y aura pas cette fois de candidature unique de la gauche. Les sondages ne sont pas flatteurs pour lui ; ils donnent l'avantage à Pompidou (42 %) et à Poher (40 %). Guy Mollet, qui envisage un moment de soutenir une candidature du terne Christian Pineau pour mieux favoriser le président du Sénat, doit se rallier à celle de Gaston Defferre, un choix rédhibitoire pour le parti communiste. Sur ces entrefaites, la SFIO réunit le 4 mai à Alfortville un congrès constitutif d'un Nouveau Parti socialiste. Mitterrand et la Convention n'en sont pas : ils se réunissent séparément à Saint-Gratien, où ils rejettent la candidature de Defferre entérinée à Alfortville. Le 12 mai, Mitterrand explique ce refus : « M. Defferre est lancé dans la bataille présidentielle. Il a des qualités ; il représente un certain choix politique et ce choix est hostile à l'union de la gauche, sans quoi il ne serait pas candidat et il y aurait un candidat unique de la gauche. M. Defferre est même l'auteur principal ou tout au moins l'un des auteurs principaux de la rupture de la gauche. » Le parti communiste, de son côté, présente la candidature de Jacques Duclos, tandis que le PSU appuie celle de Michel Rocard et les trotskistes celle d'Alain Krivine. Tout est décidément à refaire, la gauche explose.

---

1. *Paris-Match*, n° 1015, 19 octobre 1968.

L'élection tourne mal pour Gaston Defferre qui, malgré le soutien de Mendès France, présent à ses côtés pendant toute la campagne, dépasse à peine 5 % des voix. Alors que le parti communiste réussit, grâce au talent de son candidat, Jacques Duclos, à en obtenir 21,5 %. Michel Rocard pour le PSU, Alain Krivine pour les trotskistes démontrent la faillite électorale du mouvement de mai. L'effondrement de la candidature Defferre redonne ses chances à Mitterrand.

Au mois de juillet 1969, François Mitterrand, qui s'est bien gardé de se présenter, publie *Ma part de vérité*, une autre façon de maintenir sa présence auprès de l'opinion. Le livre va connaître un franc succès de librairie. Mitterrand a le talent de mêler la saveur du passé aux espérances des aubes futures. Dans *L'Express*, Roger Priouret note l'effet produit : « Il avait donné jusqu'ici, par la télévision et par ses discours, l'image d'un "animal de combat", courageux mais prompt aux sarcasmes et peu sensible à l'aspect humain des problèmes politiques. Le journaliste, dans ses rapports professionnels, le voyait comme un homme qui n'abaisse jamais sa garde, qui n'a pas une minute d'abandon. » Or voici une nouvelle image de lui, teintée de romantisme, qui, dans ses souvenirs autobiographiques, « parle avec humilité et sensibilité de la période si difficile que nous vivons ». De son côté, Raymond Barrillon, dans *Le Monde*, insiste sur la conviction de l'ancien président de la FGDS, qui n'a pas renoncé « à l'union des forces populaires » contre « une coalition avec le centre ». Il le cite : « Je crois à ce que je fais, je crois à l'avènement du socialisme, je crois à sa nécessité. Le parti communiste est notre allié naturel. Je n'ai à lui reconnaître aucun privilège. Je n'ai pas à le préférer. Je constate simplement que l'union de la gauche passe par le parti communiste. » À l'avis du journaliste, « on ne peut contester que l'ensemble de ses réflexions révèle un homme tout à la fois sincère, convaincu et constant[1] ».

---

1. Roger Priouret, « La Vérité de M. Mitterrand », *L'Express*, 7 juillet 1969. Raymond Barrillon, « Visages de François Mitterrand », *Le Monde*, 10 juillet 1969.

Mais il faut tout reprendre de zéro. Est-ce à dire que la crise de 1968 a été complètement négative dans la marche de Mitterrand vers le pouvoir et dans sa conception du socialisme ? Certes, il s'est laissé embourber par le mouvement de mai ; dépourvu de culture libertaire, il ne l'a pas compris. Le témoignage de Jean Battut, secrétaire du SNI (Syndicat national des instituteurs) dans le département de la Nièvre, est suggestif à cet égard. Le dimanche 26 mai 1968, tandis que le mois n'est que manifestations et grèves, une fête se déroule à Château-Chinon, à laquelle Mitterrand a invité les dirigeants de la gauche socialiste, Mollet, Defferre, Hernu, Billères… Couplets sentimentaux du chanteur Marcel Amont et « repas au Vieux-Morvan alors que neuf millions de grévistes attendent ». Cette fête, écrit-il, « est pour moi l'expression de la décadence d'une classe politique qui n'a rien compris. Je me promène dans ce champ, où flottent les oriflammes, en quête d'interventions sur un stand pour dire dans une discussion ma profonde indignation… Pas de débats… la voix de Marcel Amont… alors que j'ai dans la tête les chants révolutionnaires et *L'Internationale* qui continuent de recouvrir nos rassemblements nivernais dans les manifestations qui se poursuivent[1] ».

Revenant sur l'événement dans *Ma part de vérité*, Mitterrand concède que la Fédération est apparue en 1968 « comme la roue de sauvetage des anciens partis de la IVe République », et que lui-même n'a pas bien décodé sur le coup ce qui se passait : « Je me suis attardé sur l'aspect caricatural des agités du 22 mars [Cohn-Bendit à Nanterre]. Je n'ai pas assez recherché ce que signifiait leur démarche dans un temps comme le nôtre. » Avec le recul, malgré ses sarcasmes à l'endroit de la pseudo-révolution, il saisit le bouleversement que mai 68 provoque dans les esprits. Si l'événement inattendu de l'explosion populaire a brisé l'union de la gauche, il va aussi relancer pour quelques années le socialisme de

1. J. Battut, *François Mitterrand le Nivernais*, *op. cit.*, p. 113.

doctrine, largement oublié par la société de consommation. Dans cette renaissance paradoxale, le gauchisme a joué un rôle moteur. Mai 68 et les années de feu qui suivent ont remis sur la place publique Marx, Engels, Lénine, Trotski, et consacré un dieu vivant, Mao Zedong. Non seulement par voies d'affiches, de meetings, de manifestations et d'actions d'avant-garde en tout genre, mais par l'inflation sans précédent de la littérature révolutionnaire, réimpression des classiques et nouveautés du marxisme-léninisme, de l'anarchisme, du conseillisme. Après les élections de juin, le mouvement de mai se prolonge, à l'université de Nanterre, au nouveau centre universitaire de Vincennes, toute une jeunesse acquiert une culture de la radicalité, et provoque le raidissement du régime gaulliste que reprend en main Pompidou. Paradoxe : c'est à l'acmé de la société de consommation, au moment privilégié de ce qu'on appellera les « trente glorieuses », dans un temps où le capitalisme se révèle compatible avec l'élévation des niveaux de vie que la jeunesse renoue avec les saintes écritures de la révolution prolétarienne. En fait, la secousse de mai aura des effets décalés : ils porteront moins sur la nature du système économique que sur les conduites existentielles, les mœurs, les pratiques sexuelles, les rites et les traditions. Mais cette révolution souterraine coule sous les mots désuets du marxisme en surface. À moins qu'une *autre* révolution prolétarienne s'affirme — celle d'un socialisme « par le bas » tournant le dos à l'étatisme.

Le projet révolutionnaire — « pouvoir ouvrier », « autogestion », « mode de passage au socialisme » — n'est pas consigné dans les universités, il se propage par osmose dans toutes les couches de la société. Dans ce contexte idéologique, largement alimenté par les intellectuels de gauche, Mitterrand ne peut rester insensible à cette remontée en force du discours antiréformiste, du discours de rupture. Dans les années qui suivent le départ du général de Gaulle, il existe un fort contraste entre la France pompidolienne, qu'on dirait d'inspiration louis-philipparde, et la

France qui renoue avec son héritage révolutionnaire. L'évolution de la CFDT, issue en 1964 de la CFTC, témoigne de cette nouvelle culture de gauche dominante. Air du temps, mimétisme, certitudes, peu importent les causes de ce florilège révolutionnaire, le fait est là : de plus en plus nombreux sont ceux qui, hier plus ou moins modérés, adhèrent à la perspective d'une France socialiste. C'est le temps où la gauche, face à la *domination* politique du néogaullisme, prend la *direction* culturelle et idéologique de la société civile. Dans les termes du marxiste italien Antonio Gramsci, la vision du monde et de la société dont la gauche se prévaut devient « hégémonique ». Impuissant politiquement parlant, le mouvement de mai 68 a opéré une révolution culturelle, certes diffuse, mais dont la thématique révolutionnaire imprègne désormais les discours ambiants. Le socialisme tout neuf de Mitterrand est pétri, *volens nolens*, de cet apport discursif. Il avait d'abord été stratégique ; il devient quelque chose de plus désormais, mieux accordé aux aspirations de la nouvelle génération. Dans son ouvrage, Mitterrand n'évoque pas seulement les nationalisations nécessaires, l'appropriation collective des grands moyens de production, il reprend du PSU et de la CFDT le thème de l'autogestion : la propriété collective ne suffit pas, les ouvriers ne peuvent être réintéressés à leur tâche et réintégrés à l'entreprise qu'en étant associés aux décisions principales. Il entend nourrir son socialisme des innovations revendicatives de mai 68 — au moins dans les mots.

Cette conversion tardive n'empêche pas François Mitterrand de garder les pieds sur terre. Dans un livre d'entretiens paru en 1970, il parlera d'un « socialisme du possible[1] ». Il professe ce qu'il rejette : « l'exploitation de l'homme par l'homme, d'un groupe d'hommes sur un autre groupe d'hommes ». Sans parler de la lutte des classes, il affirme la nécessaire libération des indivi-

---

1. *Un socialisme du possible*, ouvrage collectif, précédé d'un entretien de François Mitterrand avec Jacques Julliard et Robert Fossaert, Éd. du Seuil, 1971.

dus « de l'exploitation économique ». Il s'arrête au seuil de l'idée révolutionnaire : « Aujourd'hui le réformisme tant décrié par le gauchisme me paraît être, je le répète, la seule voie possible. » En même temps, il estime qu'un gouvernement à direction socialiste, soutenu par les masses, sans prétendre « substituer un système à un autre », doit créer « en moins d'un mois l'irréversible ». Ainsi, le leader de la Convention ne se conçoit pas réformiste à la manière d'un social-démocrate qui ne remet pas en cause l'économie de marché et la libre entreprise, mais comme un partisan du « passage au socialisme » par degrés et sur tous les terrains, plus inspiré par Jaurès que par Marx ou Lénine.

Ce qui est remarquable dans ce possibilisme expliqué par un homme politique qui, peu auparavant, n'était qu'un « républicain », même avancé, c'est l'absence en effet de toute considération pour le modèle social-démocrate, dont la réussite s'est pourtant affirmée dans les pays scandinaves, et alors que le plus grand parti de la IIᵉ Internationale, le parti social-démocrate allemand, a renoncé solennellement, en son congrès de Bad Godesberg en 1959, au socialisme marxiste et à la rupture avec l'économie de marché. Mitterrand est tributaire de l'histoire, de la tradition du socialisme « à la française ». En France, « social-démocrate » est alors à gauche quasiment une injure. Après le congrès de Tours de 1920, la culture révolutionnaire et le défi du parti communiste ont entraîné les socialistes derrière Léon Blum à un retour aux sources, à l'observance des canons marxistes, à la réaffirmation de l'idéal révolutionnaire, quand bien même leur pratique était réformiste et modérée. Le « mythe de la Révolution », analysé par Raymond Aron en 1955 dans *L'Opium des intellectuels*, est redevenu vivace après 1968. Mitterrand, qui s'affirme « réformiste », déclare en cette année 1970 : « Je veux, et mes amis de la Convention avec moi, une "stratégie globale de rupture" avec la société capitaliste. » Une proclamation aussitôt corrigée par le principe de modération : « Mais cette rupture doit se faire selon un mouvement exactement adapté à nos moyens. »

Mitterrand assume avec beaucoup de talent rhétorique et un poil de démagogie l'ambiguïté fondamentale du socialisme français depuis ses origines : qu'est-ce qu'un réformiste qui veut liquider le capitalisme ? Le lecteur de François Mitterrand se demande ce qui relève chez lui de la nécessité stratégique (à gauche toute ! pour unir les socialistes, avant d'unir la gauche) et ce qui renvoie à la foi du néophyte. Il est vrai que cette ambiguïté qu'il incarne est aussi celle des intellectuels qui le soutiennent et de bon nombre de ses électeurs. Les restrictions apportées à la « stratégie de rupture » n'ouvrent-elles pas un champ d'attente indéfinie à l'avènement du socialisme ? L'incertitude rend possible aussi bien la radicalité (dans le discours) que le possibilisme (dans les actes).

Épinay 71

L'échec cinglant de Gaston Defferre à la présidentielle de juin 1969 a remis d'actualité la refondation du parti socialiste. À l'Assemblée, toujours non inscrit, Mitterrand ferraille, parallèlement à Michel Rocard, élu du PSU, contre le pouvoir en place. Le président Pompidou a confié le gouvernement à Jacques Chaban-Delmas, qui, inspiré par Jacques Delors et Simon Nora, ne manque pas de séduction, comme le montre son discours d'investiture sur la « nouvelle société ». Ce n'est qu'une face du pouvoir. L'autre a les traits de Raymond Marcellin, ministre de l'Intérieur, se targuant de prévenir « une nouvelle révolution d'Octobre », ceux de la répression des agitations gauchistes, des débordements de la gauche prolétarienne, des troubles continus dans les universités. Mitterrand se dresse à l'Assemblée en avril 1970 contre la loi « anticasseurs », visant les violences publiques, en avocat des libertés. Il entend rester la voix du « non », l'inconciliable opposant au régime personnel. Mais le plus important pour lui est de faire progresser son idée d'un parti socialiste

1 La famille Mitterrand en 1922 : les huit enfants entre leurs cousins Pierre et Yvonne Sarrazin.
De gauche à droite : Colette et sur ses genoux Geneviève, Marie Josèphe dite Josette, François, l'aînée
Antoinette et sur ses genoux le petit dernier Philippe, puis Robert et Jacques.

2

3

2 François Mitterrand dans les années 1930.

3 Étudiant, dans sa chambre du foyer des maristes, rue de Vaugirard, dans les années 1930.

4 Alors deuxième classe au fort d'Ivry, au côté de Georges Dayan, 1938.

5 Danielle Gouze et François Mitterrand le jour de leur mariage, le 28 octobre 1944.

4

5

6

7

8

9

6 Le maréchal Pétain entouré de Marcel Barrois, du général Campet et de François Mitterrand, le 15 octobre 1942, à l'Hôtel du Parc.

7 Henri Frenay (deuxième à gauche), commissaire aux Prisonniers, au côté de François Mitterrand, secrétaire général aux Prisonniers dans le Gouvernement provisoire, ici en août 1944.

8 François Mitterrand, ministre d'État de la France d'outre-mer, à Abidjan lors de l'inauguration de la première pierre du port, le 10 février 1951.

9 Avec Pierre Mendès France, alors président du Conseil, ici en 1954.

10 L'Assemblée nationale au Palais-Bourbon, le 19 février 1956.

11 Le représentant de la République : Mitterrand, alors ministre de la Justice, se rendant au mariage du prince Rainier de Monaco et de Grace Kelly, le 19 avril 1956.

12 Affiche pour l'élection présidentielle de 1965.

13 Le général de Gaulle sortant vainqueur de l'élection présidentielle de 1965.

14 Meeting de l'union de la gauche, en décembre 1972, avec entre autres Georges Marchais, Robert Fabre, Jacques Duclos et Pierre Joxe.

15 Mitterrand, alors premier secrétaire du parti socialiste et candidat à l'élection présidentielle, vote le 19 mai 1974 à Château-Chinon.

16 Réunion du comité directeur du parti socialiste, le 22 avril 1979. On reconnaît entre autres Jean-Pierre Chevènement, Laurent Fabius, Jacques Delors et Lionel Jospin.

14

15

16

17 François Mitterrand le 9 mai 1981
à Nantes, lors de la campagne pour le second tour
de l'élection présidentielle.

18 François Mitterrand, une rose à la main,
suivi de la foule, remontant la rue Soufflot vers
le Panthéon, le 21 mai 1981.

17

18

19 Passation de pouvoir avec Valéry Giscard d'Estaing, sur le perron de l'Élysée, le 21 mai 1981.

20

20 Le gouvernement Mauroy, pour la photo officielle, le 24 juin 1981.

21 Le président français et le chancelier allemand Helmut Kohl, main dans la main, pour les célébrations de la Première Guerre mondiale, à Verdun, le 22 septembre 1984.

21

22 Couverture de *L'Express,* datée du 25-31 mars 1983.

23 Jacques Chirac, Premier ministre, écoutant le Président lors du discours des vœux aux ambassadeurs, le 5 janvier 1987.

24

25

26

24 Dans le jardin de Latche, mars 1988.

25 Le Président accompagné du Premier ministre Michel Rocard, dans l'Hérault, avant un meeting de campagne pour la prochaine élection, le 19 avril 1988.

26 François Mitterrand, et à son côté Jack Lang, lors du pèlerinage annuel sur la roche de Solutré, le 4 juin 1990.

27

28

27 François Mitterrand dans son bureau de l'Élysée, à J–5 de la guerre du Golfe, janvier 1991.

28 Le gouvernement Pierre Bérégovoy, après le premier Conseil des ministres à l'Élysée, le 8 avril 1992.

29 Dessin par Plantu, juin 1992.

30

redéfini par sa propre stratégie, éliminant les tendances centristes, et dont il pourra devenir le chef. En juin 1970, se réunit un congrès extraordinaire du PS (depuis le congrès d'Alfortville, en 1969, la SFIO a laissé place au PS), auquel il est convié au nom de la CIR. Les tendances centristes s'expriment par la voix d'André Chandernagor : « Vous croyez à une chute brutale du capitalisme. Notre démarche est que la voie des réformes, pas à pas, est la seule possible, car le capitalisme possède en lui des vocations d'adaptation très importantes. » Pour Mitterrand, on ne pourra rien faire tant que les socialistes resteront désunis ; les conventionnels sont prêts à l'unité : « Dès ce soir, tout est possible avec la CIR. Il faut y croire et parvenir à ce minimum de fraternité qui dépasse toutes les oppositions. Un grand vent peut se lever et balayer tout le reste. » À la quasi-unanimité, le congrès exclut toute opération de troisième force (c'est-à-dire toute alliance au centre), à la condition que « nos partenaires éventuels s'engagent à respecter les libertés démocratiques, le pluralisme des partis et l'indépendance des syndicats[1] ».

Le parti communiste, de son côté, sous la direction de Georges Marchais, nouveau secrétaire général, succédant à Waldeck Rochet tombé malade, n'a pas changé d'optique. Il est alors secoué par des dissensions internes, Garaudy, Kriegel-Valrimont, Pronteau, Charles Tillon s'en prenant aux abus du « centralisme démocratique », aux erreurs commises par le parti en 1968 vis-à-vis de la jeunesse, et au nouveau secrétaire général qui a menti sur son passé pendant l'Occupation. Ces turbulences, toutefois, ne le dévient pas de sa marche vers l'union de la gauche, si désirée.

Le 26 septembre 1970, la gauche du nouveau PS, le Centre de recherches et d'éducation socialistes (Ceres), organise un colloque à Suresnes, auquel sont conviés des représentants de divers

---

1. *L'Année politique, économique, sociale et diplomatique en France, 1970*, PUF, 1971, p. 52.

courants et de la CFDT. François Mitterrand, qui y participe, fait une intervention remarquée, où il dénonce «l'attitude d'une administration apparemment apolitique» qui traite les élus locaux «comme les gouverneurs coloniaux traitaient les chefs coutumiers». Sa principale proposition, qui en découle, est la suppression des préfets, ces fonctionnaires qui exercent une autorité hiérarchique sur les collectivités locales. Un article nouveau à son programme.

Le 8 novembre suivant, aux journées nationales de la CIR à Château-Chinon, il use d'un concept politique qui ne résiste pas à l'examen, mais dont il fera un large usage : pour lui, la gauche est «sociologiquement majoritaire en France». Afin qu'elle arrive au pouvoir, il répète une condition *sine qua non* : l'union, à laquelle il ajoute l'équilibre. L'union qui doit permettre le renforcement du PS par rapport au PCF, car il n'est pas possible d'offrir à celui-ci la direction de la France socialiste. C'est pourquoi il propose la fusion du PS et de la Convention, que devrait préparer une délégation nationale représentant les différentes parties concernées. Cette volonté d'équilibre plaît à Gaston Defferre, qui conteste au PCF «le droit de décerner ou de refuser à ceux qui, sans être socialistes, sont d'accord avec nous pour changer l'état des choses actuel des brevets de civisme et de républicanisme[1]». Le 16 novembre, à la radio, Mitterrand revient sur cette question d'équilibre : «La gauche est étonnamment déséquilibrée aujourd'hui avec un parti communiste qui grimpe en pourcentage, même quand c'est modeste : Bordeaux, Nancy, à chaque coup et c'est bien normal, on ne peut lui en faire le reproche, il occupe le terrain que nous n'occupons plus. L'unité socialiste rééquilibre la gauche. Elle la rééquilibre d'autant plus qu'à partir du moment où il existera une formation socialiste puissante, nous retrouverons aussi plus de facilités de langage avec notre droite, avec ceux que M. Marchais appelle "les démocrates sincères".» La procé-

---

1. Gaston Defferre, *Le Monde*, 14 novembre 1970.

dure ayant été acceptée par le parti socialiste, la délégation nationale constituée sous la présidence de Nicole Questiaux annonce un congrès constitutif de l'union pour les 11, 12 et 13 juin 1971 à Épinay-sur-Seine. Entre-temps, les élections municipales, au mois de mars, confirment l'efficacité de la politique d'union, et Mitterrand est réélu maire de Château-Chinon avec les voix communistes.

Le congrès d'Épinay est une nouvelle étape décisive pour le député de la Nièvre. Il ne s'agit pas seulement pour lui de permettre la fusion de la Convention avec le nouveau parti socialiste, mais bel et bien de prendre en main celui-ci. Et, en premier lieu, de se débarrasser de l'influence de Guy Mollet, qui demeure le « patron » derrière le premier secrétaire en titre Alain Savary. Redonner vie, force d'attrait, puissance au PS passe par la mise au rancart de celui qui incarne le socialisme de la guerre d'Algérie et de la capitulation devant le coup d'État de 1958. La divergence entre les conventionnels et la direction Savary-Mollet n'est pas doctrinale ; la volonté de construire l'union de la gauche avec les communistes n'est plus remise en question au PS que par une droite du parti représentée par André Chandernagor et très minoritaire. C'est avant tout une compétition entre des personnes qui est ouverte à Épinay.

Sur quels alliés Mitterrand et ses amis peuvent-ils compter ? Assurément sur la tendance, qu'on peut qualifier de centriste, issue des deux grosses fédérations du Nord, avec Pierre Mauroy, et des Bouches-du-Rhône, avec Gaston Defferre, tous les deux hostiles à Mollet. Mais, même en y ajoutant le groupe de Gérard Jaquet qui leur est favorable, les conventionnels et leurs alliés n'atteignent pas la majorité des mandats. Mitterrand, en quête d'une force d'appoint, pense alors à faire entrer dans l'alliance le Ceres de Jean-Pierre Chevènement et de son alter ego Didier Motchane, l'aile gauche marxiste du parti. Un congrès, politique ou syndical, ça se prépare, et si possible dans une arrière-cuisine mal éclairée. Secrètement, Pierre Joxe est chargé de mettre au point la manœuvre au début de 1971, dans un style de conjuration : « Nous étions si attentifs à ne pas dévoiler le secret des conciliabules, qu'il fut cantonné à huit ou neuf personnes, Mitterrand, Dayan, Estier, Mermaz et moi d'un côté, Mauroy et Jaquet de l'autre, enfin Chevènement. Mitterrand était si soucieux du secret qu'il tint à l'écart Charles Hernu, trop bavard[1]. » Ce qui soude entre eux les conjurés c'est d'abord leur hostilité à Guy Mollet, qu'ils veulent mettre au rebut. Mitterrand a aussi quelques comptes à régler avec Savary, qui l'a jadis humilié en lui refusant la porte du PSA. Et puis, Alain Savary, honnête homme, respecté par les militants, est un porte-parole sans éclat ; il n'est pas celui qu'on attend à la tête d'un parti de masse, un orateur qui galvanise, un décisionnaire qui n'hésite pas, un leader charismatique…

Le congrès est donc ouvert le 11 juin 1971 dans l'immense salle du centre sportif Léo-Lagrange d'Épinay. Quelque 800 délégués socialistes, 97 conventionnels et 60 « inorganisés », dont Robert Buron et autres militants chrétiens de la Vie nouvelle, y participent. La conjuration, l'alliance « contre nature », comme la nommera Savary, entre Mitterrand, le centre droit et le Ceres, fonctionne on ne peut mieux. Sur la question de savoir comment on élira le comité directeur, soit à la proportionnelle « corrigée », soit à la proportionnelle « intégrale », on voit Defferre et Mauroy mêler leurs voix à celles du Ceres et adopter la proportionnelle intégrale. Ernest Cazelles, ombre portée de Mollet, se met à hurler : « Guy, on est fichus, Joxe a quadrillé le congrès ! »

Mitterrand y prononce un discours travaillé et enflammé qui fera date. « Il faut passer par la conquête du pouvoir. La vocation groupusculaire n'est pas la mienne. » L'ambition du PS est claire. Et tout aussi claire la nécessité, si souvent répétée par lui dans les mois précédents, de rééquilibrer la gauche si l'on veut atteindre

---

1. Cité par J. Lacouture, *Mitterrand, une histoire de Français, op. cit.*, t. I, p. 294-295.

cet objectif : « Il faut d'abord songer à reconquérir le terrain perdu sur les communistes. Je pense qu'il n'est pas normal qu'il y ait aujourd'hui cinq millions de Françaises et de Français qui choisissent le parti communiste sur le terrain des luttes et même sur le terrain électoral parce qu'ils ont le sentiment que c'est ce parti-là qui défend leurs intérêts légitimes, c'est-à-dire leur vie [...]. » Oui au rassemblement de la gauche, mais pas à celui du pot de fer et du pot de terre. D'où s'ensuit l'impératif d'ancrer le PS à gauche, sur la base même de sa vocation révolutionnaire : « La révolution est d'abord une rupture [...]. Celui qui ne consent pas à la rupture avec l'ordre établi [...], avec la société capitaliste, celui-là, je le dis, ne peut être adhérent du parti socialiste. »

L'affirmation est-elle de pure rhétorique ? S'agit-il pour l'orateur de sceller sa complicité avec le Ceres ? Le discours, emphatique et comminatoire, cette flamme ardente, cet envol lyrique laissent dubitatif celui qui connaît l'itinéraire de Mitterrand. Extrémisme de néophyte qui en rajoute sur la pureté de la secte ? Frapper d'ostracisme ceux qui n'ont jamais été des révolutionnaires, à commencer par ses alliés Mauroy et Defferre, peut paraître dérisoire. Certes, la doctrine du parti socialiste, réaffirmée au lendemain de la Seconde Guerre mondiale par Guy Mollet, se réfère au marxisme, mais, en pratique, les socialistes français ont toujours accepté le compromis social-démocrate avec le régime capitaliste. Mitterrand use du discours de la radicalité pour trois raisons : il faut ancrer le nouveau PS à gauche pour corriger ses déviations droitières de l'ère Mollet, attirer à lui la jeunesse militante de mai 68, mais aussi disputer au parti communiste son monopole révolutionnaire — au moins dans le discours. Et en chantant *L'Internationale*, ce qu'il fait pour la première fois, sans rire.

Une analogie s'impose avec le congrès de Tours de 1920, qui avait vu la scission du parti socialiste et la naissance du parti communiste. La SFIO, Léon Blum en tête, refusait d'abandonner au parti communiste le prestige de la révolution, réaffirmait sa fidélité à la doctrine marxiste. Il n'était pas admissible qu'on pût croire qu'il y avait d'un côté des révolutionnaires et de l'autre des réformistes ! Guy Mollet lui-même, en prenant la tête de la SFIO en 1946, prolongeait cette dichotomie entre les mots et les actes : on demeurait marxiste mais on ne refusait nullement de gouverner avec des libéraux, des démocrates-chrétiens, voire avec des gens de droite. La surpuissance acquise par le parti communiste interdisait aux socialistes de renoncer à leurs principes originels. En parlant de « rupture avec le capitalisme », Mitterrand se loge dans une ligne classique. On le prendra au sérieux sous réserve d'inventaire, mais, pour le moment, c'est la ligne de gauche qu'il faut privilégier, c'est par la gauche qu'on réinsufflera la vie à ce qu'on a appelé jadis la « Vieille Maison », c'est par la gauche qu'on pourra négocier d'égal à égal, sans complexe, avec le parti communiste.

Maints observateurs, nombre de journalistes ont raillé l'ancien porteur de la francisque, l'ancien ministre de la Justice devenu à cinquante-cinq ans un socialiste enflammé. Encore une fois, ils n'y ont vu que stratégie, artifice et manigance. Mitterrand était-il incapable de sincérité ? La réponse n'est pas si simple, on le verra. Au vrai, l'homme ne séduit pas par ses idées mais par son ascendant, ses talents d'orateur, sa personnalité. Il ne fait pas partie du sérail. On le voit bien à son impossibilité à tutoyer les camarades. Mais les camarades lui pardonnent car ils pressentent en lui l'homme d'exception, l'homme de caractère qui a su surmonter tous les échecs, tenir tête à toutes les attaques, assumer la solitude quand il le fallait. Ses intimes, sa garde rapprochée goûtent chez lui les qualités les plus rares d'un homme de culture. Il a beau parcourir des milliers de kilomètres, courir de tribune en tribune, se plier à toutes les obligations de ses mandats cumulés, il sait, comme peu de ses collègues le savent, se préserver du « tout politique », se ménager des heures de détente, lire autre chose que les journaux et les rapports officiels. La passion de la lecture n'est en lui jamais épuisée. Dans sa chambre et dans son bureau de la rue Guynemer, les ouvrages, dont beaucoup ont été reliés par Danielle, son épouse, sont ses meilleurs compagnons ; il collectionne même les éditions originales : « Je suis heureux, dit-il, de savoir qu'ils sont là, prêts au dialogue, au conseil, de n'avoir qu'une main à tendre pour trouver Pascal ou les *Mémoires d'outre-tombe*, des moralistes comme La Rochefoucauld, La Bruyère ou Chamfort, pour relire une page de Claudel, généralement de *Connaissance de l'Est*, quelques poèmes d'Aragon ou de Saint-John Perse, une page de Gide, de Valéry[1]... » Une culture littéraire très classique, mais qui l'arrache à l'enfermement de la gent politique sur elle-même, lui permet le recul sur les gens et sur les choses, lui offre des repères intellectuels autres que ceux de la culture proprement politique.

Cette culture littéraire est un élément de son charme. Il n'a jamais l'air pressé, obnubilé, affairé. Il pratique ce que son ami Charles Michon appelait une « indolence étudiée », faite de calme et d'ironie. Sa porte est toujours ouverte à ses amis. En particulier l'été ou à Noël à Hossegor — plus tard ce sera à Latche — où il accueille à sa table artistes, écrivains, amis politiques, dans une atmosphère détendue, loin des joutes politiques. Avec tel ou tel, ou seul avec son teckel, Lipp, il aime les longues marches. Près de Cluny, où se trouve la maison familiale de Danielle, il a pris l'habitude d'effectuer tous les ans, à la Pentecôte, l'ascension de la roche de Solutré. Ses exercices physiques se doublent d'une hygiène assez stricte, il boit un peu de vin mais jamais d'alcool, il ne fume pas, il n'a jamais besoin de somnifère. Le tribun politique, qui peut se montrer véhément, fait preuve avec les siens et ses amis politiques d'un calme olympien. Il parle avec douceur, suave, toujours charmeur. La fourrure du renard est soyeuse. On le peint en tombeur, on énumère la liste des dames conquises. Mais sa vie sentimentale reste soustraite à la curiosité publique. Peu de ses proches savent qu'il mène une

---

1. C. Moulin, *Mitterrand intime*, *op. cit.*, p. 218.

existence double, que lui et Danielle ne partagent plus la même chambre, qu'il a une maîtresse de vingt-sept ans plus jeune que lui, nommée Anne Pingeot, conservatrice au musée du Louvre. Ceux qui savent respectent le secret. Il y a quelque chose d'aristocratique chez ce « camarade », une « force secrète d'empire sur les autres », selon le mot de Baltasar Gracian, qui impose le respect.

Le 13 juin, mis en minorité, Alain Savary donne sa démission. Trois jours plus tard, le nouveau comité directeur confie à François Mitterrand les responsabilités de premier secrétaire du parti. Un coup de maître. Il ne faisait pas partie du PS dix jours plus tôt, il y entre, il en devient le chef.

Où va-t-il ? Où peut-il aller en ce début d'été 1971, alors qu'il a pris la tête du parti socialiste ? Une des dernières fois, peut-être la dernière, que François Mauriac ait écrit sur lui, le 10 décembre 1969, dans son *Bloc-notes*, ce fut pour avouer : « Je comprends mal ce qu'espère réaliser François Mitterrand. » Il croyait discerner chez lui une contradiction insurmontable, entre sa volonté d'alliance avec le parti communiste et son tropisme centriste : « Rien ne peut aller plus loin que des ententes électorales qui feront gagner des sièges à la gauche, mais qui ne lui feront pas gagner la guerre. » Deux ans plus tard, cette guerre, il ne l'a pas encore gagnée. Mais que de chemin parcouru néanmoins sur le champ de bataille ! On peut être fasciné par sa faculté, du fond de l'abîme, de remonter à la surface. Renversé par la lame gaulliste en 1958, voué aux gémonies par l'affaire de l'Observatoire en 1959, marginalisé par le mouvement de mai 68, il apparaît comme un rescapé de tous les naufrages. Sa trempe fait immanquablement penser à celle des grands qui l'ont précédé, un Clemenceau terrassé par la calomnie en 1893 et devenu le « Père la Victoire » en 1918, un de Gaulle largué par les partis en 1946, obligé de mettre fin au RPF en 1953, avant de revenir au sommet en 1958.

Cependant, le congrès d'Épinay ajoute à la méfiance de beaucoup sur la sincérité de François Mitterrand. N'a-t-il pas été plus « florentin » que jamais en parvenant à unir dans une même motion les gauchistes du Ceres et les droitiers Mauroy et Defferre ? En l'entendant déclarer le dimanche 13 juin : « Notre base, c'est le front de classe », les témoins ont du mal à en croire leurs oreilles. *Le Nouvel Observateur*, qu'il n'a pas encore séduit, publie un article de Marcelle Padovani intitulé « Main basse sur la cité » — la cité Malesherbes s'entend. Mitterrand, piqué au vif, lui réplique : « "Main basse sur la cité" donne bien le ton des articles que *Le Nouvel Observateur* consacre au congrès d'Épinay et à ses suites. On imagine le brigand que je suis, l'homme de jeu face à l'homme de rigueur, le vice face à la vertu, accomplissant son *hold up*. "Comment en trois jours François Mitterrand a conquis la direction du parti socialiste" : êtes-vous sûre que ce soit là la vérité historique, que trois jours pouvaient suffire à qui que ce soit, que tout ait commencé l'autre vendredi, cette année, il y a même deux ans ? Il est vraiment commode de s'en tenir aux caricatures. » Caricature ou pas, François Mitterrand n'a pas encore acquis la respectabilité d'un leader de la gauche aux yeux de beaucoup. Mais qui pourrait désormais rivaliser avec lui à gauche ? Le PSU qui, en 1968, a pu laisser croire qu'il deviendrait l'expression d'un mouvement socialiste rénové et conquérant ne paraît plus dans la course. Pour ses militants, la crise du capitalisme est annoncée, le passage rapide au socialisme fondé sur « l'action de masse » est promis. Michel Rocard, la tête moins chaude, avait demandé avant le congrès de Lille du PSU, en juin 1971, qu'on « se débarrasse du marxisme », mais il a accepté d'être réélu secrétaire général par un congrès qui a terminé ses travaux en scandant : « Marx, Engels, Mao, Mao ! » Il reste au nouveau premier secrétaire du parti socialiste à mener à bien les deux objectifs qu'il s'est donnés et avec lesquels son parti est d'accord : renforcer les rangs de son organisation, en la décrochant de toute alliance centriste, et négocier avec le parti communiste un accord d'union qui devrait permettre à la gauche de revenir en grâce.

VII

À QUATRE CENT MILLE VOIX PRÈS

En 1972, l'année où est signé, selon la volonté de François Mitterrand, l'accord entre le parti socialiste et le parti communiste sur un programme commun de gouvernement, la France est un pays heureux, mais qui ne le sait pas. Avec le recul de plusieurs décennies, nous ne pouvons nous dérober à cette évidence : les années Pompidou constituent une autre « belle époque ». Le taux de croissance dépasse 5 %, le plein emploi est réalisé (pas plus de 135 000 bénéficiaires de l'aide publique), le solde de la balance commerciale est positif, la construction automobile est en plein boom (3 310 000 véhicules construits, dont 10 % pour l'exportation), les Français sont toujours plus nombreux à partir en vacances, tandis que l'équipement des ménages se développe à vive allure : réfrigérateur, auto, machine à laver et autres petites fées du foyer qui auraient ajouté plusieurs strophes à la *Complainte du progrès* de Boris Vian. Certes, au tableau figure un point noir, l'inflation ; la hausse des prix est de 7 %, et même, pour les produits alimentaires, de 8 % ; toutefois, la hausse moyenne des salaires pour l'année atteint 11,5 % : le pouvoir d'achat n'est pas menacé.

C'est dans cette France prospère qu'a éclaté l'explosion de 1968 : boulot, métro, dodo, il fallait, clamaient les graffitis, dresser une digue contre les débords du productivisme qui enchaîne les individus et leur fait miroiter le bonheur par la consommation.

Le désaccord était flagrant entre les « enragés » et les ouvriers grévistes. Les uns voulaient refaire le monde ; les autres s'y faire une place. De mai 68 est ainsi sorti un double mouvement. Ceux qu'on appelait d'un terme approximatif mais commode les « gauchistes » en appelaient à la révolution ; ils rencontraient un écho dans les rangs du PSU et de la CFDT. Le thème de l'autogestion est inséparable de leur projet. Du mouvement social (une grève générale sans précédent) sont sorties par ailleurs les conditions de la convergence entre le parti communiste et le parti socialiste. L'union de la gauche, déjà souhaitée avant 1968, un moment retardée, est renforcée par les souvenirs encore chauds des manifestations, des occupations d'usine, des scènes d'émancipation générale dont les semaines brûlantes de mai ont été émaillées.

En 1972, le gauchisme politique est sur le déclin, mais toujours vivace, et pour longtemps, dans maints secteurs de la société. Le meurtre d'un militant de la Gauche prolétarienne, Pierre Overney, par un vigile de chez Renault provoque une émotion considérable : 120 000 personnes assistent à ses obsèques le 4 mars. En 1973, la grève puis l'occupation de l'usine Lip où les ouvriers prennent en charge la production.

C'est dans ce double contexte, de prospérité économique et de revendications révolutionnaires et autogestionnaires, que se déroule la phase finale de négociations entre le PCF et le PS. Et ces deux types de préoccupations y trouvent leur caisse de résonance. D'un côté, l'optimisme et la demande économiques ; de l'autre, une certaine attention aux exigences qualitatives : outre les nationalisations, François Mitterrand et ses alliés ont intégré l'autogestion dans leur projet socialiste. Cet accord entre PCF et PS est loin d'être signé d'avance. Mitterrand va y parvenir grâce à son intelligence tactique, au moyen de concessions, à force de ténacité et de pugnacité. Son atout principal, il est vrai, tenait au désir symétrique du parti communiste de parvenir à un accord dont, inconscient de son déclin, il s'imaginait pouvoir tirer le meilleur gain politique.

L'union de la gauche

Le parti communiste, après la tornade de 68, se rétablit. Il avait été coupé de la jeunesse en révolte, mais il pouvait mettre au crédit de la CGT la formidable grève qui avait tout arrêté en France du 13 mai à la fin du mois, et dont les bénéfices avaient été substantiels. Il a réitéré, au cours de son XIXe congrès, en février 1970, sa volonté d'union avec les socialistes. Mitterrand peut craindre cependant l'éloignement de Waldeck Rochet, malade, et son remplacement par Georges Marchais, d'abord secrétaire adjoint, avant de devenir secrétaire général en titre du parti. Marchais, on l'a dit, avait bénéficié de l'appui des Soviétiques, il était rogue et bravache, colérique et imprévisible, et soumis de surcroît à des influences contradictoires. Le tandem Mitterrand-Marchais, le narquois et le furibond, va devenir un des clous de la vie politique.

Avant et après l'accord de juin, le parti communiste se tenait sur ses gardes face à François Mitterrand et aux socialistes. D'autant que le nouveau premier secrétaire du PS ne cachait pas son intention de muscler son parti à ses dépens, sous le prétexte du nécessaire « rééquilibrage » de la gauche déjà évoqué. Les occasions de friction se succèdent. En février 1972, le PS condamne la répression en Tchécoslovaquie. Marchais lui réplique : que les socialistes arrêtent leur campagne anticommuniste ! Le 4 mars, le PS est représenté aux obsèques de Pierre Overney, où *L'Humanité* dénonce l'« indécente manifestation contre le parti communiste et la CGT ». En avril, Georges Pompidou annonce un référendum sur l'entrée du Royaume-Uni dans le Marché commun, pour bien montrer, sans doute, qu'il n'est pas un mime du général de Gaulle, très hostile à cet élargissement. Une arrière-pensée motivait aussi sa démarche : accroître le contentieux entre PS très « européen » et PCF hostile à la construction européenne. Ce référendum, de fait, rend visible la mésentente entre les deux partis de gauche : les communistes font campagne pour le « non », tandis que les socialistes prônent l'abstention. Le chiffre final des abstentions ajouté à celui de bulletins blancs et nuls dépasse 45 %, c'est un succès pour le PS mais aussi une faille notable dans l'union des deux partis, incapables de cimenter un front commun.

Elle ne découragea ni Marchais ni Mitterrand de poursuivre la négociation sur un programme d'union. À partir du mois d'avril, quatre commissions mixtes se mettent au travail sans pouvoir toujours surmonter les contradictions entre les points de vue. Le compromis est néanmoins signé le 23 juin 1972 par les deux délégations communiste et socialiste au siège du PCF, construit par Niemeyer, place du Colonel-Fabien. Assisté de Gaston Defferre et de Pierre Mauroy, François Mitterrand fait face à Marchais, flanqué de Jean Kanapa, l'intellectuel du parti, et de Roland Leroy, le directeur de *L'Humanité*. La bataille des concessions, on ne peut dire qui la perd, qui la gagne. Il y a des sursauts, des indignations, des gestes d'agacement : « Vous voulez notre chemise ! » s'exclame Marchais. Plus froid, irréductible, Mitterrand résiste. Il lâche du lest sur les nationalisations (neuf sont prévues dans le programme final), mais ne cède rien sur le respect des institutions (le PCF avait d'abord récusé l'éventualité de l'alternance), sur l'Alliance atlantique ni sur les libertés publiques…

Ce programme commun de gouvernement, que Michel Rocard qualifiera de « torchon de papier », on peut se demander si Mitterrand lui accordait beaucoup de sérieux. L'important était pour lui de parvenir, certes à moindres frais, mais avant tout de parvenir à un accord qui réenracine le PS à gauche. Un pas de géant était ainsi franchi. Peu de temps après, les radicaux minoritaires, emmenés par Robert Fabre et qui allaient former le Mouvement des radicaux de gauche, signaient à leur tour le programme commun.

Les commentaires allèrent bon train. La critique du programme la plus développée fut celle de Raymond Aron dans *Le Figaro* dont le titre, « Le programme commun de la gauche ou le cercle carré », résume le propos : « Le gouvernement socialiste-communiste aurait-il une chance quelconque d'obtenir un taux de croissance plus élevé que le taux actuel tout en augmentant les charges des entreprises, en réduisant la durée du travail, en nationalisant une fraction du secteur industriel et tout le secteur financier ? Croissance à la japonaise avec méthode et finalité socialistes, une telle combinaison n'équivaut-elle pas à un cercle carré ? [...] Par ignorance ou par dogmatisme, le parti socialiste affecte de croire que l'on peut multiplier les dépenses, spolier les actionnaires, nationaliser le crédit et, en même temps, maintenir le taux de croissance et poursuivre la construction européenne. » De son côté, Jean-François Revel, ancien membre du contre-gouvernement de la FGDS, croyait devoir constater dans *L'Express* que, cinquante-deux ans après le congrès de Tours, « les partisans de Blum se sont alignés sur ceux de Cachin... ». *Le Monde*, sous la plume de son directeur Jacques Fauvet, résuma l'accord du 27 juin comme « la date la plus importante pour la gauche depuis la scission du congrès de Tours ». Tout le monde était au moins d'accord là-dessus : c'était « historique ».

On peut se demander si le contenu du programme était le plus important aux yeux de Mitterrand. « La vertu du programme commun, expliquera Jean Poperen, est moins son contenu technique que sa signification politique[1]. » Pour le leader socialiste, c'est la double signature qui compte, l'union réalisée, l'appel aux électeurs qu'elle représente, et la possibilité pour le PS, qu'on ne peut plus imaginer hors de la gauche, de rafler la donne. Mitterrand ne manque pas d'arrogance pour s'en vanter. Le lendemain de l'accord signé, à Vienne où il se rend pour le

---

1. Cité par Philippe Alexandre, *Le Roman de la gauche*, Plon, 1977.

XIIe congrès de l'Internationale socialiste, il déclare devant les délégués : « Notre objectif fondamental, c'est de refaire un grand parti socialiste sur le terrain occupé par le PC, afin de faire la démonstration que, sur les cinq millions d'électeurs communistes, trois millions peuvent voter socialiste. »

Au demeurant, François Mitterrand assume pleinement le programme commun, comme on le voit dans sa chronique de *L'Unité*, l'hebdomadaire du PS, où il s'attache à répondre à Jean-François Revel, quelqu'un qui lui « importe ». Contestant s'être laissé imposer les choix du PCF, il fait valoir que, « sur les neuf groupes industriels dont la nationalisation figure expressément au programme commun, le parti socialiste en avait retenu huit (le neuvième étant Rhône-Poulenc) ». Revel aurait donc dû lire « Changer la vie », le programme du PS antérieur au programme commun, et il aurait pu constater que le parti communiste n'avait imposé aucun oukase à son partenaire. Nous pouvons nous interroger cependant sur le crédit qu'accordait François Mitterrand à ce programme socialiste pétri de marxisme et rédigé par Jean-Pierre Chevènement, Pierre Joxe et le Ceres. En l'occurrence, il sait l'utiliser contre Revel, non pas pour discuter du fond, de la valeur intrinsèque du projet, mais seulement pour prouver son indépendance à l'endroit du parti communiste. Pour répondre à ses adversaires ou anciens amis dont l'opinion lui importe, comme Jean-François Revel, Mitterrand choisit le registre moral : « Un pouvoir socialiste rendra justice en organisant la défense du plus grand nombre contre les privilèges exorbitants de quelques-uns et en libérant la puissance publique de l'entreprise de groupes de pression [...]. Nous serions fous d'abandonner au grand capitalisme le monopole des industries prospères[1]. »

Dans cette partie de poker entre Mitterrand et le parti communiste, qui sera vainqueur ? Marchais et ses camarades ont en tête

---

1. F. Mitterrand, *La Paille et le Grain, op. cit.*, p. 106-113.

le scénario de 1936. C'est vraiment du rassemblement populaire, unissant communistes, socialistes et radicaux, que date l'émergence du PCF comme force politique de premier plan ; c'est encore à l'union des résistants pendant la Seconde Guerre mondiale qu'il a dû de devenir le premier parti français. Il peut certes garder sa prépondérance dans un isolement muraillé, on l'a vu pendant la guerre froide, mais s'il veut imposer sa prééminence, ce ne peut être que par l'unité d'action avec ses alliés. Il s'agit, écrivent Stéphane Courtois et Marc Lazar, de ligoter le PS à ses côtés « afin d'attirer sa base sociale, tout en le mettant en avant afin de rassurer les "adversaires" de classe[1] ». Mais l'histoire ne se répète pas nécessairement, il est à craindre que, cette fois, ce soient les communistes qui vont tirer les marrons du feu pour les socialistes : une inquiétude qui explique la suspicion permanente de Georges Marchais et de ses camarades.

Le 1er décembre 1972, les signataires du programme commun organisent au parc des expositions de la porte de Versailles une grande fête, à laquelle participent plusieurs dizaines de milliers de personnes, et dont le gros de la troupe, selon la presse, est composé des militants du PCF et de la CGT. Les discours mettent en lumière la personnalité des trois chefs de l'Union — Robert Fabre, le pharmacien méridional butte témoin du vieux radicalisme, Georges Marchais, aux gros sourcils froncés, qui se veut rassurant, et François Mitterrand, qui, d'après *La Croix*, a fait dans le « lyrique » plus que dans le « politique », ce qui l'a mis en valeur : « Le visage se fait parfois ironique, parfois sévère, lit-on dans *France-Soir*. L'œil rêve un instant puis lance des éclairs. Le geste du bras souligne le propos. Mitterrand s'interroge sur le thème "qui êtes-vous, vous qui êtes là ce soir ?" ; il se fait poète pour réciter quelques vers de *La Rose et le Réséda* d'Aragon, évoquer "celui qui croyait au ciel et celui qui n'y croyait

---

1. Stéphane Courtois et Marc Lazar, *Histoire du Parti communiste français*, PUF, 1995, p. 353.

pas". Sous sa crinière blanche, Aragon sourit aux anges. La foule applaudit, réclame encore. C'est fini. On chante d'une seule voix *L'Internationale* et *La Marseillaise*. »

L'œcuménisme de gauche a cependant des limites. En février 1973, l'année des élections législatives, un sondage Publimétrie-*L'Aurore* révèle que le PS recueille 22 % des opinions favorables et devance un PCF à 21 %. Celui-ci réagit en se posant comme le vrai gardien du programme commun, lequel, qu'on le sache, ne pourra être appliqué que si le PCF reste le premier parti de gauche. Le premier tour des législatives, le 4 mars 1973, rassure quelque peu les communistes qui gardent la première place qu'ils occupent depuis 1945 avec un peu plus de 21 % des voix, mais le PS le talonne avec 20,65 %, ce qui représente une véritable percée. Sans doute les socialistes ont-ils le succès modeste, le contraire eût été inconvenant à l'égard de leur allié et vraisemblablement bon nombre d'entre eux, émoustillés par des sondages trop flatteurs avant le verdict, s'étaient-ils imaginés trop vite qu'ils allaient s'envoler au-dessus du PCF. Cela ne doit pas dissimuler que, le 4 mars 1973, les socialistes sont officiellement redevenus une force politique sérieuse en France. En 1958, la SFIO se tenait à 15 %, en 1962 à 12 %, et si 1967 avait vu la FGDS approcher les 19 %, la candidature de Defferre à la présidentielle de 1969 (« Monsieur 5 % ») avait jeté le parti socialiste dans l'abîme. Or cette remontée est due en partie à des transferts de voix communistes vers le PS. Dans la banlieue parisienne, une ceinture de bastions communistes, le PCF est à la baisse, le PS à la hausse. L'exemple de la Seine-Saint-Denis est suggestif : sur neuf circonscriptions, le PCF (en pourcentage des voix) perd du terrain par rapport à 1967 — tandis que le PS en gagne, et parfois très fortement dans six d'entre elles.

Mitterrand avait gagné. « Tranquillement, lit-on dans *Libération*, en toute indépendance vis-à-vis du PC, le PS est en train de devenir la première formation politique de la gauche. » L'alternance politique sous la Vᵉ République deviendra possible dans l'exacte mesure où le PCF s'affaiblira et le PS se renforcera. C'est par la reconstruction d'un grand parti socialiste, sûr de lui, débarrassé de tout complexe d'infériorité vis-à-vis du parti communiste, qu'on en finira avec l'appropriation du pouvoir par la droite. Le pari n'est pas encore gagné, bien du chemin reste à faire, mais Mitterrand détient une botte secrète, imparable, décisive : le mécanisme impitoyable de l'élection présidentielle dont le second tour fera plier le parti communiste.

Ces bons résultats électoraux, l'activité inlassable de Mitterrand qui, sans conteste, à l'Assemblée, n'a pas de rival quand il s'agit de pousser dans leurs retranchements Pompidou et son Premier ministre Pierre Messmer, successeur de Chaban depuis l'été 1972, tout cela concourt à ce que, dans son propre parti, où il n'a pourtant jamais fait l'unanimité, nul ne puisse le contrer. Au congrès du parti, qui se tient à Grenoble en juin 1973, le Ceres, l'ancien allié d'Épinay, s'y essaie. Mitterrand l'envoie dans les cordes, ironisant sur ceux qui « veulent faire un faux parti communiste avec de vrais petits-bourgeois ». Fort de l'appui de Gaston Defferre et d'Alain Savary, il terrasse sans peine son autre adversaire, l'arrière-garde molletiste, et clôt le congrès par un discours flamboyant : « Ayons notre langage propre. Nous ne disons pas que le PS doit passer avant la liberté, la démocratie ou même l'union populaire, mais en ce qui concerne les organisations politiques, nous devons faire du PS le premier parti de France. Il ne faut donc pas dissiper nos forces. » Les moins enclins à l'alliance communiste s'en convainquent : François Mitterrand est en train de gagner son pari. À cet égard, l'évolution d'un Gaston Defferre, foncièrement anticommuniste, devenu et resté maire de Marseille grâce à l'accord avec les centristes, atteste le chemin parcouru : en 1977, il sera réélu après avoir renoncé à son alliance avec la droite.

Le 12 septembre 1973, la nouvelle éclate : le putsch des généraux au Chili et le suicide de Salvador Allende. Nouveau premier secrétaire du PS, Mitterrand avait fait son premier voyage à l'étranger au Chili, en compagnie de Gaston Defferre et de Claude Estier. À Santiago, il avait aussi rencontré Fidel Castro. La question qui était au cœur de l'Unité populaire chilienne a été clairement posée dans *La Plume au poing* de Claude Estier[1] : « Le problème est bien de savoir si on peut réussir le socialisme en changeant les structures économiques et en préservant la démocratie. » Ce n'était pas nouveau. Depuis la révolution d'Octobre, les socialistes du monde entier se le demandaient. Dans les semaines qui avaient suivi la Libération, en 1944, Albert Camus croyait possible l'alliance d'une « économie collectiviste » et d'une « politique libérale », comme il l'écrivait le 1er octobre 1944 dans *Combat* : « C'est dans cet équilibre constant et serré que résident non pas le bonheur humain, qui est une autre affaire, mais les conditions nécessaires et suffisantes pour que chaque homme puisse être le seul responsable de son bonheur et de son destin[2]. » Hélas ! ce désir de concilier « la justice avec la liberté » n'avait jamais été satisfait. Dans le bloc de l'Est, la plus récente tentative de « socialisme à visage humain », le « printemps de Prague », avait été impitoyablement écrasée par les chars soviétiques. D'où résultait toute l'attention portée à l'expérience chilienne de l'Unité populaire issue de la victoire d'Allende à l'élection présidentielle. Une expérience difficile, qui venait de s'effondrer sous les mitrailleuses de Pinochet, avec l'aide de la CIA.

À un reporter qui lui demande si cet échec n'est pas la preuve qu'une expérience socialiste de ce type est irréalisable en France, Mitterrand répond : « N'est-ce pas la preuve que la droite et ce qu'elle incarne, le pouvoir de l'argent et la dictature d'une classe, ne reconnaît pour loi que la sienne, loi non écrite, mais irrévocable ? » À Étienne Mougeotte qui, sur Europe 1, lui pose la question de l'armée (l'armée française est-elle ou non au service

1. Claude Estier, *La Plume au poing*, Stock, 1977.
2. Albert Camus, *Œuvres complètes*, Gallimard, 2006, « La Pléiade », t. II, p. 539-540.

du capitalisme?) il répond : « Sur ce point, je n'ai pas de doutes. L'armée, ou plus exactement, car c'est bien d'eux qu'on parle, la majorité des officiers, n'éprouve aucun sentiment d'allégeance à l'égard du capitalisme en tant qu'état économique fondé sur la domination de la classe détentrice des moyens de production. » C'était faire l'impasse, tout de même, sur l'anticommunisme profondément ancré chez les cadres de l'armée, ce que l'ancien ministre de la Justice au moment de la guerre d'Algérie avait pu vérifier. Mais il valait mieux trancher en faveur de la loyauté des militaires à un moment où la presse de droite utilisait le Chili, Allende et Pinochet, pour condamner l'union de la gauche en France.

Le 6 octobre 1973, les armées égyptienne et syrienne attaquent Israël pour reconquérir les territoires occupés depuis 1967. Ce nouveau conflit israélo-arabe pourrait ébranler à son tour l'union de la gauche en France. Le PCF et le PSU se déclarent solidaires des pays arabes, ce qui rend la position du PS délicate. Ami d'Israël tout en étant favorable aux revendications palestiniennes, le PS ne peut applaudir à l'offensive des pays arabes. En même temps, il s'agit pour lui de préserver la fragile union de la gauche. Le 11 octobre, le bureau exécutif du parti publie un texte de compromis : oui à la reconnaissance du droit à l'existence d'Israël mais aussi « de toutes les autres nations du Proche-Orient y compris la nation arabe de Palestine ». La fédération de Paris, à majorité Ceres, vote une résolution sensiblement différente, un texte de solidarité avec les pays arabes. *L'Humanité* critique la direction du PS et cite le quotidien algérien *El Moujahid* qui s'en prend aux « tenants de la cause sioniste » que sont Mitterrand et Defferre. Mais de part et d'autre on ne pousse pas plus loin la divergence. Unité ! Unité !

Lors du débat sur la motion de censure qui ouvre la nouvelle session parlementaire quelques jours plus tard, l'intervention de François Mitterrand est particulièrement remarquée. Évoquant les réactions de la droite française après le coup d'État au Chili, il s'exclame : « La liberté dans le monde est indivisible comme elle est indivisible dans l'esprit. Personne ne la sauvera en invoquant Prague contre Santiago du Chili ou l'inverse. On n'excuse pas le crime par le crime. » Les applaudissements fusent de toutes les rangées de l'Hémicycle. Tout le monde tape des mains... sauf les communistes. Il y a bien une écharde dans la chair de l'union.

L'expérience de l'Unité populaire au Chili était-elle bien un modèle à suivre ? Cette conciliation de la justice sociale et de la liberté, le socialisme suédois ne l'avait-il pas réalisée ? En février 1972, Mitterrand s'était rendu à Stockholm et avait discuté avec Olof Palme. Avant de partir, tout le monde lui avait dit : « Vous allez en Suède ? Vous verrez que cette expérience n'a rien de commun avec le socialisme. » Or le tableau des réalisations sociales qu'il découvre ne manque pas de l'impressionner, en même temps que leur dénonciation en toute liberté par la presse conservatrice. Si seulement la France était sociale-démocrate ! Mais non, le « socialisme à la française » rejette le modèle suédois, condamne la social-démocratie, juge insupportable la « collaboration de classe » qu'elle pratique. On ne refait pas l'histoire. Les canons du marxisme et les pratiques du léninisme ont révoqué en doute tout projet de compromis. Les Suédois ont peut-être un niveau de vie très supérieur aux Russes, ils n'ont pas « rompu » avec le capitalisme. Conclusion : ils ne sont pas socialistes. En pragmatique, Mitterrand ne prétend pas convertir les socialistes français issus de 1905 (naissance de la SFIO) et les communistes de 1920 (naissance du PCF) au bien-fondé de la solution sociale-démocrate : il faut s'accommoder des héritages historiques ou ne plus rêver à l'union de la gauche. Il s'évertue à intérioriser les attendus et les aboutissants du programme commun : à le lire, à l'entendre se défendre contre ses objecteurs, on retire l'impression qu'il y croit. Au cours de ses séjours à Latche, il tente de résumer, dans *La Rose au poing*, la partie du programme avec laquelle il a le plus d'affinités : « le sort des libertés ». Mais il le répète : « L'esprit de système me révulse. Plus il se montre glo-

rieux et plus j'aperçois sa misère[1]. » En même temps, il y insiste :
« On appartient à un camp ou à un autre. Il n'y a pas de *no man's
land.* » Éliminer les structures capitalistes et libérer ceux qu'elles
oppriment, tel est le credo[2]. Mais allier le socialisme — l'appropriation des moyens de production — et la liberté — l'autorisation de blâmer le gouvernement, de se réunir dans l'adversité, de
manifester son opposition — n'est-ce pas, contrairement à ce que
pouvait espérer Camus au sortir de la Seconde Guerre mondiale,
vouloir réaliser la quadrature du cercle ?

Une défaite d'un cheveu

La fin de l'année 1973 annonce un tournant de grande
ampleur dans l'évolution économique mondiale. Le 17 octobre,
réunis à Koweït, les membres arabes de l'Opep (Organisation des
pays exportateurs de pétrole) adoptent un programme progressif
de rétention pétrolière, applicable jusqu'au retrait des Israéliens
des territoires occupés. C'est la fin du pétrole bon marché : le prix
du brut est plus que doublé. C'est aussi la fin de ce qu'on appellera les « trente glorieuses » : ce premier « choc pétrolier » en est le
signal plus que la cause. La France est menacée de récession non
seulement par le coût nouveau de l'énergie mais par l'inadapta-
tion de ses structures industrielles à la compétition mondiale.
Le chômage croît sensiblement, atteignant 440 000 personnes
en mars 1974.

C'est dans cette conjoncture inquiétante qu'on apprend, le
2 avril 1974, la mort de Georges Pompidou à Paris. On le savait
malade, tout le monde avait vu à la télévision son visage enflé
par la cortisone, mais l'annonce de son décès prend de court la
classe politique. En attendant l'élection de son successeur, Alain

---

1. F. Mitterrand, *La Paille et le Grain, op. cit.*, p. 248.
2. François Mitterrand , *La Rose au poing*, Flammarion, 1973, p. 20.

Poher, président du Sénat, assure une nouvelle fois l'intérim. La présidence de Pompidou avait coïncidé avec des années de prospérité : sa mort, avec le recul, apparaîtra comme une tombée de rideau sur une période faste. L'épreuve de vérité saisit l'union de la gauche deux ans plus tôt que prévu. Nul doute que François Mitterrand sera son candidat. Mais un nouvel obstacle à la bonne entente entre les signataires du programme commun vient de s'élever : l'affaire Soljenitsyne.

Dans *L'Archipel du Goulag*, sorti clandestinement d'URSS et publié en 1973 en Allemagne dans sa langue originale, Alexandre Soljenitsyne traçait en grand écrivain une fresque saisissante des bagnes soviétiques sous Staline, où des millions de *zeks* (prisonniers politiques) avaient trouvé la mort et à quoi lui-même avait été condamné. Le 13 février 1974, le Soviet suprême prononça le bannissement de l'écrivain pour « activités incompatibles avec le statut de citoyen soviétique et portant préjudice à l'Union soviétique ». L'ouvrage alors en traduction devait paraître en français au début du mois de juin de la même année, aux Éditions du Seuil.

Les communistes français dénoncent incontinent Soljenitsyne, attaquent *Le Nouvel Observateur* qui « se montre sous son vrai jour d'organe avant tout antisoviétique, anticommuniste et diviseur de la gauche ». Certains intellectuels mêlent leurs voix à cette critique, d'autres comme Maurice Clavel, Claude Lefort, André Glucksmann prennent la défense du dissident : l'affaire est suffisamment grave pour menacer d'ébranler l'union de la gauche. Dans la livraison d'*Esprit* de mars 1974, Jean-Marie Domenach pose la question : « Que va faire la gauche française ? [...] La vérité est que l'union de la gauche reste empoisonnée par le cadavre du stalinisme. Pour avoir hésité à poser cette question nettement, les dirigeants socialistes sont maintenant pris au piège et tentent de s'échapper dans des déclarations ambiguës. » Le directeur d'*Esprit* enfonce le couteau dans la plaie : « Il y a en France des millions de gens qui sont prêts à soutenir l'union de la

gauche, mais qui n'arrivent pas à se débarrasser de cette question :
"Les dirigeants du PCF, qui ont déclaré à plusieurs reprises
qu'ils garantiraient les libertés démocratiques, comment se fait-il
qu'ils considèrent les camps de Sibérie, la psychiatrie carcérale,
le contrôle policier de l'édition, la normalisation de la Tchécoslovaquie, comme des choses négligeables, auxquelles on décerne
en passant l'aumône d'un regret quand on ne les nie pas, au
mépris de tous les témoignages, jusqu'à prétendre maintenant
qu'il ne faut pas en parler pour ne pas nuire à la gauche ?" »

Dans sa stratégie Mitterrand n'avait certes pas besoin de ce
nouveau scandale. Il se trouve pris dans un conflit des devoirs : ne
pas rester silencieux devant le despotisme soviétique et, en même
temps, garder un profil bas pour éviter de faire éclater l'entente
avec les communistes. Pendant tout le déroulement de l'affaire
Soljenitsyne, chauffée par le séjour de l'écrivain russe à Paris,
Mitterrand et les socialistes, sur une ligne de crête, affirment
vouloir conserver leur « sang-froid ». Le problème s'était déjà
posé à propos de la Tchécoslovaquie. Dans son bloc-notes de
L'Unité, Mitterrand écrivait alors : « Yvette Roudy, dont j'aime
l'intégrité, s'effraie d'un tel débat alors que la campagne pour le
programme commun mobilise les énergies. N'est-ce pas, me dit-
elle ce matin, risquer de semer le doute ? Je lui réponds que si le
programme commun devait aussi peu que ce fût altérer ou neutraliser le combat socialiste pour le droit, celui des peuples et celui
des personnes, il serait haïssable[1]. » C'était dit, mais c'était peu
dire. Au moment de l'affaire Soljenitsyne, Jean Daniel avait posé
« une question écrasante : l'univers concentrationnaire, qui a été
inséparable du stalinisme, peut-il être séparé du socialisme[2] ? ».
Ses articles du *Nouvel Observateur* lui avaient valu d'être fustigé
par *L'Humanité*. Mitterrand prend la défense de Jean Daniel et
de son journal dans *L'Unité* : « J'ai lu avec la plus grande attention

1. F. Mitterrand, *La Paille et le Grain, op. cit.*, p. 143-144.
2. Jean Daniel, *Œuvres autobiographiques*, Grasset, 2002, p. 494.

les articles qu'il a consacrés depuis quelque temps à l'affaire Soljenitsyne. S'il s'agit bien là du brûlot qui a provoqué l'incendie, mieux vaut s'en expliquer clairement que procéder par anathème. » Mais il ménage le PCF : « Je ne crois pas juste de reprocher à Georges Marchais un relent de stalinisme dès lors qu'il épouse l'attitude du parti russe à l'égard de l'écrivain rebelle. Les atteintes à la liberté d'expression en URSS sont un fait que les socialistes condamnent depuis un demi-siècle. Comment ne pas mesurer cependant l'évolution amorcée par le XXᵉ congrès et poursuivie sous Leonid Brejnev ? Mais je m'étonne aussi du coup de sang qui a donné la fièvre au parti communiste français au point de ranimer un vocabulaire (*"Le Nouvel Observateur* professionnel de la division !"*) que l'on imaginait jeté aux oubliettes. Je suis pour ma part persuadé que le plus important n'est pas ce que dit Soljenitsyne, mais qu'il puisse le dire. Et que si ce qu'il dit nuit au communisme, le fait qu'il puisse le dire sert ce dernier bien davantage. Serions-nous d'accord là-dessus que la dispute actuelle — à condition qu'elle cesse — aurait servi à quelque chose[1]. » En cherchant à se concilier la bienveillance d'un parti resté dans le giron soviétique tout en portant haut l'étendard de la liberté, François Mitterrand pratiquait l'art de faire cohabiter les contraires dans sa stratégie politique. La question n'est pas, pour lui, de savoir à quoi on « croit » mais jusqu'où on peut aller dans la concession sans être incohérent.

Dès le jeudi 4 avril, jour où l'Assemblée nationale rend hommage au Président défunt, Jacques Chaban-Delmas fait acte de candidature. Celle-ci est ratifiée par le bureau exécutif de l'UDR, mais le lundi 8, depuis sa commune de Chamalières, dans le Puy-de-Dôme, Valéry Giscard d'Estaing se déclare à son tour candidat. La droite est ainsi sévèrement divisée. Le 9, Pierre Messmer, jouant les bons offices, fait don de sa personne à la cause d'une candidature unique de la majorité, mais en vain.

---

1. F. Mitterrand, *La Paille et le Grain, op. cit.*, p. 255.

Chaban s'entête ; Giscard, lui, reçoit l'appui de Jean Lecanuet, président du Centre démocrate. Cette division confirmée ne sera-t-elle pas le meilleur atout de la gauche ?

François Mitterrand ne s'est pas prononcé d'emblée. Chez lui, jamais de précipitation, mais une saine lenteur d'horloger. Il sait qu'il sera désigné le « candidat commun de la gauche » par les trois partis signataires du programme de gouvernement. « Personnellement, avait-il déclaré le 1er avril à *L'Express*, je ne suis pas particulièrement désireux d'être candidat. Mais, objectivement, je ne vois pas comment je pourrais faire pour ne pas l'être. » Du dévouement, quoi ! Cependant, le quatrième parti de gauche, le PSU, qui, lui, n'a rien signé, menace encore de lui jeter un chat dans les jambes. Le 4 avril, il demande à Charles Piaget d'entrer en lice au nom de tous ceux qui ont soutenu l'aventure des « Lip » — la grève puis l'occupation suivie de l'« autogestion[1] » de la fameuse usine de montres de Besançon. Piaget, syndicaliste CFDT, chef charismatique des grévistes, refuse d'être le candidat de cette gauche protestataire. Finalement, la direction nationale du PSU, derrière Michel Rocard, rallie le 7 avril la candidature Mitterrand, que décide de soutenir aussi la CFDT. À la marge, les groupes trotskistes présenteront Arlette Laguiller et Alain Krivine, incapables de faire cause commune. Sartre, interrogé par *Libération*, pense que « l'union de la gauche est une plaisanterie. Les socialistes essaieront de manger les communistes, et inversement, si nous supposons Mitterrand élu […]. Je vois la possibilité de lutter contre la droite et contre la vieille gauche, la fausse gauche, mais cela, certainement pas en acceptant d'être avec eux pour les élections ». Le démon de l'extrême gauche est toujours vivant.

Ce jour-là, le 7 avril, qui était un dimanche, François Mitterrand le passait à Vézelay après avoir été la veille à Château-Chinon. Le lendemain, un congrès extraordinaire du PS réuni à

---

1. Les ouvriers de Lip n'acceptaient pas le mot, mais leur action fut largement considérée comme allant dans ce sens.

Paris approuve à l'unanimité la candidature de son premier secrétaire, lequel, surgi à la fin du vote au milieu d'une nuée de photographes, s'exclame : « Vous voulez que je sois votre candidat ? Je le
serai. » Le contraire en eût étonné beaucoup. Il était le seul postu-
lant à ne pas s'être présenté lui-même, déclare Defferre : « Une
belle leçon de démocratie. » Et puis, à la fin, François a brandi
une rose tandis que les congressistes entonnaient *L'Internationale*
avant de passer, après une certaine hésitation, à *La Marseillaise*.

Les communistes, prompts à soutenir ce choix, n'en sont pas
moins inquiets. Aux élections cantonales de septembre 1973, ils
ont encore reculé. Ils commencent à redouter que l'union de la
gauche ne bénéficie surtout à un parti socialiste en plein élan.
Mais ils ne changent pas de cap, du moins dans l'immédiat. Après
une entrevue de Roland Leroy et Paul Laurent avec Claude Estier
et Gérard Jaquet, Georges Marchais a officiellement, par lettre,
annoncé son choix à Mitterrand. Celui-ci laisse le soin à Pierre
Mauroy de répondre, ce qui est vexant pour le secrétaire général.
Au long de la campagne, les communistes n'arrêteront pas de
nourrir des doutes, car, loin de se présenter comme le porte-
parole du programme commun, Mitterrand se déclare le candidat de tous les Français. Mauroy dans sa réponse à Marchais
avait affirmé que le candidat de la gauche aurait à défendre
« les orientations fondamentales du programme commun de gouvernement ». Certes, mais de loin. Le 25 avril, sur Europe 1,
Mitterrand dit bien qu'il se présente « afin de défendre les orientations fondamentales du programme commun », mais cette expression « orientations fondamentales » se résume à de grandes lignes.
Dans sa campagne électorale, il insiste avant tout sur les libertés
publiques et sur les efforts à produire contre l'inflation. Il déclare
alors : « La gauche ne recherche pas la victoire pour elle-même.
Elle sait bien les injustices à réparer, mais elle ne veut pas la
victoire pour elle seule. Nous la voulons pour le peuple tout entier.
S'en exclura qui voudra. Nous ne sommes pas de ceux qui coupent
la France en deux. » Pour la lutte des classes, on repassera.

La campagne qu'il mène en 1974 n'a rien en commun avec celle, très improvisée, de 1965. Cette fois, Mitterrand a des moyens. Il installe son QG au troisième étage de la tour Montparnasse — une manière de montrer son indépendance vis-à-vis du PS. Il charge Claude Perdriel, directeur du *Nouvel Observateur*, d'organiser sa campagne. Celui-ci rapporte des États-Unis les nouvelles méthodes du *marketing* politique, y compris la collecte des fonds. Les fidèles amis, Dayan, Dumas, Mermaz, Hernu, Estier, Joxe, Fillioud, Beauchamp, Grossouvre et bien d'autres, pleins de ferveur, sentent venir l'heure. Toute cette équipe est placée sous le contrôle de Gaston Defferre, maître en technique électorale, tandis que Pierre Mauroy, devenu premier secrétaire par intérim, garde en sentinelle la « vieille maison » de la cité Malesherbes.

Jacques Attali, nouvelle recrue, énarque inventif, qui devient le conseiller en économie, a eu l'idée de demander à Michel Rocard, toujours à la tête du PSU, de venir l'épauler. Oubliant tous ses griefs contre Mitterrand, Rocard accepte d'enthousiasme, bien qu'au sein de son parti nombre de ses camarades penchent encore pour Charles Piaget. Bien accueilli par Mitterrand, qui n'est pas fâché d'avoir avec lui le représentant le plus connu du socialisme autogestionnaire, il prépare en compagnie d'Attali la plate-forme économique et financière de Mitterrand. Tous les deux sont même missionnés en Allemagne, avec Robert Pontillon, chargé des relations internationales, pour rencontrer le chancelier Willy Brandt à Bonn. Entre autres assurances, la délégation demande à Willy Brandt de permettre à Mitterrand, en cas de putsch militaire, de pouvoir s'adresser aux Français sur Europe 1, dont l'antenne est située en Sarre. Le Chili autant que mai 1958 sont dans les têtes. Moment important pour Rocard : « Je m'occupais enfin de choses sérieuses[1]. »

Dans un entretien avec Jean Lacouture, Claude Perdriel nous

---

1. Robert Schneider, *Michel Rocard*, Stock, 1987, p. 205.

montre un Mitterrand toujours soucieux de « susciter des rivalités, compétition, émulation entre les siens ». Toutefois : « J'avais
obtenu de lui la promesse d'être le seul responsable du secteur
information. Je n'ai pas mis longtemps à m'apercevoir que
Fillioud avait de son côté des responsabilités, et surtout que
Rousselet avait plus que son mot à dire. Compte tenu de l'amitié
qui les liait tous deux à Mitterrand, il n'y avait pas à s'en étonner,
mais c'était irritant. » Le conseiller doit aussi concentrer ses
efforts sur la télévision : « Nous avons bien essayé de lui faire
prendre des leçons de télévision, comme de Gaulle l'avait fait
— et bien sûr Giscard. Trop assuré de son talent, il s'y refusa (s'y
résignant plus tard). Mais nous avons réussi, avec l'appui de
quelques dames, à lui faire modifier sa garde-robe... et à se faire
limer les dents[1]... »

Et les communistes ? Mitterrand ne s'en occupe pas, sauf qu'il
accepte, c'est le moins, un grand meeting avec eux le 25 avril à la
porte de Versailles. Georges Marchais, bien sûr, en appelle en cas
de victoire à l'application de « tout le programme commun, rien
que le programme commun », tandis que Mitterrand, lui, en
reste aux « options fondamentales » dudit programme. Dans les
meetings et les conférences de presse, il résume son projet en
cinq points : une France plus présente, un peuple plus fraternel,
une monnaie plus forte, une société plus juste, des hommes plus
libres. Concrètement ? Il préconise la retraite à soixante ans, la
réduction des heures hebdomadaires de travail, la cinquième
semaine de congés payés, le droit des jeunes femmes mineures
à la contraception, la réforme régionale, le blocage temporaire
des prix, l'augmentation du Smic... Ses propositions, dans
l'ensemble, sont en retrait par rapport au texte du programme
commun. Mitterrand pour être élu, il le sait, doit compter sur un
déplacement des voix centristes vers lui, au moins au second tour.

---

1. J. Lacouture, *Mitterrand, une histoire de Français, op. cit.*, t. I, p. 323. À vrai dire,
il s'y résoudra plus tard.

Maintenant que la discipline de l'union est acquise à gauche, il doit viser à augmenter son crédit auprès des électeurs incertains, aux habituels partisans du centre qu'il ne faut pas effaroucher : les gros yeux de Georges Marchais suffisent à en inquiéter plus qu'il ne faut.

Il est détendu, François Mitterrand. Souvent, il a l'air de s'amuser. Un journaliste du *Monde*, André Laurens, l'a rencontré dans son nouvel appartement : « M. François Mitterrand habite, depuis quelques mois, un curieux petit hôtel de la rue de Bièvre, sur la rive gauche. Pierres anciennes, marches usées, murs fraîchement repeints, ascenseur intérieur, le confort moderne se mêle aux charmes du passé, en toute simplicité. Le candidat est dans son bureau, sous les toits : une chambre d'étudiant (qui bûcherait un concours). Tous les livres ne sont pas encore rangés : la plupart d'entre eux viennent de loin, d'une jeunesse où la lecture était la grande évasion et l'écriture la grande aventure, d'autres sur le bureau, de parution récente, témoignent de la durée de ses vieilles passions. En cette fin de matinée, M. Mitterrand apparaît plus reposé qu'on le croirait après un tel effort. Comme toujours, lorsqu'il est dans un cadre familier, il est d'une grande disponibilité. Il répond aux questions en prenant son interlocuteur à témoin, en dit un peu plus que ce qu'il acceptera de laisser publier, plaisante volontiers. »

Mitterrand veut rassurer. « Le programme commun est un programme de gouvernement qui ne comporte aucun calendrier. » Du reste, celui-ci a été établi au printemps 1972, en pleine croissance économique. « La croissance s'est réduite à 4,5 % en 1974, avec une inflation record. » Pour l'immédiat, il promet la lutte contre l'inflation, la défense du franc et la sécurité de l'emploi. Et les nationalisations ? Silence. Dans sa profession de foi, il s'assume socialiste mais ajoute : « Comme le sont le chancelier Brandt en Allemagne, le chancelier Kreisky en Autriche, Harold Wilson, Premier ministre de la Grande-Bretagne, Olof Palme, Premier ministre de Suède, Trygve

Bratelli, Premier ministre de Norvège, Joop den Uyl, Premier ministre de Hollande, pour ne citer que quelques dirigeants politiques d'Europe occidentale...» Toute cette sarabande de sociaux-démocrates que les communistes détestent!

Néanmoins, Mitterrand est leur allié. C'est sa force, c'est sa faiblesse. Quand, dans la campagne, il débat une première fois avec Giscard, sous le chapiteau d'Europe 1, son adversaire a beau jeu de le confondre avec une politique économique administrée : « Il n'y a à l'heure actuelle aucune société avancée qui ait choisi l'organisation collectiviste. » Jean d'Ormesson en rajoute dans *Le Figaro* : « En cas de victoire de M. Mitterrand [...], le poing, assez vite, s'abattra sur la rose qu'on nous agite sous le nez. L'ombre derrière Mitterrand, ce n'est pas la grande ombre de Jean Jaurès ou de Léon Blum, ce sont les ombres mêlées et sinistres de Georges Marchais et de son maître, Staline. » Il est fort, Giscard. D'autant que, dès le 13 avril, entraînés par Jacques Chirac, quarante-trois élus lancent un appel pour défendre le principe d'une candidature unique de la majorité, qui brise l'unité du soutien que Chaban-Delmas avait reçu de l'UDR. Manifestement, une grande partie des néogaullistes préféraient l'homme de Chamalières au maire de Bordeaux.

Les campagnes électorales, François Mitterrand les aime. Une nouvelle fois, il parcourt la France, réunit des foules devant lesquelles il use à merveille de son art oratoire bien au point, tantôt caustique et drôle, tantôt solennel : «Travailleurs sans droit et sans pouvoir, je vous appelle à nous, nous travaillons pour vous. » Il subjugue, il fait rire, il enthousiasme ; on l'écoute ravi, sa verve enchante, on l'applaudit à tout rompre.

Au premier tour, le 5 mai 1974, Valéry Giscard d'Estaing a réussi son coup, arrivant deuxième avec plus de 32 % des voix, devant Jacques Chaban-Delmas, relégué en troisième position avec à peine plus de 15 %. Le gaullisme historique est révolu. François Mitterrand, lui, arrive largement en tête avec plus de 43 % des suffrages. Il est néanmoins déçu : le dernier sondage laissait espérer 45 %. Pourra-t-il ratisser les quelque 7 % qui manquent ? Entre le candidat de la droite libérale et le candidat de la gauche socialiste, la lutte se révèle âpre, égale et incertaine. Des anciens gaullistes, estimant leur cause trahie, apportent leur soutien au candidat de la gauche : Romain Gary, Jean-Marcel Jeanneney, Jacques Debû-Bridel, Philippe Viannay, Louis Vallon, Daniel Cordier… Mitterrand a la Résistance avec lui ! Michel Debré, avant tout hostile à la gauche, appelle au nom des gaullistes à voter Giscard. Les communistes, eux, jouent le jeu. On voit même Georges Marchais s'enhardir à déclarer « inopportune » la visite de l'ambassadeur d'URSS à Paris au candidat libéral.

Devient peut-être déterminant le duel télévisé entre les deux hommes, qui a lieu le 10 mai. Grand moment de télévision au cours duquel François Mitterrand, toujours quelque peu emprunté devant les caméras, subit les attaques talentueuses de Giscard, très à l'aise. Celui-ci trouve le mot qui deviendra historique : « Monsieur Mitterrand, vous n'avez pas le monopole du cœur. » Quand Giscard lui assène qu'il est « lié au passé par toutes ses fibres », il ne réplique pas, comme indifférent à l'algarade. Surtout Giscard, plein d'assurance, professoral, donneur de leçons, paraît beaucoup plus compétent que lui, qui n'a jamais été un as en économie. De l'avis général, le ministre des Finances a porté une botte fatale au député de la Nièvre. Mais non ! « La présidence pour lui, écrit François Mitterrand, le 12 mai, de son adversaire dans son bloc-notes, est un point d'arrivée, pour moi un point de départ. Ce que j'accomplis maintenant engage, immensément, plus que moi-même. Élu, Giscard sera capable de grandes actions. Élu, je changerai le cours des choses et donc la vie des hommes de mon temps[1]. » Dans les jours suivants, les sondages de l'Ifop et de la Sofres rétablissent l'équilibre, le public se passionne dans l'attente du verdict, la polémique enfle entre

---

1. F. Mitterrand, *La Paille et le Grain*, op. cit., p. 277.

les deux adversaires. Mitterrand y croit. Quel est son pronostic ? Un 50-50, « avec un petit quelque chose en plus ». Le 17 mai, Alain Poher auquel il rend visite lui révèle que les rapports des préfets lui sont favorables. Il confie à Gaston Defferre de préparer avec Louis Mermaz la composition d'un gouvernement.

Le dernier grand meeting de Mitterrand a lieu à Grenoble, où Pierre Mendès France est venu le soutenir devant une foule vibrante. Mais, au final, le dimanche 19 mai, c'en est fait : Giscard d'Estaing l'emporte d'une courte tête, à quatre cent mille voix près : 50,81 % contre 49,19 %. C'est une défaite pour la gauche, mais aussi une promesse : la droite n'est pas invincible, la prochaine fois sera la bonne !

Mazarine

Sans trop le dire, Mitterrand est déçu. Pour la deuxième fois battu à une présidentielle, il se demande sérieusement s'il n'est pas temps pour lui de jeter l'éponge. « Croyez-vous que je rêve tant que ça à la présidence de la République ? dit-il à Jean Daniel. Bien sûr, j'ai le goût du pouvoir, et ça m'aurait fait plaisir d'être chef de l'État, mais ce n'est pas fondamental pour moi, pas du tout[1]. » Est-il sincère ? On peut le croire, car sa personnalité est double. Quand bien même son ambition politique défie les montagnes, elle ne le dévore pas.

Le plus étonnant peut-être chez ce professionnel des tréteaux électoraux, ce chef de parti, ce manœuvrier de toutes les heures, est sa fidélité gardée à une conception de la vie qui ne se réduit pas à la politique. Dans son bloc-notes de *L'Unité*, il démontre à quel point ses voyages incessants, ses meetings à n'en plus finir, ses conférences de presse, ses visites aux uns et aux autres, ses conciliabules avec son équipe de campagne, la préparation de ses

---

1. Cité par F.-O. Giesbert, *François Mitterrand, une vie*, *op. cit.*, p. 277.

discours, rien de toute cette concentration sur le but politique à atteindre ne lui interdit de continuer à mener sa vie comme il l'entend et de cultiver son jardin secret.

Nombre de ses lecteurs, militants socialistes, doivent être assez étonnés de lire ses hymnes à la nature, ses attendrissements sur les arbres et sur les fleurs, sur la production de ses arbres fruitiers à Latche : « J'ai récolté cette année, écrivait-il en novembre 1973, un quarteron de pommes et de poires, pour mémoire. De cerises, de pêches, de prunes, de brugnons, point. […] La difficulté est de localiser l'ennemi. Le cantonnier, qui s'intéresse à mes travaux, accuse le vent d'ouest, le vent salé. J'aurais, selon lui, implanté le verger (vingt arbres) au plus mauvais endroit possible, là où se glisse par l'échancrure des collines le courant d'air malin. » Et d'écouter les autres hypothèses de ses voisins de campagne. Les arbres le passionnent mais aussi les oiseaux : « Avez-vous écouté le merle chanter dans le silence qui sépare le départ de la nuit du lever du soleil ? Quand le soliste attaque les premières notes, un concerto pour flûtes lui répond. Ce sont les merles du canton qui célèbrent la naissance du jour[1]. » Il connaît, lui, la sagesse : « La vie est trop courte pour vivre. On découvre trop tard que la merveille est dans l'instant[2]. »

Il voyage, souvent incognito. Il est à Venise en décembre 1973 : « L'usure du temps et la sottise se conjuguant, Venise s'enfonce dans une lagune qui s'assèche et pourrit, les usines implantées à ses portes aspirent l'eau souterraine, rejettent des acides, déversent fumées et déchets, le chauffage domestique au fuel pollue l'air et l'eau, corrompt le bois, la pierre[3]. » Une longue dissertation sur la cité des Doges suit, à l'étonnement émoussé de ses lecteurs qui commencent à s'habituer au récit de ses errances.

Promeneur du Morvan, randonneur de Bourgogne, il a fixé à

---

1. F. Mitterrand, *La Paille et le Grain*, *op. cit.*, p. 209.
2. *Ibid.*, p. 214.
3. *Ibid.*, p. 218-219.

chaque dimanche de la Pentecôte l'escalade avec ses proches de la roche de Solutré, qu'il achève, dit-il, « dos à plat sous un cerisier ». L'ascension deviendra un rite annuel où les mitterrandiens invités se flatteront de participer comme à une cérémonie pour *happy few*. « De la roche de Solutré, écrit-il, quand la brume ne monte pas des fonds de Saône, on distingue la barre du Jura et parfois par-dessus le massif des Alpes, invisible, l'équerre du mont Blanc. Mais aujourd'hui, trop dense, la lumière s'obscurcit elle-même et le regard se perd au-dessus de la Bresse[1]. »

Le 7 avril 1974, peu de jours après la mort de Pompidou, et alors qu'il va devenir le lendemain le candidat officiel de la gauche, il est une nouvelle fois à Vézelay, et il le raconte : « Voici trente ans que je suis (à ma manière) un pèlerin de Vézelay. Ce que j'y cherche n'est pas précisément de l'ordre de la prière bien que tout soit offrande dans l'accord du monde et des hommes. Je pourrais tracer de mémoire un cercle réunissant tous les points d'où, du plus loin possible, on aperçoit la Madeleine. [...] À Maison-Dieu, j'ai suivi le sentier des bois qui la montre soudain église de village tout en haut de sa rue. "Vézelay, Vézelay, Vézelay, Vézelay", connaissez-vous plus bel alexandrin de la langue française ? J'en ai mieux aimé Aragon. » Sans doute Aragon est-il de tous les communistes celui qui comprend le mieux cet homme qui aurait pu être un écrivain et qui est si sensible à la poésie.

Ce qu'il ne dit pas, c'est qu'à Vézelay il vient rarement seul. Une femme est à ses côtés, cette Anne Pingeot qui n'est connue que de ses amis très proches, cette jeune femme qu'il a rencontrée grâce à son partenaire de golf à Hossegor, Pierre Pingeot, le père, qui est à peu près de son âge, un industriel de Clermont-Ferrand. Anne n'appartient pas à son univers politique. Elle est d'une famille très conservatrice, mais la politique en soi ne l'intéresserait pas, si ce n'est son amour secret pour François, qu'elle vénère. Et lui s'est épris d'une femme si différente de celles qui l'entourent et

1. *Ibid.*, p. 177.

se donnent si souvent à lui. Simple, sans maquillage, coiffée souvent d'un chignon, vive, une de ces compagnes avec lesquelles l'échange est possible. Elle s'est résignée à rester clandestine, comprenant que François ne divorcera pas. Il l'emmène plusieurs fois par an à Vézelay, où il peut compter sur un vieux complice, le restaurateur Marc Meneau, patron de L'Espérance. Danielle a fini par découvrir cette liaison cachée, mais elle s'est résolue à accepter ce pacte qui la lie à son mari, par admiration pour lui, parce qu'il la garde, parce qu'il est le père de ses deux fils. Conservatrice au musée du Louvre, Anne le rejoint pendant les weekends, elle suit ses campagnes électorales, discrète, attentive, à l'insu de presque tout le monde : on la prend pour une secrétaire. Depuis 1973, elle habite un petit appartement rue Jacob, dans le quartier de Saint-Germain-des-Prés, l'année où Mitterrand emménage rue de Bièvre.

Pierre Pingeot a eu vent de la liaison entre son partenaire de golf et sa fille, une nouvelle qui ne le réjouit pas, on s'en doute. Mais Anne tient tête, et sa famille devra accepter sa résolution. Elle veut un enfant de François. Malgré ses réserves, il accepte de donner à cette femme à qui il ne veut ou ne peut offrir une vie commune, et encore moins le mariage, de devenir le père de l'enfant qu'elle souhaite. En décembre 1974, Anne Pingeot accouche d'une fille, Mazarine, dans une clinique d'Avignon[1].

« Un personnage de roman », avait coutume de dire François Mauriac de François Mitterrand. Il ne croyait pas si bien le connaître. On saura plus tard, bien plus tard, l'histoire de cette paternité restée occulte, qui, loin d'être blâmée par les Français, rendra le vieux président de la République encore plus romanesque à leurs yeux. Pendant vingt ans encore, cette double vie restera confinée dans le cercle restreint des initiés.

À cinquante-huit ans, sa déception électorale passée, Mitterrand ne se résigne pas à la retraite. Après tout, il n'aura que

---

1. David Le Bailly, *La Captive de Mitterrand*, Stock, 2014, p. 195.

soixante-cinq ans à la prochaine présidentielle de 1981. De Gaulle, lui, avait deux ans de plus quand il est revenu au pouvoir. L'important est de gérer et d'accroître le capital politique qu'il a acquis à force de volonté. La défaite l'a ébranlé, mais son adversaire l'a emporté de si peu que tout espoir reste permis. L'« animal politique » n'est pas prêt à rentrer dans sa tanière.

VIII

LA VICTOIRE

La tentation de rendre les armes, après son échec à la présidentielle, ne l'a effleuré qu'un instant. L'essor du parti socialiste dans les semaines qui allaient suivre remettra en selle François Mitterrand : au congrès de Pau, au début de 1975, le PS, qui avait 70 000 adhérents l'année d'Épinay, en compte maintenant 150 000. La victoire paraît désormais à la portée de la gauche, ce n'est pas un écart de 425 000 voix (sur vingt-sept millions de suffrages exprimés) qui pouvait mettre en doute cette conviction désormais répandue.

Outre les adhésions individuelles qui affluent, la question se pose au PSU, dont l'ancien secrétaire national, Michel Rocard, a participé activement, à titre personnel, à la campagne de Mitterrand. Il prône le rapprochement de son parti avec le PS. Au début d'octobre 1974, plaidant cette cause devant le conseil national du PSU, il est désavoué par une majorité hétéroclite mais unie par l'illusion révolutionnaire. Rocard n'entraînera que la minorité au PS.

Selon le témoignage de Gilles Martinet, ancien membre du PSU rallié au nouveau parti socialiste, « Mitterrand n'était pas enthousiasmé par cette arrivée de militants qui appartenaient à cette "deuxième gauche" qui lui étaient hostiles. Mais il mesurait l'intérêt médiatique d'un tel ralliement. Il laissa donc faire Pierre Mauroy, Alain Savary et moi-même qui en étions les plus chauds partisans. Nous organisâmes des "assises du socialisme" destinées à permettre à la minorité du PSU qui suivait Rocard et à un certain nombre de cadres de la CFDT de rejoindre la tête haute le parti socialiste[1] ».

À cet « intérêt médiatique » Mitterrand ajoute une autre raison d'accepter cet élargissement. Il a conscience que le PCF dispose d'une supériorité sur son parti : son ancrage dans la classe ouvrière via la CGT. Au début de son histoire, le parti communiste avait provoqué une scission dans le syndicalisme français, créé une CGTU rivale de la CGT. Les deux organisations avaient fusionné au moment du Front populaire. Une nouvelle scission, due à la guerre froide, avait donné l'avantage aux communistes, devenus les maîtres de la confédération. Dès lors le PCF et la CGT formaient les deux divisions d'une même armée, nombre de dirigeants cégétistes figurant parmi les membres du comité central et autres instances de la direction communiste. Le PS, lui, n'avait aucun relais dans le monde ouvrier car la CGT-FO, issue de la scission de 1947-1948, s'attachait à perpétuer le principe de l'indépendance syndicale. Mitterrand connaît cette histoire : « Coupé de sa base, le socialisme français s'est éloigné du corps social dont il était jusqu'alors le représentant naturel, tandis que le parti communiste, misant sur l'attachement des travailleurs à leur grande centrale ouvrière, réalisait ce chef-d'œuvre du double jeu : mettre la main dessus et la prétendre libre[2]. » Le ralliement d'une partie des dirigeants de la CFDT proches du PSU, tel Edmond Maire, c'était l'occasion de constituer ce dont tous les partis sociaux-démocrates d'Europe disposaient : une base ouvrière. Mais toutes les portes du PS ne tombaient pas devant Rocard. Le Ceres entendait bien rester l'aile gauche et, au-delà, un certain nombre de dauphins ne voyaient pas d'un très bon œil l'arrivée d'un individu aussi

1. G. Martinet, *L'Observateur engagé, op. cit.*, p. 182.
2. François Mitterrand, *L'Abeille et l'Architecte*, Flammarion, 1978, p. 347.

ambitieux qu'eux-mêmes. Et puis Rocard n'avait jamais caché son hostilité au parti communiste : ne risquait-il pas de compliquer les relations du PS avec celui-ci ?

Devant quelque mille cinq cents militants, les assises du socialisme se tiennent les 12 et 13 octobre 1974, dans le sous-sol du PLM Saint-Jacques à Paris. François Mitterrand les ouvre par une longue intervention œcuménique. Il ne manque pas de dire l'importance pour le PS de resserrer ses liens avec la CFDT. Michel Rocard, lui, explique sa récente adhésion au programme commun : « Le programme commun constitue la base d'une alliance de classe qui reste le moteur du mouvement social. » Il concède avoir fustigé ledit programme en 1972, mais la conjoncture est nouvelle : « Il est vrai que nous n'avons pas souhaité le signer. À l'époque, nous pensions qu'il n'était pas techniquement satisfaisant. La crise du pétrole, de l'énergie, a changé les données. » Au vrai, Rocard n'adhérait pas au PS par une brusque conversion au programme commun. Il avait simplement mesuré — sans doute un peu tard — le caractère stérile d'un isolement sectaire, considéré avec attention la dynamique qui poussait le PS au premier rang de la gauche et, s'il n'était pas d'accord avec toutes ses options, c'est en son sein qu'il importait de les critiquer, c'est en son sein que lui et ses amis de la « deuxième gauche » pourraient imposer leurs vues. Cette perspective ne peut que heurter le parti communiste qui commente ces assises avec aigreur. Cela dit, si Mitterrand a ouvert sa porte à Rocard et aux rocardiens, il ne les a pas accueillis à bras ouverts. Il confirmera sa défiance six ans plus tard : « Ce qui est vrai, c'est que bon nombre d'adhérents du parti socialiste, venus à lui par le canal des assises et qui appartenaient à divers milieux de la gauche chrétienne, ont conservé entre eux des relations privilégiées, jusqu'à constituer un courant interne qui s'exprime en tant que tel[1]. » Rocard, c'était un rival potentiel ; c'était aussi un chef de bande.

---

1. F. Mitterrand, *Ici et maintenant, op. cit.*, p. 13.

L'union est un combat

Aux oreilles des communistes, une autre alarme sonnait en ce mois d'octobre 1974 : la menace se précise pour eux. Les élections législatives partielles révèlent une érosion de leurs suffrages. Cette fois, ils réagissent, ils ne veulent pas devenir une « force d'appoint », ils entendent rester le premier parti de la gauche. Pour Mitterrand, la rupture entre communistes et socialistes date de ces élections partielles de 1974[1]. Lors du XXIe congrès du PCF, Marchais attaque en flèche la déclaration finale des assises, qui ne fait aucune mention du programme commun. Se donnant pour objectif de remonter ses suffrages à 25 % (que son parti avait obtenus jusqu'en 1956), il dénonce « toute démarche qui participe aux tentatives de réduire l'influence du PCF ». Dans *L'Humanité* du 5 novembre, l'économiste du parti, Philippe Herzog, s'en prend à Michel Rocard : « Voilà où mène un modernisme qui prétend se substituer au programme commun qualifié opportunément d'archaïque. » Les 10, 11 et 12 décembre, toujours dans *L'Humanité*, Marchais résume tous les griefs adressés depuis plusieurs semaines au PS, si sujet selon lui à brader le programme commun et si désireux de rééquilibrer la gauche aux dépens des communistes.

Le désaccord se concrétise sur la « révolution des œillets » au Portugal, le coup d'État militaire qui, le 25 avril 1974, a abattu le régime salazariste et ouvert une transition démocratique incertaine. Le Mouvement des forces armées (MFA) qui dirige celle-ci est poussé par les communistes et les gauchistes à entreprendre une seconde révolution de type léniniste. François Mitterrand s'inquiète des déclarations d'Álvaro Cunhal, le secrétaire général du parti communiste portugais, qui récuse la « démocratie bour-

---

1. *Ibid.*, p. 51.

geoise » : « Fort bien, écrit-il. Mais bourgeoise ou prolétarienne, la démocratie a des lois qui s'appellent liberté d'expression, pluralisme des partis, suffrage universel. Ce n'est pas suffisant ? Je le concède. Mais c'est assurément nécessaire. Et à l'apostrophe de Cunhal je préfère celle des socialistes : *Socialismo, sim, dita-dura, não*[1] *!* »

Le sort de l'union de la gauche en France semble se jouer à Lisbonne. Le MFA, à la suite d'une tentative de putsch contre-révolutionnaire, se décide à organiser des élections générales le 25 avril 1975. Surprise : c'est le tout jeune parti socialiste de Mário Soares qui l'emporte, et de loin, avec 38 % des voix, alors que le PCP d'Álvaro Cunhal n'en obtient que 12,5 %. L'extrême gauche n'a pas pour autant renoncé à s'emparer du pouvoir. Au mois de mai, l'immeuble du quotidien *Republica*, favorable aux socialistes, est occupé par un commando d'ouvriers communistes, qui séquestre son directeur, Paul Rego, et amène finalement le MFA à poser les scellés sur le journal. Mitterrand constate que les partis communistes d'Italie et d'Espagne ont condamné l'opé-ration, mais que l'attitude du parti communiste français est plus embarrassée. « Or, écrit-il, la liberté d'expression s'inscrit au pre-mier rang des droits élémentaires[2]. »

De son côté, le mouvement contre-révolutionnaire, bien ancré dans le nord du pays, soutenu par l'Église catholique, tire profit des actions gauchistes, mise sur la peur déclenchée par les occu-pations d'usines et la réforme agraire. L'archevêque de Braga lance un appel anticommuniste mobilisateur. C'est alors que Georges Marchais exhorte François Mitterrand et le parti socia-liste à s'associer aux communistes français contre la violence des réactionnaires. Avec Louis Mermaz et Jean Poperen, François Mitterrand rédige une réponse, dont il fait part à Pierre Mauroy par téléphone. Solidarité face à la contre-révolution, oui ! Mais

1. *Ibid.*, p. 18.
2. *Ibid.*, p. 47.

aussi condamnation de toute atteinte aux libertés ! « À cet égard, dit le texte, et contrairement à l'analyse de votre bureau politique, [le PS] estime que les erreurs de jugement de la direction du parti communiste portugais ont largement contribué à imprimer aux événements le cours que nous déplorons. Ces erreurs doivent être appréciées sans complaisance si l'on veut préparer les réconciliations nécessaires à la poursuite des objectifs de la Révolution. » Les signataires de la réponse à Marchais dénoncent le mépris de la démocratie des communistes portugais, « le soutien quasi inconditionnel apporté à un pouvoir exécutif qui ne représente qu'une minorité, le dédain opposé au verdict du suffrage universel, l'approbation donnée à l'effacement des partis et à l'éviction de celui qui a obtenu les suffrages du plus grand nombre des travailleurs [...] [1] ».

On pense à la Russie, aux événements qui avaient suivi la révolution de février 1917 : Lénine avait profité de l'insurrection d'octobre pour dissoudre l'Assemblée constituante et imposer le pouvoir des « soviets », c'est-à-dire, finalement, celui du parti bolchevik, contre le suffrage universel. C'est peut-être ce qui est en train de se jouer à Lisbonne. Loin de condamner ce scénario, le PCF soutient le parti frère portugais. De quoi inquiéter François Mitterrand et les siens. Le 25 novembre suivant, on assiste à une ultime tentative de coup d'État militaire orchestrée par l'extrême gauche ; elle échoue, et le 2 avril 1976 une nouvelle Constitution est promulguée. Le Portugal devient une démocratie libérale et parlementaire deux ans après la révolution du 25 avril.

Pour le Ceres, les socialistes portugais ont « trahi », dira Jean-Pierre Chevènement au congrès de Nantes, en juin 1976. Pareille accusation fait grand bruit au Portugal, mais François Mitterrand, qui s'y rend quelques jours plus tard, défend sans hésiter Mário Soares et le parti socialiste portugais : « Je n'arrive pas à saisir comment on peut se plaindre d'une révolution aussi

---

1. *Ibid.*, p. 66.

catégorique que celle qui transmue un peuple de la dictature à la démocratie et plaider qu'il ne s'est rien passé. Tout montre que la démocratie est le lieu de passage obligé du socialisme digne de ce nom, lui-même et par essence société des droits de l'homme[1]. »

La politique des communistes au Portugal a été régulièrement approuvée par *L'Humanité*. Georges Marchais a reproché aux communistes italiens leur manque de solidarité avec le PC portugais. La divergence entre les deux partenaires français est manifeste, au moment où — c'est au début de l'été 1975 — Étienne Fajon, membre du secrétariat du PCF, publie aux Éditions sociales *L'Union est un combat*, reprenant le texte d'une conférence qu'il a prononcée à Marseille le 12 mai 1975, assorti du rapport inédit de Georges Marchais au comité central rédigé au lendemain même de la signature du programme commun en juin 1972. Cette publication fait l'effet d'une bombe : elle révèle que, dès le départ de l'union de la gauche, le parti communiste entretenait en son sein la plus lourde suspicion à l'endroit de son partenaire socialiste. Fajon met au jour la différence fondamentale entre le PS et le PCF : le premier, « dans une large mesure parti des couches moyennes », est réformiste ; le second, « parti de la classe ouvrière », seul est révolutionnaire. De sorte que « pour éviter le retour du parti socialiste à la collaboration de classe et aux alliances avec tel ou tel parti de droite, l'influence et la force du parti communiste sont des facteurs absolument décisifs ». Fort de « la théorie scientifique vivante, le marxisme-léninisme », fort des principes d'organisation que résume le « centralisme démocratique », le PCF est l'avant-garde révolutionnaire du mouvement social.

Cette langue de bois aurait pu passer inaperçue si elle n'était suivie du rapport Marchais de 1972. Le secrétaire général s'y félicitait que « pour l'essentiel » c'étaient les vues du PCF qui avaient triomphé dans l'élaboration du programme commun et

---

1. *Ibid.*, p. 306-307.

que les concessions faites aux socialistes étaient « de portée mineure ». En même temps, il dénonçait l'attachement du PS à l'Alliance atlantique et à « l'intégration de la petite Europe occidentale », des « alliances de classe ayant pour nature et pour fonction d'enchaîner notre pays au système impérialiste, sous la direction des États-Unis ». Pour le leader communiste, « l'idéologie qui anime aujourd'hui le parti socialiste est et reste étrangère au socialisme scientifique ; quant au fond, elle récuse totalement la nécessité de se placer en toutes questions du point de vue de la classe ouvrière ». La charge de Marchais contre un parti socialiste suspecté de collusion avec le grand capital se poursuivait, avant de conclure sur la nécessité de « renforcer l'influence du parti communiste ».

Après la publication de ce factum, le PS fait diffuser dans ses fédérations un rapport de Lionel Jospin, membre du secrétariat national : « La question qui se pose, y lit-on, est de savoir si le PC veut toujours l'unité ou non ? » Il est clair que la polémique ne porte plus sur tel ou tel détail de l'action socialiste, « mais vise notre nature même » : « Par rapport à nos militants, par rapport à l'opinion française et internationale, en tant que partenaire dans une alliance destinée à diriger la France, nous ne pouvons accepter les caractérisations faites par le PC de notre parti[1]. »

Dès le 15 juillet, dans *L'Unité*, Mitterrand avait commenté le rapport Marchais comme « un luxe d'appréciations désagréables, voire injurieuses ». Il s'indigne notamment que Marchais considère l'attachement du PS à l'Alliance atlantique et à la CEE (Communauté économique européenne) comme le résultat des « alliances de classe » et qu'il ait pu imputer au parti socialiste la crainte que ne « se mettent en mouvement la classe ouvrière et les masses ». Un état de guerre larvée entre les deux partis n'était plus niable. Au mois d'août suivant, l'échec d'une rédaction d'un

---

1. *Le Monde*, 1ᵉʳ août 1975.

texte commun signé par le PCF, le PS et le MRG sur le Portugal confirme la mésentente des signataires du programme commun.

Pourquoi cette offensive antisocialiste ? Aux yeux de François Mitterrand, elle s'explique par « la montée » du PS, que les communistes n'attendaient pas et qui les révulse. « Comme si le parti communiste ne pouvait supporter l'idée de la victoire qu'assuré d'en être le principal acteur. » Il croit deviner que la stratégie communiste n'est pas celle d'un programme commun destiné aux cinq années prévues d'un pouvoir partagé : « Dans la réalité, écrit-il, une juste appréciation des forces en présence et de la nature du combat conduit le PC à temporiser avec la société existante en attendant d'être en mesure de la changer, alors que, dans le discours, il accuse les socialistes de trahir un schéma théorique dont il ne révèle pas grand-chose, mais dont on devine qu'il ressemble comme un frère au schéma soviétique[1]. »

Tout de même, l'attitude du parti communiste ne laisse pas d'intriguer. Parallèlement à ses attaques antisocialistes, il se donne les allures d'une émancipation vis-à-vis de l'URSS et même de la doctrine marxiste-léniniste. En décembre 1975, à la suite d'un documentaire sur la répression en Union soviétique présenté par la télévision, un communiqué du bureau politique du PCF prend formellement position contre certaines formes de « répression » en URSS. Au début de janvier 1976, Georges Marchais plaide à la télévision la nécessité d'abandonner la notion de « dictature du prolétariat ». De l'impensable ! Un certain nombre d'intellectuels communistes comme Althusser s'émeuvent : la « dictature du prolétariat » est un des fondements du marxisme-léninisme. Si Marchais et ses camarades y renoncent c'est qu'ils s'avisent dans leur campagne de séduction que le mot « dictature » répugne à la société démocratique et parce que le PCF entend représenter le « peuple de France » au-delà du « prolétariat ». Cette décision n'était pas personnelle évidemment, comme

---

1. F. Mitterrand, *L'Abeille et l'Architecte*, *op. cit.*, p. 90.

l'attestent les attendus et les conclusions du XXIIe congrès du PCF à Saint-Ouen, au mois de février suivant, au cours duquel l'abandon de la dictature du prolétariat est ratifié à l'unanimité. Et quand vient le moment d'entonner à l'unisson *L'Internationale*, Marchais gourmande ceux des camarades qui « ont levé le poing en chantant » : « Ceux-là doivent savoir que nous ne sommes pas le parti du poing levé. Nous sommes le parti de la main tendue, le parti de l'union. D'ailleurs le poing levé n'est pas une tradition française. Je pense que l'on ne doit pas lever le poing. Nous tendons la main aux chrétiens, aux socialistes et aussi aux gaullistes quand il s'agit de défendre l'indépendance nationale[1]. »

Drôle de jeu de la part du PCF. D'un côté, il se pose en champion des libertés et de la démocratie, prend ses distances vis-à-vis de l'Union soviétique, renonce à la dictature du prolétariat. D'un autre côté, il ne cesse d'attaquer le PS, de faire le procès du « réformisme », et soutient l'action des commandos extrémistes au Portugal. Est-ce incohérence ? Volonté de contenter les divers courants, certes inorganisés mais réels, du parti ? Le PCF s'efforce de séduire le plus grand nombre de Français, de résister à la montée en force du parti socialiste, tout en maintenant son identité révolutionnaire, soit un exercice d'équilibre qui n'évite pas des contradictions désarmantes pour les socialistes.

Au mois de mars 1976, les élections cantonales corroborent la progression de la gauche. Cependant, les socialistes, avec 2,7 millions de voix, dominent l'ensemble des formations, reléguant les communistes à la deuxième place, avec 2,4 millions de suffrages. Ce qui était redouté par le PC se confirme : sa primauté à gauche a vécu. En septembre, dans plusieurs villes de France, des affiches communistes reprennent leurs attaques contre le PS. « Il faut se rendre à l'évidence, écrit Mitterrand dans *L'Unité*, le parti communiste lance une campagne de propagande dont le moins

1. *L'Humanité*, 9 février 1976.

qu'on puisse dire est qu'elle n'a pour objet ni l'union ni la vérité[1]. »

N'importe ! il s'accroche à sa ligne même si son allié flanche, provoque, tend des pièges. Il faut vaille que vaille maintenir l'union de la gauche, François Mitterrand n'a nulle intention de l'abandonner ; elle est son tremplin, sa chance de parvenir un jour au sommet. Les élections municipales de mars 1977 en révèlent une fois encore les avantages. La gauche l'emporte haut la main. Grâce à ses listes d'union, elle triomphe dans les villes de plus de 30 000 habitants. Les communistes siègent désormais dans des municipalités qui lui ont toujours été hostiles, comme Nantes, Angers, Rennes ; ils dirigent soixante et onze villes de plus de 30 000 habitants, comme Bourges, Béziers, Reims, Thionville, Le Mans... Mais ces beaux succès sont contrariés par l'analyse des scrutins, qui confirme la prépondérance socialiste. On note, lorsque les communistes dirigent les listes d'union, que le pourcentage des voix de la gauche baisse ; quand ce sont les socialistes, la gauche unie progresse sensiblement. L'érosion des voix communistes est confirmée. Mitterrand, réjoui, note dans son bloc-notes : « Parmi les dix-sept duels qui ont opposé socialistes et communistes, quatorze se terminent à l'avantage des socialistes. »

Décidément, l'union de la gauche ne profite pas au PCF ; derrière le masque de la victoire, c'est une réalité confirmée. Mitterrand, cependant, n'a pas l'intention de baisser la garde. Le 12 mai 1977, il doit affronter le Premier ministre Raymond Barre dans un débat télévisé. Deux jours plus tôt, *L'Humanité* publie un dossier insidieux sous le titre « Les comptes du programme commun de gouvernement », visant à chiffrer le coût des principales mesures décidées par les deux partis. On pouvait imaginer mieux pour soutenir celui qui doit affronter devant des millions de téléspectateurs « le premier économiste de France », selon Giscard. Le comité directeur du PS abandonne ce chiffrage à la

---

1. F. Mitterrand, *L'Abeille et l'Architecte, op. cit.*, p. 200.

responsabilité de son partenaire ; ce sont des chiffres qui apparaissent fantastiques, bons à décourager l'électeur. Mais quelle aubaine pour Raymond Barre, qui ne se fait pas faute de les utiliser dans son débat. Le Premier ministre, tout en rondeur, jovial, retourne le leader socialiste sur le gril. Le lendemain, Charles Fiterman, qui ne manque pas d'estomac, reproche à François Mitterrand d'avoir brutalement refusé le programme chiffré des communistes.

Pour gagner des points, les communistes passent à l'actualisation du programme commun. Un groupe de travail de quinze membres est constitué pour préparer une négociation finale. Mitterrand et le parti socialiste, à l'exception du Ceres, désirent une révision de détails alors que les communistes estiment nécessaire de renforcer la dimension étatique du programme. Au cours de l'été, la discussion, publique, porte d'abord sur le nucléaire. Le PC, naguère hostile à l'armement atomique en France, considère désormais que seule la force nucléaire peut assurer la défense du pays et qu'elle ne doit en aucun cas être mise au service d'une alliance militaire avec d'autres pays. Pour Mitterrand et la majorité des socialistes, la stratégie « tous azimuts » du parti communiste est « inacceptable pour un pays comme la France », car cela signifierait son isolement stratégique. Le 3 août, rentré précipitamment de vacances, Georges Marchais relance théâtralement la polémique à la télévision : « Quand j'ai entendu François Mitterrand refuser de s'engager sur une défense nationale indépendante j'ai dit à ma femme : fais les valises, on rentre à Paris, Mitterrand a décidé de rompre l'union. » Mitterrand aurait mis la gauche « en état de faiblesse », en évoquant la possibilité de soumettre la question de la force nucléaire à un référendum. Le PS réplique incontinent par un communiqué. On n'en finit pas.

À la mi-août, François Mitterrand, en compagnie de Jacques Attali et de Claude Manceron, participe en Crète à un colloque international intitulé « Socialisme et culture », organisé par le compositeur Mikis Theodorakis. *L'Humanité* rend compte fiel-

leusement de ce « bien curieux séminaire » décrété anticommuniste. Mitterrand, dans son bloc-notes, rapporte l'indignation
de Mikis : « Qu'ont-ils donc vos communistes ? N'ont-ils pas
compris que ce qui se passe dans les pays de l'Est n'est pas le
socialisme ? L'étatisation des moyens de production suivie du
contrôle exclusif non seulement de l'économie mais aussi de l'éducation, de l'armée, de la police, de la santé, du tourisme, de l'esthé-
tique, de l'information, de la technologie, du clergé, de la religion,
des garderies d'enfants, des asiles de vieillards, des asiles de psychiatrie, des cimetières, de l'architecture, de la poésie, de la musique,
de la génétique, de la police secrète par le parti, c'est-à-dire par
le comité central, c'est-à-dire par la praesidium, c'est-à-dire par le
secrétaire général nommé à vie, appelons cela monarchie de type
nouveau dans le style de notre époque, à savoir une terrible puissance humaine et surhumaine, qui peut transformer tout un peuple
en huit cents millions de fourmis comme nous l'avons vu au lendemain de l'enterrement de Mao Zedong, suivant aveuglément
la caste victorieuse, sans doute par hasard, de la caste rivale, mais
n'identifions pas cette expérience historique avec le socialisme : ce
serait injurier nos peuples[1]. » Mitterrand ne fait pas cette longue
citation gratuitement : ce que dit le poète exaspéré, il le pense aussi,
et nul doute qu'il jubile en recopiant ses paroles.

La réunion destinée à « actualiser » le programme commun se
tient le 14 septembre 1977, au siège du parti socialiste. Deux
semaines auparavant, Jean-Pierre Chevènement, dans *Le Quotidien de Paris*, a laissé entendre que ce sommet de la gauche sera
couronné de succès, car « ni le parti socialiste ni le parti communiste ne sont candidats au suicide. La volonté unitaire de notre
peuple balaierait celui qui prendrait la responsabilité de l'échec.
Aucune des divergences actuelles n'est insurmontable… ». C'était
prendre son désir pour la réalité, la volonté évidente du PCF
étant bien de rompre l'union. En effet, par ses exigences, et

1. *Ibid.*, p. 319.

notamment l'extension du champ des nationalisations, il a provoqué immanquablement le refus de ses partenaires. Le soir du 14 septembre, Robert Fabre confisque le micro à Georges Marchais et déclare au nom des radicaux que le MRG est opposé à « toute évolution de la société française vers le collectivisme bureaucratique, vers l'emprise excessive de l'État. Le secteur privé de l'économie doit être maintenu et protégé ». Le 19, le comité directeur du PS présente ses ultimes propositions. Dans la nuit du 22 au 23 septembre, la négociation est suspendue *sine die*.

Mitterrand hésite à expliquer le retournement communiste. Le parti communiste est un parti de pouvoir qui ne veut pas du pouvoir : il « se dérobe devant la perspective d'une victoire de l'union de la gauche dans la mesure où il redoute que cette victoire ne soit pas strictement la sienne ». Ce qu'il aurait voulu, s'il avait pu mener les affaires à sa guise, c'est « transformer la société comme il l'entend pour la rapprocher du modèle qu'en dépit de ses dénégations j'appellerai le modèle soviétique ». Ce qu'il n'avait pas prévu — surprise amère — c'est la progression du parti socialiste jusqu'à détrôner le PCF de la première place à gauche.

Mitterrand est attentif cependant à une autre explication, peut-être complémentaire, que lui suggère Philippe Robrieux, ancien secrétaire de l'Union des étudiants communistes, en rupture avec le parti communiste et qui venait d'écrire *Notre génération communiste 1953-1968*. Devenu proche du leader socialiste, il invite celui-ci à comprendre l'attitude du PCF à travers le prisme de ses relations avec l'URSS, si peu désireuse de voir en France une victoire de l'union de la gauche. Robrieux « relève la coïncidence entre la rupture de l'union de la gauche et la brusque amélioration des relations Brejnev-Marchais ». Charles Salzmann, d'origine russe, autre proche de Mitterrand, commente dans le même sens la rupture en citant la feuille officielle soviétique *Kommunist* qui condamne le « crétinisme parlementaire », la « croyance naïve dans le suffrage universel » et insiste sur le danger qu'il y aurait pour des communistes à souscrire à des

« programmes minimum », forme moderne de révisionnisme, à seule fin de se concilier les partis bourgeois et sociaux-démocrates.

Une autre interprétation est avancée par Fernand Claudin, ancien dirigeant du PC espagnol, dans une tribune internationale du *Monde* : « Je ne pense pas que derrière le virage tactique du PCF il y ait la "main de Moscou". Dans ce domaine, le PCF a vraiment évolué. Il est indépendant tant dans sa ligne politique que dans son organisation. Cela dit, le parti communiste français n'a toujours pas coupé le cordon ombilical idéologique qui le relie à Moscou sur un point crucial : la reconnaissance du caractère socialiste du système soviétique, ce qui le met en contradiction avec les positions eurocommunistes. »

Quoi qu'il en soit, l'union était brisée à quelques mois des élections législatives de 1978, que les observateurs de la vie politique française avaient, au lendemain du « raz-de-marée » aux municipales, jugées gagnées d'avance par la gauche. Le doute désormais s'imposait. Pour François Mitterrand, « Georges Marchais ira au bout de sa logique qui conduit droit à l'échec de la gauche », mais, il en est convaincu, le PCF sera la première victime de ce désastre. Il continuera, lui, à faire comme si l'union n'était pas morte, comme si les accords de 1972 restaient le guide de son action ; il n'a pas de jeu de rechange. Ce ne sont pas les socialistes qui ont brisé l'union, il le répétera : « Je n'ai entendu personne au parti socialiste, avant 1978 et après, demander, au sein de nos instances dirigeantes, la rupture de l'union de la gauche[1]. »

La chasse au « virus » rocardien

Dans son propre parti, François Mitterrand doit se colleter avec un adversaire qu'il avait sous-estimé et qui devient un rival,

---

1. F. Mitterrand, *Ici et maintenant*, *op. cit.*, p. 43.

Michel Rocard. Celui-ci, on s'en souvient, avait rejoint le parti socialiste à la suite des assises d'octobre 1974, mais sans pouvoir entraîner la majorité du PSU. Le 1ᵉʳ janvier 1975, il adhérait officiellement avec à peine deux mille cinq cents de ses camarades à un PS fort de cent mille adhérents. C'était un échec pour Rocard qui avait retardé cette entrée dans l'espoir de bâtir un grand parti de gauche capable de négocier avec le parti socialiste la fondation d'un nouveau parti dans un rapport de force équilibré. L'élection présidentielle de 1974, la dynamique qu'elle a provoquée, les divisions insurmontables du PSU où la phraséologie révolutionnaire le dispute aux conflits de tendances, tout avait décidé Rocard à franchir le pas. Il avait joué, à côté de son ami Attali, un rôle actif dans la campagne de Mitterrand, et il s'était épanoui dans l'exercice de ses talents et de son dynamisme au cœur d'un grand parti dont la vocation à gouverner ne faisait plus de doute.

Jean Poperen, qui l'avait connu au PSU, crut devoir avertir François Mitterrand : « Vous faites entrer le virus au PS. » Un an plus tard, le premier secrétaire s'avisa que Poperen avait raison. Mitterrand avait pu apprécier, au cours de la campagne présidentielle, l'intelligence de Rocard, ses compétences en économie, son incroyable énergie mise au profit du combat contre la droite, mais, outre qu'il avait déjà un contentieux avec lui, il n'y avait entre les deux hommes aucune de ces affinités électives qui, au-delà des divergences d'idées, soudent ensemble des individus.

Le contentieux remontait à la guerre d'Algérie, du temps où, ministre de la Justice, Mitterrand avait été traité d'« assassin » par Rocard au sujet des condamnés à la guillotine pour lesquels le ministre de Guy Mollet refusait de demander la grâce. Rocard reprochait à Mitterrand de n'avoir pas quitté le gouvernement de Mollet comme avaient su le faire successivement Pierre Mendès France et Alain Savary. La guerre d'Algérie avait été la matrice d'une nouvelle gauche, très hostile à la gauche traditionnelle qui, au pouvoir, faisait une politique de guerre colonialiste. Au cours de ses années étudiantes, Rocard avait noué des liens avec des dirigeants de l'Unef, le syndicat étudiant anticolonialiste, qui allaient composer son réseau d'amis et de soutien, tels Michel de la Fournière, François Borella, et un certain nombre d'autres jeunes gens issus de la JEC (Jeunesse étudiante chrétienne), qui le suivront au PSU. Aux yeux de Mitterrand, ces rocardiens représentaient une « gauche chrétienne » qui lui était viscéralement hostile et qu'il n'aimait pas davantage. En juin 1978, le premier secrétaire dira à Rocard, au cours d'un déjeuner en tête à tête à Conflans-Sainte-Honorine : « Vous êtes soutenu par les chrétiens de gauche qui depuis toujours m'ont combattu. » Pour Mitterrand, c'était une question de famille : celle de Rocard n'était pas la sienne.

Surtout, les deux individualités étaient aux antipodes l'une de l'autre. Rocard était un énarque, formé aux questions économiques, de langage plus abstrait voire abscons qu'il ne l'eût voulu lui-même, un cérébral dévoreur de courbes et de chiffres. Mitterrand était de formation littéraire et lisait plus volontiers Dostoïevski que Schumpeter. À la sortie du déjeuner de Conflans, Rocard dira de Mitterrand à ses amis : « Quelle incompétence ! » Et Mitterrand aux siens, de Rocard : « Quelle inculture ! »

Leurs tempéraments s'opposaient, l'un disert, communicatif, pédagogue, aimant le travail en équipe ; l'autre, secret, distant, ironique, hiératique. En entrant au PS, Rocard est étonné : « Nous étions habitués aux débats contradictoires, aux grandes analyses sur les mutations de la société, à la réflexion théorique qui fondait nos choix. Au PS, le débat interne était solennisé, réfrigéré et souvent limité à l'étude des rapports de force, à la pratique électorale[1]. » Mitterrand est un président, Rocard un camarade. Michel Rocard a lui aussi de l'ambition, et lui aussi

---

1. R. Schneider, *Michel Rocard, op. cit.*, p. 222.

voudra être un jour président de la République. Mais le goût du pouvoir chez Rocard n'est pas celui de la domination sur les hommes, c'est celui de l'empreinte sur les choses. Son ambition est fondée sur des convictions beaucoup plus fortes que celles de Mitterrand, avant tout soucieux de stratégie et de conquête du pouvoir. Du reste, on le sait, les idées politiques de Mitterrand ont varié, alors que celles de son rival sont marquées d'une incontestable continuité.

On observe aussi chez Rocard une exigence éthique, le respect de l'autre, la fidélité à la parole donnée, un souci du bien commun, qui ne sont pas les qualités les plus visibles chez Mitterrand. Son éducation protestante, due à sa mère, est à l'origine de son action politique : « C'est la formation qui m'a le plus marqué [...], une empreinte très forte et prolongée[1]. » Longtemps chef scout à l'Union des éclaireurs unionistes, il se trouvera de plain-pied avec ses amis de l'Unef qui, catholiques eux, n'en partagent pas moins des exigences et des valeurs qui s'accordent parfois avec difficulté avec l'amoralisme politique. Mitterrand, surnommé le « Florentin », peut s'amuser des naïvetés de Rocard. L'un passe pour un « tueur » ; l'autre, pour un naïf qu'il n'est pas vraiment.

Le conflit entre Mitterrand et Rocard a pris forme à propos du programme commun de gouvernement quand les communistes eurent convaincu les socialistes de l'actualiser en 1977. Rocard, pour entrer au PS, s'était rallié du bout des lèvres à ce programme qu'il avait mis à mal, au moment de sa publication. Rocard avait une bonne formation marxiste, grâce à l'influence qu'avait eue sur lui un ancien communiste, Victor Faye, son maître à penser pendant ses années de jeunesse ; il connaît bien, lui, l'histoire du socialisme, la grande querelle du révisionnisme entre Bernstein et Kautsky. Bref, il a une culture socialiste qui n'est pas celle de Mitterrand, si tard venu... Mais de la lecture de Marx, il n'a

1. *Ibid.*, p. 34.

nullement tiré des conclusions étatistes ; il a plutôt apprécié « un Marx antiétatique, un Marx antibureaucratique ». On tire toujours ce que l'on veut de ses lectures, et l'on peut effectivement trouver dans les écrits de Marx tous les arguments d'un socialisme libertaire tout comme l'inspiration d'un socialisme autoritaire et bureaucratique. Quoi qu'il en soit, Rocard jugeait erronée dans le programme commun l'obsession des nationalisations des grands moyens de production, devenues comme l'alpha et l'oméga de la doctrine. De longue date, et mai 68 devait le conforter dans cette conviction, c'est l'autogestion qui, pour lui, était le principe clé du socialisme, le pouvoir dans l'entreprise, et non la propriété. Il l'exprimera clairement au congrès de Nantes en 1978 : « Le principe fondamental c'est l'autogestion, la gestion directe et non pas l'étatisation. […] Ce qui nous intéresse, c'est le pouvoir, pas la propriété. […] Le marché reste l'instrument de mesure des résultats, quelles que soient les scories qu'il porte en lui — c'est au plan de les faire disparaître. Si nous tuons cette vocation du marché, c'en est fait de l'expérience socialiste en France. » Pour Mitterrand, au contraire, « l'important est que la propriété change de mains[1] ».

Rocard n'était pas hostile à toute nationalisation, mais souhaitait qu'on y procédât sans esprit de système, et en prenant en l'occurrence une participation majoritaire et non un rachat à 100 %. L'autogestion, du reste, débordait le cadre de l'entreprise. Il s'agissait d'un mythe-force qui devait inspirer toute la vie politique et sociale, par rapport à l'État jacobin. La décentralisation était l'une de ses implications. Il avait publié une brochure, *Décoloniser la province*, où il préconisait l'autonomie régionale. Ces idées étaient jugées par beaucoup au PS plus libérales que socialistes. Poperen le traitait de « Rocard d'Estaing », et la majorité du parti l'accusait de « dérive droitière ».

Toutefois, on ne saurait mettre la querelle sur le compte des

1. *Ibid.*, p. 172.

seules idées. Celles de Rocard, Mitterrand s'en accommoderait, tout comme il s'est accommodé des rigidités marxistes du Ceres. Quand Michel Rocard veut le mettre en garde contre ces fougueux alliés, Mitterrand répond : « Tranquillisez-vous, tout ça ["ça", ce sont les idées] n'a aucune importance. Dans les circonstances difficiles, ces hommes tiendront bon[1]. » Le problème avec Rocard est que ses idées — qu'il défendait tous azimuts, non seulement au sein du parti, mais dans la presse, à la radio, à la télévision — remettaient en question le programme commun, l'entente avec le parti communiste. Ces nationalisations décriées par Rocard, c'était la base même du pacte d'alliance, et, en 1977, les communistes exigeaient son « actualisation » pour en rallonger la liste. Le socialisme de François Mitterrand est simple et peu sectaire. Sa vision de la société date du temps des « deux cents familles », cette expression des années 1930 qui désignait l'accaparement des richesses nationales par une poignée de capitalistes au préjudice des autres Français. « Le profit, écrit Mitterrand, pas plus que le pouvoir ne doivent être confisqués par un petit nombre au détriment de tous[2]. » C'est donc par l'appropriation sociale des grands moyens de production qu'on guérirait du mal capitaliste, à l'origine de toutes les inégalités et de toutes les souffrances. La nationalisation était à ses yeux le critère du socialisme : « Selon la réponse que l'on donne à la question suivante : la propriété des moyens de production là où se développent les tendances au monopole, là où se créent des biens indispensables à la vie et à la sécurité du pays, restera-t-elle privée ou sera-t-elle transférée à la nation, on adhère ou non, au socialisme[3]. »

En même temps, cette définition très simple, pour ne pas dire simpliste, du socialisme ne s'oppose nullement, pour Mitterrand, à la méthode sociale-démocrate : « Il n'existe pas à

1. *Ibid.*, p. 225.
2. F. Mitterrand, *L'Abeille et l'Architecte, op. cit.*, p. 157.
3. *Ibid.*, p. 382.

mes yeux de différence de nature entre les expériences suédoise, danoise, norvégienne, autrichienne, même allemande et la méthode d'approche du parti socialiste français — et il n'en existe pas davantage avec les perspectives sur cinq ans du programme commun de la gauche[1]. » Appréciation parfaitement contradictoire avec sa définition du socialisme... Cette doctrine de Mitterrand est si ouverte qu'il y admet aussi le principe d'autogestion : « La réalité communiste, sur l'autre versant de l'Europe, oblige aussi les socialistes à considérer dans sa tragique vérité le danger d'une société livrée aux deux sœurs ennemies, la techno- et la burostructure, à l'ombre d'un parti unique. D'où la théorie de l'autogestion, qui suppose des individus formés, informés, responsables et finalement aptes, là où ils vivent et travaillent, à juger par eux-mêmes ce qui convient à chacun et à tous. Utopie ? Elle était déjà celle du christianisme, pour qui l'individu était une personne[2]. »

L'élasticité du socialisme mitterrandien aurait dû faciliter les relations entre le premier secrétaire et le nouvel adhérent. De fait, aucun heurt ne vient les troubler au début. Michel Rocard, oubliant ses anciens griefs, manifeste estime, déférence, admiration même pour ce chef de la gauche que Mitterrand est devenu. Sa culture, ses dons oratoires, son ascendant naturel le subjuguent, tous les témoins l'attestent : « Devant Mitterrand, dit Gilles Martinet, il était très déférent, très petit garçon. » Il a refusé de créer un courant au sein du PS, laissant son ami Robert Chapuis, ancien secrétaire national du PSU, le constituer. Lui, il veut être de la majorité. En septembre 1975, il accède au poste de secrétaire national au secteur public, ce qui le déçoit un peu, ce n'est pas un poste de grande portée. Il ne fait pas, il ne fera jamais partie du petit cercle des élus. Mitterrand estime ses compétences, mais il est agacé par ses critiques, sa débauche de

---

1. *Ibid.*, p. 257.
2. *Ibid.*, p. 169.

démonstrations, ses exigences, son «jargon», tout ce qu'il peut exprimer dans le parti et dans la sphère publique qui pourrait saper les bases de l'union de la gauche et qui, en plus, lui donne le tournis.

Aux élections municipales de 1977, Michel Rocard est élu à Conflans-Sainte-Honorine, dans les Yvelines, dont il avait été le député, à la suite d'une élection partielle remportée sur Maurice Couve de Murville. Ce galon de plus sur sa manche confirmait dans l'opinion qu'il était un homme d'avenir. Dès 1975, les sondages, devenus courants, en font le successeur évident de François Mitterrand à la tête du PS. Mais celui-ci supporte de moins en moins les critiques de Rocard, qui porte une part de responsabilité dans la rupture de l'union de la gauche : ne fournit-il pas aux communistes des arguments à leur thèse selon laquelle les socialistes trahissent le programme commun ?

Les 17, 18 et 19 juin 1977, le congrès socialiste de Nantes éclaircit les positions. Michel Rocard y développe le thème des deux cultures de gauche, celle qui s'inspire de la tradition jacobine, centralisatrice, étatique, teintée de marxisme ; celle qui vise à donner le pouvoir aux citoyens par la décentralisation et l'autogestion, opposée à l'étatisme. Il est vrai que, dans l'histoire du socialisme, la deuxième gauche ne manquait pas de références, de Proudhon au syndicalisme d'action directe en passant par la minorité antiautoritaire de la Commune de Paris, toute une filiation opposée au guesdisme et au socialisme d'appareil avait ses archives. Mais François Mitterrand n'a cure de cette histoire ; il discerne dans cette théorie des deux gauches la formation ou la consolidation d'un camp qui le défie.

Le 19 mars 1978, au soir des élections législatives perdues de peu par la gauche, qui évitent à Valéry Giscard d'Estaing la redoutable épreuve de la cohabitation, coup de théâtre ! Mitterrand écoute avec stupeur l'intervention de Rocard à la télévision. Solennel, celui-ci déclare : « La gauche vient de manquer un rendez-vous avec l'Histoire. Le huitième depuis le début de la

Vᵉ République. Une immense tristesse nous étreint ce soir. Est-ce une fatalité ? Est-il impossible, définitivement, que la gauche gouverne ce pays ? Je réponds : non. » Pour le premier secrétaire, l'échec était imputable aux communistes, qui avaient rompu l'accord. Les résultats l'encourageaient dans sa ligne d'action : le PS n'était-il pas arrivé à prendre le dessus sur son rival — ce qu'on n'avait pas vu à des législatives depuis 1936 ? Les adversaires de Rocard dénoncent le maire de Conflans aux oreilles de Mitterrand : il a préparé son intervention, elle n'avait rien de spontanée, elle était dirigée contre lui. Le 25 mars, Rocard enfonce le clou dans *Le Nouvel Observateur* : « Un parti socialiste sûr de lui et de son identité aurait pu apporter un éclairage plus convaincant au texte de 1972. Mais il ne l'a pas fait. »

Pour Mitterrand, il ne fait plus de doute qu'un complot rocardien existe contre lui, étayé par les journaux de gauche que sont *Le Matin* et *Le Nouvel Observateur*. Il importe dès lors à ses yeux de couper Rocard de ses alliés, à commencer par Pierre Mauroy, qu'il prend à tâche d'entortiller. Isoler Rocard ! Le 20 juin 1978, une trentaine de mitterrandistes signent un texte, « Contribution pour le renforcement du parti socialiste et la victoire du socialisme en France », qu'ils remettent à la presse. On y lit le rejet de « toute recherche de solution prétendument technique ou moderniste qui ferait courir à notre parti un danger mortel ». Mais Rocard a le vent en poupe et les sondages n'en finissent pas d'affermir sa popularité. Le 17 septembre, la cote du maire de Conflans est arrivée au niveau de celle de Mitterrand, en baisse de quinze points. « Rocard veut briguer l'Élysée en 1981 », annonce *Le Monde* du 23 septembre. En octobre, plusieurs sondages lui donnent l'avantage sur Mitterrand au titre du meilleur candidat de la gauche à la présidentielle. Le 9 octobre, *Le Point* évoque en couverture l'« offensive Rocard », qui devrait l'emporter sur Mitterrand.

Au sein du PS, on s'affole, on se récrie, on s'indigne. Sauf Mitterrand qui garde son sang-froid. Mais, à la convention nationale de janvier 1979, le premier secrétaire, prêchant d'autorité, rappelle la ligne d'Épinay, celle qui fait la différence entre les vrais socialistes, qui veulent la rupture avec le capitalisme, et les autres. La guerre des deux courants, des deux tendances, des deux cultures, la guerre des deux roses entre les rocardiens, stimulés par les sondages, et les mitterrandiens, qui battent du pied, doit avoir son dénouement au congrès de Metz. Quatre résolutions vont s'y opposer, celles de Mitterrand, de Rocard, de Mauroy et du Ceres. Une semaine avant le congrès, le premier secrétaire est rassuré : le décompte des mandats montre que les jeux sont faits en sa faveur, 40 % lui sont promis, le double des mandats en faveur de Rocard. Le matin même de l'ouverture du congrès, le 6 avril 1979, Rocard, interviewé par *Le Républicain lorrain*, qualifie le vote pour Mitterrand de «vote du troisième âge» — une algarade qui fleure le dépit, ou la provocation.

Dans un grand discours rassembleur, Jaurès et Blum à l'appui, François Mitterrand se pose en garant de l'unité du parti, accusant le réformisme de Rocard, appelant à la conciliation de ce que celui-ci a appelé les deux cultures. Les rocardiens sifflent mais, quand Rocard prend la parole, il doit affronter une salle en grande majorité hostile et qui le fait savoir. L'orateur est tendu ; il a beau flétrir les dogmes au nom des réalités économiques, il ne convainc pas des délégués qui le conspuent. Le lendemain, Laurent Fabius, avec des mots excessifs qu'il regrettera, entend donner une leçon de socialisme à Michel Rocard, aux oreilles ravies de Mitterrand. Rocard a perdu, il le savait d'avance, mais il n'a perdu que devant les militants socialistes ; il a l'opinion pour lui, et ses partisans s'opiniâtrent. Cependant, le dernier jour, Rocard, dont l'honnêteté égale l'ingénuité, adresse à Mitterrand une promesse suicidaire : «J'ai dit et répété, et je répète ici qu'en votre qualité de premier secrétaire vous serez le premier d'entre nous qui aura à prendre sa décision personnelle sur le point de dire s'il est candidat aux prochaines élections présidentielles et si vous l'êtes, je ne le serai pas. » On devine l'émoi de ses partisans, qui restent pantelants. Rocard a une âme de corsaire, mais qui reste au port.

Subsiste un espoir pour lui et pour eux, que François Mitterrand choisisse de renoncer à se présenter pour la troisième fois après deux défaites. Au reste, le premier secrétaire semble encourager cette supposition par son silence, tandis que la cote de Rocard reste toujours aussi haute dans les sondages. Qu'est-ce qui plaît chez lui ? Il n'a rien de la puissance de séduction de Mitterrand, qui sait charmer, envoûter, amuser, épater par son verbe, sa prestance, ses attitudes de prétendant au trône. Mais, lui, il est perçu comme un homme politique sincère, celui du « parler vrai », qui dit ce qu'il pense et force l'estime. Il contraste avec la réputation machiavélienne de son adversaire, jugé manœuvrier et retors. Il incarne un socialisme moderne, rajeuni, débarrassé de l'idéologie recuite, apte à entraîner des électeurs qui n'ont jamais voté socialiste. Autour de Mitterrand on s'énerve. Louis Mexandeau, un des fidèles, lâche un mot assassin : « Je suis prêt à tout pour empêcher Rocard d'être candidat[1]. » On presse le premier secrétaire qui ne se prononce toujours pas. Alors, Rocard, dans l'illusion d'un possible renoncement de son adversaire, prend le taureau par les cornes. Poussé par sa petite équipe de copains, il décide de rendre publique, le 19 octobre 1980, jour de l'ouverture officielle des dépôts de candidature, sa candidature à la candidature, solennellement, depuis sa commune de Conflans-Sainte-Honorine, où la télévision a été conviée. Sa déclaration, écoutée par des millions de Français, se révèle un fiasco. Tendu, crispé, le teint gris, il donne l'impression de réciter d'une voix empruntée un texte appris par cœur, lui qui plaît surtout par son franc-parler et sa spontanéité. François Mitterrand, qui l'a laissé s'enferrer, déclare calmement à Marseille, une semaine après, le 26 octobre : « Si les militants me le demandent, je serai candidat. » Les fédérations du PS

---

1. Cité par Robert Schneider, *La Haine tranquille*, Fayard, 1992, p. 266.

répondent à son appel ; pour la majorité du parti, François Mitterrand reste le meilleur. Fidèle à sa promesse, Michel Rocard se retire. Rideau. Le virus est terrassé.

1981

En 1974, François Mitterrand n'ayant été battu que de très peu par Valéry Giscard d'Estaing, tout espoir de revanche était fondé. Il est vrai qu'entre-temps l'union de la gauche s'est effondrée et que désormais les communistes sont décidés à présenter leur propre candidat, en la personne de leur secrétaire général Georges Marchais. Mais est-ce un handicap ? Mitterrand a révélé, dans cet écroulement de l'union, deux qualités éminentes. La première est sa fidélité aux principes de l'alliance et du programme commun. Pour l'opinion, il n'est pas douteux que les communistes portent la responsabilité de l'échec. Nombre d'électeurs communistes en sont convaincus. La seconde, plus décisive peut-être, est la fermeté du leader socialiste face au PCF ; Mitterrand a démontré qu'il n'était nullement à la merci de celui-ci, ce qui pouvait rassurer bien des électeurs centristes nécessaires pour le second tour.

Le 24 janvier 1981, un congrès extraordinaire du PS réuni à Créteil désigne officiellement François Mitterrand comme son candidat à l'élection présidentielle, tandis que Lionel Jospin lui succède au poste de premier secrétaire. *110 propositions pour la France*, fondement de la campagne, reprend des thèmes du PS : la nationalisation de neuf groupes industriels ainsi que des banques et des grandes compagnies d'assurances ; un impôt sur les grandes fortunes ; la durée du travail hebdomadaire réduite à trente-cinq heures ; le droit à la retraite à soixante ans ; la création de 210 000 emplois par an, dont 150 000 dans le secteur public ; le relèvement du Smic ; une cinquième semaine de congés payés ;

l'arrêt du programme nucléaire au profit du charbon et des énergies nouvelles ; l'élargissement de l'Europe.

Le principal adversaire de Mitterrand reste le président de la
République, Valéry Giscard d'Estaing, mais celui-ci n'est pas
dans une situation très favorable. Le nombre des demandeurs
d'emploi est passé en sept ans de 400 000 à 1 500 000 ; les deux
chocs pétroliers de 1973 et 1979 ont déséquilibré la balance des
paiements et l'inflation s'est élevée en 1980 à 13,6 %. Le bilan
du septennat est pourtant loin d'être négligeable. Giscard à ses
débuts s'est montré, malgré les difficultés économiques, un
modernisateur, en abaissant le droit de vote à dix-huit ans, en
mettant fin à la censure, en faisant voter la loi Veil sur l'IVG…
Le tout dans une volonté de « décrispation » qui tranchait avec
les raideurs gaullistes. Cependant, outre les mauvais effets de la
conjoncture économique, le Premier ministre Raymond Barre,
rien moins que démagogue, avait pris des mesures d'austérité qui
l'ont rendu fort impopulaire. Des « affaires », comme la controverse sur le suicide du ministre Robert Boulin, avaient noirci le
tableau et, depuis 1979, une campagne lancée par *Le Canard
enchaîné* visait directement le Président, accusé d'avoir à plusieurs reprises reçu en cadeau de l'« empereur » de Centrafrique
Bokassa des plaquettes de diamants.

De surcroît, la droite est au moins aussi divisée que la
gauche, en raison de la candidature de Jacques Chirac, Premier
ministre démissionnaire à l'été 1976 qui avait fondé dans la
foulée un parti gaulliste à forte assise populaire, le RPR.
Giscard avait réussi à gagner l'appui du Centre démocrate de
Jean Lecanuet, devenu président d'une toute nouvelle UDF,
mais c'est Jacques Chirac et le RPR qui avaient gagné haut la
main les élections municipales de 1977 à Paris. Le maire de la
capitale défie l'hôte de l'Élysée avec des troupes aguerries.
D'autres candidats de droite complètent le tableau, Michel
Debré et Marie-France Garaud, mais ils ne comptent pas plus
qu'à gauche Huguette Bouchardeau, représentante d'un PSU

moribond, Michel Crépeau le candidat du MRG, la trotskiste Arlette Laguiller et l'ancien PSU Brice Lalonde défendant les couleurs de l'écologie politique. Dix candidats en tout, mais seulement quatre sérieux.

La campagne de François Mitterrand souffre à un moment donné de la ruine de l'union de la gauche. Des intellectuels soutiennent l'humoriste Coluche qui se présente comme un candidat « bleu-blanc-merde », aux applaudissements de Pierre Bourdieu, Gilles Deleuze, Félix Guattari et autres têtes pensantes, ravies d'entendre le comique au nez rouge de clown et en salopette faire ses professions de foi « antimerdiques ». Tout cela n'eût été qu'un événement pittoresque, si Coluche n'avait compté à un moment donné 12,5 % d'opinions favorables, avant de renoncer en avril 1981 : « Je suis bien content d'être sorti de cette affaire. Ce n'est pas parce que j'ai mis le nez dans leur merde que je vais l'y laisser. » Cet épisode de dérision révélait un certain désarroi dans les rangs de ceux qui avaient misé sur l'arrivée de la gauche unie au pouvoir à qui l'humoriste tendait un miroir peu reluisant.

Mitterrand, dans cette campagne, peut compter sur la loyauté de Rocard qui ne ménage pas sa peine. Réclamé partout, resté très populaire malgré la méfiance des mitterrandistes, il fait toujours salle comble. Certes, il défend encore son propre socialisme, mais sans l'opposer à celui du candidat. Ses réserves, ses critiques, il ne les formule qu'à titre privé à son rival. Celui-ci, toujours à l'aise dans les campagnes électorales, déploie l'éventail de ses talents, enjôleur, narquois, lyrique, moqueur, tour à tour laconique et emphatique, un théâtre à lui seul. Il a accepté de prendre les conseils d'un publicitaire, Jacques Séguéla, s'habille « plus jeune », adopte une formule qui fait mouche : « La force tranquille », et une affiche où le candidat pose devant une église de village au loin, touchant la fibre sensible d'une France aux fortes attaches rurales.

Il attaque la « monarchie populaire si peu populaire » de Giscard, l'« État-Giscard » qui confisque tout. Mais il n'oublie pas les communistes qui ont brisé l'union, qui soutiennent l'intervention militaire des Soviétiques en Afghanistan, pour ajouter qu'il ne serait « pas raisonnable de penser qu'il serait souhaitable, pour que le gouvernement mène une politique harmonieuse, qu'il y ait des ministres communistes ». On devine la rage de Georges Marchais en l'entendant. Souverain, distribuant les coups à droite et à gauche, le candidat malheureux de 1974 devient de plus en plus crédible au cours de la campagne.

Au premier tour, le 26 avril 1981, François Mitterrand atteint près de 26 % des suffrages, derrière Giscard à 28 %, mais nettement devant Marchais, quatrième derrière Chirac, avec un peu plus de 15 %. Voilà qui est confirmé : les socialistes sont bien le premier parti de la gauche ; les communistes sont enfoncés, désorientés, humiliés. Pendant la campagne, Marchais et le PCF avaient prodigué autant d'attaques contre Mitterrand et le PS que contre la droite — celle-ci encouragée, du reste, dans la personne de Valéry Giscard d'Estaing, par un article de *La Pravda*, qui ne cachait pas ses préférences pour le président de la République. À défaut de devancer Mitterrand, Marchais escomptait un bon résultat qui lui aurait permis de négocier en position de force le second tour avec le socialiste. C'était raté. Jamais, depuis la Libération, le PCF n'avait obtenu un si mauvais score, qui le ramenait quarante-cinq ans en arrière. C'était l'aboutissement d'un long déclin, moins dû sans doute, comme on l'a dit, à la stratégie de Mitterrand (« Je t'embrasse pour t'étouffer ») qu'à l'évolution de la société française : la contre-société communiste avait mal résisté à la « tertiarisation » de la population active, à la « civilisation des loisirs », à la société de consommation, aux images de la télévision, à la libération des mœurs... L'obsolescence d'un parti fermé aux réalités du monde moderne avait sapé son hégémonie. De surcroît, la renommée de l'Union soviétique était désormais frappée de répulsion, Soljenitsyne et les autres dissidents, le mouvement antitotalitaire, les événements de Pologne, plus rien ne pouvait faire de l'URSS un modèle à suivre.

Malgré tout, le parti communiste ne peut guère éviter le soutien au socialiste pour le second tour. Du moins officiellement, par la voix de son comité central et d'un Georges Marchais teigneux à la télévision : « M'avez-vous vu déjà rouler gratuitement ? Est-ce que vous croyez que les quatre millions et demi d'électeurs qui, dans des conditions difficiles, face à la campagne dont j'ai été l'objet, ont voté pour ma candidature me pardonneraient la moindre capitulation ? » Ce ralliement du bout des lèvres n'empêche pas que, de manière occulte, les dirigeants du PCF, comme l'atteste un certain nombre de témoignages dont celui de Pierre Juquin, ancien membre du bureau politique, encouragent un « vote révolutionnaire » contre la social-démocratie en faveur de Giscard d'Estaing[1]. Quant à Jacques Chirac, s'il soutient Giscard « à titre personnel », il ne donne aucune consigne à ses troupes et refusera un meeting commun avec le candidat de la droite.

Le clou de la nouvelle campagne est évidemment le duel à la télévision auquel les Français ont pris goût entre les deux candidats restant en lice. Michèle Cotta et Jean Boissonnat en sont les modérateurs. Une fois encore, on mesure la supériorité de l'ancien ministre des Finances en économie, mais, justement, il agace par son ton professoral : « Je ne suis pas votre élève... », s'écrie Mitterrand. En 1974, Giscard avait eu la formule choc : « Monsieur Mitterrand, vous n'avez pas le monopole du cœur. » Cette fois, il ne trouve pas la petite phrase assassine : « Je n'ai pas réussi, écrira-t-il dans ses Mémoires, à frapper un coup décisif. »

Le 10 mai 1981, François Mitterrand parvient au sommet de l'État, obtenant plus de quinze millions de voix et 51,75 % des suffrages exprimés contre 48,24 % pour son adversaire. La défaillance des voix communistes a été minime, comme il l'avait espéré ; en revanche on estime que plusieurs centaines de milliers de voix lui ont été apportées par les électeurs de Jacques Chirac et des électeurs du centre droit antigiscardiens. Le soir de ce 10 mai,

---

1. *Libération*, 15 janvier 1988.

François Mitterrand attend les résultats à Château-Chinon, auprès de Danielle, son épouse. En fin d'après-midi, rue de Solférino, ses amis apprennent par téléphone de Jérôme Jaffré, de la Sofres, que François Mitterrand est élu sans erreur possible. Le siège du PS explose de joie. Lionel Jospin annonce la bonne nouvelle attendue à Château-Chinon. Mitterrand, après un long silence qui trahit son émotion, répond : « Quelle histoire, hein !… Quelle histoire. » C'est dans son appartement, à Paris, qu'Anne Pingeot, sa petite fille Mazarine près d'elle, regarde les images de la télévision qui a installé ses caméras là-bas. La fonction présidentielle va l'enfermer davantage, elle va devenir un secret d'État. François et Danielle posent au couple présidentiel ; la bien-aimée, elle, restera cantonnée dans sa clandestinité. Elle ne se rend pas à la Bastille, où accourent de partout, ivres de bonheur, les électeurs de gauche qui chantent leur première grande victoire depuis les débuts de la Ve République. Le 21 mai, François Mitterrand, dans une marche triomphale à Paris, pompeuse et symbolique, vient rendre hommage aux hommes illustres du Panthéon, sous la caméra de Serge Moati. « Journée historique, écrit dans ses *Carnets* Michèle Cotta. Journée folle, inouïe, qui monterait à la tête de plus d'un, et dont je me demande comment Mitterrand lui-même s'en sortira. Toutes ces heures m'ont paru échevelées, frisant tour à tour l'émouvant et le ridicule, et pourtant historiques, je ne trouve pas d'autre mot[1]. »

En juin, les élections législatives confirment le triomphe du parti socialiste qui, allié au MRG, atteint 37,5 % des voix et obtient la majorité absolue des sièges à l'Assemblée au second tour. Les communistes, avec 16 % des suffrages, n'en obtiennent que 44, soit 42 de moins qu'en 1978. François Mitterrand, au bout d'une très longue attente, a gagné sur toute la ligne, contre Giscard, contre Marchais, contre Rocard. Il lui reste à gérer le socialisme au pouvoir.

---

1. Michèle Cotta, *Carnets secrets de la Ve République*, t. II, Fayard, p. 510.

En ce 10 mai 1981 l'inespéré, l'impossible, l'impensable voilà encore une quinzaine d'années, quand Gaston Defferre essuyait son humiliante défaite à l'élection présidentielle, s'était réalisé : l'arrivée au pouvoir de la gauche non communiste. Un mot d'André Malraux avait pris faveur : « Entre les communistes et nous, il n'y a rien et il faut que cela dure le plus longtemps possible. » Le ministre gaulliste avait formulé la réalité d'une alliance objective entre les gaullistes et les communistes — une alliance où les uns et les autres trouvaient leur compte. Ce n'est pas le moindre mérite de François Mitterrand que d'avoir renversé cette logique de neutralisation de la gauche, en acceptant d'utiliser la Constitution honnie pour faire ressurgir celle-ci de l'abîme où elle était tombée. L'événement est considérable parce qu'il est sans précédent, non seulement depuis 1958 mais depuis 1936 — date à laquelle le Front populaire avait gagné, mais pour une durée qui n'excéda pas deux années. Quoi qu'il advienne, le nouveau Président aura, lui, au moins sept ans pour imprimer la marque de la gauche au pouvoir.

IX

LES ADIEUX AU SOCIALISME

Le désir irréductible de François Mitterrand de s'élever à la place suprême de l'État est assouvi. Il est enfin payé de sa persévérance, de ses attentes, de ses déceptions, de ses combats, de ses chutes dans les fondrières et de ses redressements au soleil. Il avait su être patient, pugnace, habile, tout en donnant l'impression de cultiver une sorte de quiétisme politique, inspiré par la confiance en soi et la conviction d'être né sous une bonne étoile. Altier, compensant sa modeste taille par un raidissement du corps, le front dégagé par la calvitie conquérante, la silhouette un peu alourdie, toujours caustique entre ses lèvres minces, entouré de courtisans cravatés, usant d'une lenteur naturelle devenue une posture de majesté, père noble du socialisme vainqueur, François Mitterrand entre dans ses nouvelles fonctions la rose au poing en guise de sceptre. Au Panthéon, le 21 mai, il a été couronné par le fantôme de Jaurès, et les téléspectateurs, en suivant ses religieuses déambulations dans la crypte, ont compris que la monarchie républicaine, ce n'était pas Mitterrand qui en suspendrait le cours.

Le pamphlétaire du *Coup d'État permanent*, contempteur du régime gaullien, s'avise de l'accommoder à sa mesure. Il était mauvais pour les autres ; il est bon pour lui. Il se glisse même « avec délectation, nous dit Pierre Joxe, dans le moule institutionnel qu'il avait combattu[1] ». La France continuera à être gouvernée de l'Élysée, au mépris d'une Constitution qu'aucun de ses prédécesseurs, selon lui, n'avait suivie, mais qu'il était de sa vocation, à lui le socialiste, le républicain, de faire respecter dans ce qu'elle avait de démocratique. Une saine résolution, mais sans urgence !

À l'Élysée, il a choisi comme secrétaire général Pierre Bérégovoy, ancien mendésiste, ancien PSU, rallié au nouveau parti socialiste né au congrès d'Alfortville, bien vite repéré par Mitterrand après Épinay, pour ses compétences en matière économique et ses liens avec les milieux syndicaux. Bérégovoy, fils d'un Russe blanc devenu ouvrier du textile en France, lui-même ancien employé à Électricité et Gaz de France, est représentatif de la dimension populaire du nouveau pouvoir. C'est aussi le cas du Premier ministre, Pierre Mauroy, que Mitterrand choisit, non dans sa camarilla, mais parmi ses alliés éloignés du premier cercle. Routier du socialisme, ancien membre des jeunesses SFIO, ancien professeur de l'enseignement technique, fils d'instituteur, un cœur pur, un ch'ti pragmatique de cinquante-trois ans, qui ne s'embarrasse pas excessivement d'abstractions au contraire de Rocard mais qui, comme Rocard, avait été opposé à la majorité mitterrandienne au congrès de Metz. Social-démocrate sans le proclamer, admirateur de Mitterrand sans s'abaisser, il incarne au mieux, par son physique, sa bonhomie, son discours et ses antécédents, le « peuple socialiste ». Le Chef a trouvé en lui un loyal lieutenant.

D'abord désigné comme Premier ministre d'intérim entre l'élection présidentielle et les élections législatives, Mauroy est appelé à rester, après celles-ci, à la tête d'un gouvernement dont les titulaires ont presque tous été choisis par Mitterrand. On y trouve sans surprise Gaston Defferre, à l'Intérieur, Robert Badinter à la Justice, Jack Lang à la Culture, Alain Savary à

---

1. P. Joxe, *Pourquoi Mitterrand ?*, *op. cit.*, p. 91.

l'Éducation nationale. Le Président ne pouvait pas laisser sur la touche son ancien rival, si populaire, Michel Rocard : il lui alloue le Plan et l'Aménagement du territoire — ni plus ni moins qu'un placard. Plus surprenant, un gaulliste, Michel Jobert, est promu ministre d'État au commerce extérieur. Alors qu'il n'y avait pas de communistes dans le premier ministère Mauroy, cette fois Mitterrand fait entrer quatre membres du PCF, mais non le tonitruant Georges Marchais qui juge préférable de se maintenir à la tête de son parti : Charles Fiterman, ministre d'État aux Transports, Jack Ralite, ministre de la Santé, Marcel Rigout, ministre de la Formation professionnelle, et Anicet Le Pors, ministre délégué à la Fonction publique.

Mitterrand aurait pu se passer des communistes. Pendant la campagne du premier tour de la présidentielle, et alors que le PCF clamait par voie d'affiches : « Il y aura des ministres communistes[1] », il avait déclaré que leur heure n'était pas venue ; désormais cependant, après des législatives où le PCF avait obtenu 16 % des voix, il pouvait, en les introduisant, montrer sa fidélité à l'union de la gauche. Le geste était aussi guidé par un calcul élémentaire : il valait mieux avoir les communistes avec soi plutôt que de laisser libre cours à leur opposition à l'extérieur, d'autant que la CGT restait, elle, la centrale syndicale la plus forte. Cette décision provoqua la réplique de FO, dirigée par André Bergeron : « Nous sommes respectueux des institutions de la République qui donnent au Président et au Premier ministre la responsabilité de constituer le gouvernement de la France. S'agissant de la participation des communistes, nous affirmons avec solennité, et pour l'Histoire, notre désaccord. »

Ce retour des communistes dans un gouvernement français trente-quatre ans après leur départ pour cause de guerre froide avait de quoi inquiéter les États-Unis. De fait, le secrétaire d'État Alexander Haig manifeste sa désapprobation : « Nos

---

1. C. Fiterman, *Profession de foi, op. cit.*, p. 149.

rapports en tant qu'alliés seront affectés par l'arrivée des communistes dans le gouvernement français. » François Mitterrand n'en cligne pas plus vite de l'œil, c'est une belle occasion pour lui d'afficher son indépendance aux yeux de Ronald Reagan, le président américain. Il faudra qu'il s'y fasse !

Disposant d'un pouvoir quasi absolu, le nouveau président a bien l'intention, sinon de « changer de société » comme le promettait le programme socialiste, à tout le moins de changer de politique et de rester attaché à sa profession de foi socialiste. Mais son menu précuit va être gâché, selon la formule de Jacques Prévert, par les terrifiants pépins de la réalité.

L'échec du volontarisme

François Mitterrand peut se targuer d'avoir pris ou inspiré en 1981 trois mesures de longue portée : l'abolition de la peine de mort, la décentralisation et les « lois Auroux », du nom du ministre du Travail.

La guillotine restait active en France, comme on l'avait vu pendant le septennat précédent au cours duquel trois têtes étaient tombées sous son couteau. François Mitterrand avait annoncé lors de sa campagne électorale, non sans audace, qu'il abolirait la peine de mort, bravant la majorité des Français favorable à son maintien. Au lendemain même du vote de la loi, *Le Figaro* se faisait l'écho d'un nouveau sondage qui révélait que 63 % des citoyens étaient opposés à l'abolition. La France n'était pas à l'avant-garde : en Europe, l'Autriche, le Portugal, les pays scandinaves avaient aboli le châtiment suprême les uns après les autres depuis 1968. Mais la loi française allait tout de même précéder celle de l'Italie, du Royaume-Uni, des Pays-Bas, sans parler des États-Unis... Le maître d'œuvre fut le nouveau garde des Sceaux, Robert Badinter, qui depuis longtemps avait fait de l'abolition un symbole du combat de la gauche. Au moyen d'un discours rigoureux, vibrant et bouleversant à l'Assemblée, il sut la faire voter triomphalement par 369 députés contre 113. Une minorité de la droite, au premier chef Jacques Chirac, le patron du RPR, avait donné son accord, en dépit des ruminations des récalcitrants. Le Sénat opposa une plus grande résistance. Mais là encore Badinter, éloquent et implacable, sut rallier la majorité : 160 voix contre 126. Le 9 octobre 1981, la loi d'abolition était promulguée.

Une autre mesure phare dont il faut créditer le nouveau président fut la loi de décentralisation à laquelle Gaston Defferre, ministre de l'Intérieur, a ménagé tous ses soins. Le maire de Marseille était particulièrement bien placé pour mesurer le poids du centralisme parisien, les entraves bureaucratiques, le retard des décisions. Tous les régimes avaient contribué à fortifier la tutelle parisienne : la monarchie absolue, le jacobinisme révolutionnaire, le régime bonapartiste et même les IIIe et IVe Républiques. Décentraliser était une vieille lune du siècle précédent mais, une fois parvenus au pouvoir, les décentralisateurs de la veille devenaient des centralisateurs du lendemain. Michel Rocard, dans une tournée d'inspecteur des finances, avait naguère pris la mesure du corset étreignant et stérilisant que les bureaux parisiens infligeaient aux collectivités locales. Il avait publié, on s'en souvient, sa brochure *Décoloniser la province* qui était tombée dans le vide. François Mitterrand, maire de Château-Chinon, président du conseil général de la Nièvre, avait pu, lui aussi, se rendre compte de cette anomalie administrative si néfaste aux initiatives locales et si négatrice des identités provinciales que les années 1960 avaient réveillées. La décentralisation fut inscrite dans les *110 propositions*, et Gaston Defferre s'en chargea. Il aurait bien voulu se débarrasser des préfets, institués par Napoléon ; Mitterrand y avait songé jadis, mais aujourd'hui il est soucieux de la Constitution et de l'unité de l'État : « Si avec la décentralisation on fait sauter l'appareil de l'État, nous tomberons sous la critique d'atteinte à cette unité[1]. » Ce ne fut donc pas une révolution, seulement l'ébauche d'un desserrement de la contrainte étatique sur les régions, mais c'était encore trop aux yeux d'un Michel Debré qui, à corps perdu, déposa sur la question une motion de censure. L'élection au suffrage universel des conseils régionaux annonçait à ses yeux et pour nombre de gaullistes, qui avaient quelque peu oublié le projet de régionalisation du général de Gaulle en 1969, « une dislocation de l'unité nationale ». La loi était votée sans peine le 12 septembre 1981. Une marge d'autonomie assez grande était donnée aux communes, départements et régions, puisque le contrôle du pouvoir central ne viendrait désormais qu'*a posteriori*. Le Sénat résista, mais l'Assemblée finalise le projet de loi le 2 mars 1982. C'était une loi-cadre, appelant de nombreux textes ultérieurs, mais le principal était réalisé.

Ces deux grandes lois — l'abolition de la peine de mort et la décentralisation — n'étaient pas des lois proprement socialistes ; un certain nombre de parlementaires de droite les avaient votées, ou en avaient voté l'une ou l'autre : elles étaient d'inspiration libérale. Parallèlement, il s'agissait pour Mitterrand et sa majorité d'affirmer le changement socialiste, à la fois par des mesures immédiates et par des réformes de structure qui devaient opérer la « rupture » avec le capitalisme.

La troisième grande décision législative des débuts du septennat plonge ses racines dans l'histoire de la gauche incontestablement de gauche (Charles Fiterman déplorera sa nature « sociale-démocrate », mais elle est dans la filiation du Front populaire) : ce sont les lois réformant le droit du travail et baptisées « lois Auroux ». Entre le 4 août et le 23 décembre 1982 sont discutées, longuement, passionnément, par les députés gaullistes Séguin, Noir et Millon — ils déposeront jusqu'à

---

1. Pierre Favier, Michel Martin-Roland, *La Décennie Mitterrand*, Points/Seuil, t. I, p. 172.

trois mille cinq cents amendements —, puis votées quatre lois défendues par le ministre du Travail, qui reconsidèrent la place et le rôle des travailleurs et des syndicats dans l'entreprise. Elles ont pour but de favoriser la négociation sur les conditions de travail à l'intérieur des établissements. Certes, nous sommes loin de l'autogestion, voire de la cogestion, mais les droits et les libertés des travailleurs sont améliorés et garantis face à un patronat qui a cessé d'être « de droit divin » : renforcement du droit syndical, accroissement des moyens mis à la disposition du délégué syndical, élection des délégués du personnel, élargissement des attributions du comité d'entreprise, extension des conventions collectives, droit d'expression des salariés... Outre ces réformes, l'actualité plus immédiate oblige les nouveaux élus à prendre des décisions rapides pour conjurer une crise économique et financière qu'aggrave l'arrivée même des socialistes au pouvoir. La fuite des capitaux, le chômage en forte hausse, l'inflation galopante, autant de maux qu'il faut juguler. Dès la composition du gouvernement Mauroy, Rocard a suggéré au nouveau Premier ministre de pratiquer sans attendre une forte dévaluation, qui serait présentée comme le résultat nécessaire de la gestion de la droite. Elle aurait pour effet de relancer les exportations. Mitterrand oppose un veto formel à pareille mesure qui, à ses yeux, serait un aveu de faiblesse de la part de la gauche. Ce refus, comme bien d'autres, mais celui-là date des tout débuts du septennat, caractérise la pensée et la démarche de François Mitterrand : chez lui le politique doit primer l'économique. Le franc doit se redresser, certes, mais ce sera par l'autorité affichée d'un Président que conforte une majorité unanime à l'Assemblée. Face aux réalistes, aux experts, il peut compter sur les idéologues qui ne manquent pas dans son entourage. Le mot d'ordre qui s'impose est celui de la relance. Ici encore, nous ne sommes pas dans un cadre résolument socialiste. Relancer l'économie par la consommation appartient aux recettes de l'économie keynésienne qui visaient à sauver le capitalisme plutôt qu'à rompre avec lui. Mais n'importe la couleur ! Et de toute façon la relance prend le contre-pied de la politique de M. Barre centrée sur la rigueur. Tout doit s'améliorer grâce à l'augmentation du pouvoir d'achat. Une batterie d'ordonnances y pourvoit : augmentation du Smic de 10 %, du minimum vieillesse de 20 %, des allocations familiales de 25 %, création de cinquante-cinq mille emplois dans le domaine public, réduction du temps de travail hebdomadaire à trente-neuf heures payées quarante, abaissement du droit à la retraite à soixante ans, cinquième semaine de congés payés.

Socialiste, le gouvernement ne pouvait se contenter de mesures conjoncturelles ; il fallait inscrire dans les faits la « rupture » avec le capitalisme, dont le premier instrument affirmé depuis le programme commun, et que Mitterrand et le PS n'ont jamais désavoué, ce sont les nationalisations des plus importants groupes industriels français et celle du crédit. Jean Le Garrec est chargé par Pierre Mauroy du processus. Pour Mitterrand, il s'agit de la pierre de touche de son programme, le gage de la nature socialiste de son gouvernement. Les communistes étant marginalisés, Mitterrand aurait pu le remettre aux calendes grecques. Non ! Il s'agissait pour lui d'être fidèle à ses engagements et ces nationalisations répondaient certainement, dans son esprit, à la guerre qu'il avait déclarée à la classe dominante. Donc, il fallait les réaliser, et sans tarder. Mais selon quelles modalités ? Les réalistes du gouvernement, les Delors, les Rocard, souhaitent que l'État ne prenne que 51 % du capital des groupes à nationaliser, mais ils sont bien seuls et bien faibles face à la résolution du Président et à la conviction des autres. Le 2 septembre 1981, au Conseil des ministres qui se tient exceptionnellement à Rambouillet en raison de travaux à l'Élysée, le Président expose, dans un silence général, son projet de nationaliser à 100 %. Michel Rocard s'exaspère en silence, piaffe, attend la réaction de Jacques Delors, ministre de l'Économie, mais en vain. Mitterrand proclame que le débat est clos : « Je n'y tiens plus, raconte Rocard, je lève la main et, sous quarante regards que je crois unanimement réprobateurs, je dénonce, plus d'un quart d'heure durant, la procédure choisie : on va payer ces entreprises, selon les cas, deux, trois ou quatre fois leur prix, alors que, dans le cas de Saint-Gobain par exemple, il n'y avait qu'un appoint à faire pour que l'État soit majoritaire. » La déclaration de Rocard réveille les esprits engourdis, à commencer par Jacques Delors. « L'aurais-je emporté ? » se demande Rocard. Mitterrand se lève, très sec : « Je vous ferai connaître ma décision avant peu. » Cinq jours plus tard, la question est tranchée : nationalisations à 100 %[1]. Où l'on voit que le symbole, pour Mitterrand, compte souvent plus que l'efficacité.

Le projet de loi présenté au Parlement fait état de la nationalisation de neuf groupes industriels (Thomson-Brandt, Saint-Gobain, Rhône-Poulenc, Pechiney-Ugine Kuhlmann, Usinor et Sacilor, Suez et Compagnie générale d'électricité, Matra et Dassault) et de trente-neuf banques et compagnies financières, soit plus de 90 % des établissements de crédit. Le projet essuie évidemment l'opposition de la droite, qui multiplie les amendements (près de mille cinq cents en première lecture). Le Conseil constitutionnel, saisi, conteste une partie du texte de loi concernant les modalités de calcul des indemnisations. Un nouveau projet est présenté à l'Assemblée qui aboutit à la loi du 13 février 1982. Désormais, un salarié sur trois appartiendrait au secteur public, 40 % du produit national serait sous contrôle de l'État. Le coût global des nationalisations sera évalué à 86 milliards de francs, à étager sur quinze ans. Entre-temps, le congrès de Valence du parti socialiste, en octobre 1981, recevait un message de François Mitterrand affirmant : « Candidat socialiste à l'élection présidentielle, je reste socialiste à la présidence de la République. » Les nationalisations résumaient sa doctrine.

Ce congrès de Valence, qu'on appela le « congrès des vainqueurs », souleva quelque émotion dans les médias et dans la

---

1. *Ibid.*, p. 182.

classe politique. On y assista, en effet, à une radicalisation des participants, impatients de réaliser le programme du parti, y compris les nationalisations qui se heurtaient à tant d'oppositions. L'euphorie des premières semaines d'après victoire était entamée. Paul Quilès, Gaston Defferre, Louis Mermaz, qui n'étaient pas répertoriés parmi les plus extrémistes, y concoururent avec des mots excessifs. La sortie de Paul Quilès fut la plus retentissante : « La naïveté, s'écrie-t-il, serait de laisser en place des gens qui sont déterminés à saboter la politique voulue par les Français (recteurs, préfets, dirigeants d'entreprises nationales, hauts fonctionnaires, etc.). Il ne faut pas non plus dire : "Des têtes vont tomber", comme Robespierre à la Convention, mais il faut dire lesquelles et le dire rapidement[1]. » L'allusion à Robespierre est une de ces bévues dont l'excitation des congrès n'est jamais chiche. Mitterrand en prend conscience, mais les excès de langage proférés dans ce congrès, il les avait lui-même encouragés : Quilès, Mermaz et Defferre étaient de ses fidèles. Pierre Mauroy, le chef du gouvernement, ne les avait pas suivis : « Ces gens-là, dira-t-il, font tout pour affoler l'opinion. S'ils voulaient qu'on se plante, ils ne s'y prendraient pas autrement. »

Mauroy, en effet, a très vite compris les erreurs d'une politique économique et sociale que Mitterrand soutient au détriment de tout réalisme. Pour Mitterrand, la volonté politique doit triompher de tous les obstacles et, selon le mot prêté au général de Gaulle, « l'intendance suivra ». Cependant, la dure réalité de la conjoncture devait lentement, tardivement, lui dessiller les yeux.

La politique de relance à tous crins avait été encouragée par les prédictions de Jacques Attali, conseiller spécial à l'Élysée et mauvais augure, qui annonçait l'imminence d'une reprise mondiale. Ce ne fut pas le cas. La France se trouva isolée dans cette fuite en avant. Les indices économiques de l'année 1981 se

---

1. F.-O. Giesbert, *François Mitterrand, une vie, op. cit.*, p. 377 et, à quelques mots près, J. Lacouture, *Mitterrand, une histoire de Français, op. cit.*, t. II, p. 42.

révèlent bientôt alarmants. Outre la fuite des capitaux, le décrochage du déficit public, la Sécurité sociale en déficit, le chômage qui s'est accru, atteignant plus de un million et demi de sans-emploi, l'inflation à 13,4 %, on constate que l'élévation du pouvoir d'achat a surtout servi « à faire tourner les usines étrangères » (Lionel Stoléru), et du même coup le commerce extérieur se creusait, accusant un déficit de plus de 50 milliards de francs. La croissance attendue n'a pas eu lieu : moins de 1 % du PIB.

Dans un premier temps, François Mitterrand n'en a cure. À l'automne 1981, il déclare à Alain Duhamel : « Quand on est porteur d'une espérance, qu'on a gagné sur des engagements et qu'on veut les respecter, on se retrouve, dès qu'on essaie de faire bouger les choses, en face d'une nuée d'experts qui vous fichent sous le nez des tas de courbes en vous disant : "C'est impossible." Leurs prévisions seront démenties quelques mois plus tard, mais qu'importe… On me harcèle d'anathèmes et de théorèmes. On m'interdit de nationaliser, de diminuer le temps de travail, d'augmenter les retraites ou le Smic. Chaque fois, on dit la même chose : "Niet !" N'a-t-on pas le droit de changer ? Si on ne nous laisse pas appliquer notre politique, ça ne pourra qu'entraîner notre durcissement[1]. » En l'occurrence, celui qu'on surnomme « le Florentin » ne suit pas les leçons de Machiavel. L'auteur du *Prince* préconisait de suivre le cours des choses pour mieux les diriger ; Mitterrand, lui, choisissait de s'y heurter de front. Advienne que pourra.

Le tournant

Lucide mais fidèle lieutenant, Pierre Mauroy exécute la politique du chef, mais il n'en est pas moins alerté par ses conséquences. Jean Peyrelevade, membre de son cabinet, Jacques

---

1. F.-O. Giesbert, *François Mitterrand, une vie, op. cit.*, p. 380-381.

Delors, à l'Économie, Michel Rocard, François-Xavier Stasse, Christian Sauter sont de ceux qui subodorent l'échec de la relance. François Mitterrand, lui, appuyé par les encouragements de Jacques Attali, conseiller omniprésent à l'Élysée, de Laurent Fabius, ministre du Budget, de Pierre Bérégovoy, passé du secrétariat de l'Élysée au ministère des Affaires sociales depuis la fin du mois de juin 1982, réitère ses déclarations de guerre au « mur de l'argent », un mot repris d'Édouard Herriot en 1924. Il manifeste sa colère quand Delors déclare à la radio : « Mon opinion personnelle est claire : il faut faire une pause dans l'annonce des réformes. » La pause ! Un mot tabou qui rappelle fâcheusement l'échec du Front populaire en 1937. Le 31 décembre, sûr de lui, en présentant ses vœux à la télévision, Mitterrand se croit autorisé à affirmer : « La reprise est là. »

Mitterrand devra composer avec le réel, et assumer trois dévaluations successives, le 4 octobre 1981, le 12 juin 1982 et le 21 mars 1983 — symbole de l'échec pour l'opinion. Lui qui avait refusé de dévaluer dès son entrée en fonction à la présidence, parce que la dévaluation lui paraissait une défaite symbolique, aura dû accepter, à son corps défendant, cette espèce d'humiliation à laquelle il voulait échapper. L'électorat n'est pas resté insensible à la dégradation de la situation économique. En janvier 1982, quatre élections partielles sont gagnées par l'opposition. En mars, les cantonales confirment le recul de la gauche, au bénéfice du RPR et de l'UDF. En 1983, le jugement sur l'action de Mitterrand, encore positif en janvier 1982, devient sensiblement négatif dans le pays[1]. Malgré son hostilité aux docteurs Tant-Pis, il lui faudra s'y résoudre, changer de politique, accepter la rigueur. Sans le dire : le mot n'est pas de son vocabulaire. La deuxième dévaluation de juin 1982 marque le tournant ; le plan de rigueur conçu par Pierre Mauroy, il doit l'assumer. Ou plutôt, prenant ses distances, il en laisse le soin à son chef de gouverne-

---

1. Sofres, *Opinion publique*, Gallimard, 1984, p. 40.

ment. Changer de politique, soit ! provisoirement, si c'est nécessaire, mais ne pas laisser croire qu'on a changé de but : il ne faut pas « désespérer Billancourt », comme disait Sartre. La rigueur, ça sera Mauroy, pas lui ! Au parti socialiste, dirigé par Jospin, qu'on se le dise : rien n'est changé.

Jospin change de braquet. Le 29 mai 1982, il déclare au *Nouvel Observateur* : « Nous devons changer de vitesse pour adapter le régime à l'effort prolongé qui est nécessaire. » Le 12 juin, Jacques Delors à Bruxelles négocie la deuxième dévaluation : le franc perd 5,5 % de sa valeur, le mark et le florin gagnent 4,5 %. L'Allemagne, qui avait été le premier bénéficiaire de la relance française, pouvait se montrer accommodante. Pour enrayer l'inflation, Pierre Mauroy obtient du Président le blocage des prix et des salaires pour quatre mois, la limitation du déficit budgétaire et l'augmentation d'un point de la TVA. Pour faire avaler la pilule, le chef du gouvernement dispose d'une majorité absolue à l'Assemblée, qui a le dernier mot sur le Sénat. En septembre 1982, la France est contrainte à un nouvel emprunt international, de quatre milliards de dollars.

Cependant, les adversaires de la rigueur ne manquent pas au PS et parmi les proches de Mitterrand. Chez ceux-là une idée germe et se développe : « mettre entre parenthèses la contrainte extérieure », pour ne pas dire le protectionnisme, reprendre la politique de croissance en sortant, au moins provisoirement, du SME (le système monétaire européen, dont la fonction est d'harmoniser les changes entre les monnaies européennes). « Comptons davantage sur nous-mêmes, disait ainsi Chevènement en Conseil des ministres, car la solidarité européenne me paraît douteuse, et misons sur les réflexes d'indépendance nationale[1]. » Peu à peu, ce camp se renforce, et voilà Mitterrand soumis à deux thèses contradictoires. Il est d'autant plus intéressé par les partisans de cette « autre politique » (la

---

1. P. Favier, M. Martin-Roland, *La Décennie Mitterrand, op. cit.*, t. I, p. 514.

sortie du SME au risque du protectionnisme) qu'elle n'est pas le monopole de la gauche socialiste. Son ami Jean Riboud, le puissant patron de Schlumberger, recommande, lui aussi, une politique de retrait à même de moderniser l'industrie française en se dérobant aux contraintes monétaires, en se déconnectant du SME, en aidant les entreprises à payer leurs dettes et à emprunter à des taux d'intérêt plus bas que ceux qu'impose la tenue du franc. D'un côté, Mitterrand laisse la bride sur le cou à Mauroy et à Delors qui exercent leur politique de rigueur, de l'autre, il tend l'oreille à ceux que Mauroy appelle « les visiteurs du soir », ceux qui viennent, après lui, conseiller à Mitterrand l'autre politique. « Le jour, raconte Mauroy, Mitterrand travaillait avec un gouvernement qui menait la politique décidée en juin 1982. Le soir, il recevait une concubine qui lui proposait une tout autre politique.[1] » Bérégovoy, ministre des Affaires sociales, est lui aussi, en compagnie de Chevènement et de Fabius, partisan de la sortie du SME.

Le blocage des prix et des salaires prend fin le 1er novembre 1982. Delors juge que les quatre mois écoulés ont vu la réduction de la hausse des prix. Mauroy réussit l'exploit (impossible à réaliser par un gouvernement de droite) de mettre fin à l'indexation des salaires de la fonction publique sur la hausse anticipée des prix. D'autres mesures d'assainissement sont prises pour accompagner la fin du blocage, notamment celui de la Sécurité sociale : forfait hospitalier de 20 francs par jour non remboursable, hausse des cotisations, etc. En décembre, un nouveau plan de rigueur est à l'étude, mais Mitterrand ne veut pas en entendre parler avant les élections municipales de mars 1983. Mauroy est pris entre deux feux : « Un excès de rigueur entraînerait une nouvelle poussée du chômage, écrit-il dans *L'Unité* du 10 février 1983, un manque de rigueur laisserait repartir l'inflation. » Mitterrand, lui, à la veille des municipales, veut montrer à tout

1. *Ibid.*, p. 530.

prix que l'objectif socialiste n'a pas varié. Mais la hausse des prix repart, le commerce extérieur fléchit de nouveau. Enfin, les élections municipales arrivent, la campagne est violente, la droite accuse la gauche d'incompétence, et les résultats sont mauvais pour celle-ci : elle perd quarante grandes villes. Le signal est-il donné de quitter le SME ? Un « club des Cinq », composé d'Élisabeth Guigou, Jean-Louis Bianco, François-Xavier Stasse, Christian Sauter et Jacques Attali qui s'est rallié, bombarde Mitterrand de notes alarmistes sur une sortie éventuelle du SME. Que va décider le Président ?

Tout se joue entre le 13 et le 23 mars 1983. Au cours de cette décade, le franc est dévalué pour la troisième fois, Mitterrand se rend aux raisons des « réalistes », la France ne se fermera pas à l'Europe. Corollaire de cette décision : le nouveau plan de rigueur, drastique, que Jacques Delors expose en Conseil des ministres et qui vise à rétablir en deux ans la balance des paiements. Au rang des mesures décidées, un carnet, dit carnet de change, limitant les dépenses des Français à l'étranger (chaque année, 2 000 francs par adulte et 1 000 francs par enfant), la réduction de 20 milliards du déficit budgétaire, un emprunt obligatoire de 10 % du montant de l'impôt sur le revenu pour les contribuables payant plus de 5 000 francs d'impôt par an, etc. L'opposition ironise, mais une voix discordante s'y fait entendre, celle de Raymond Barre, qui applaudit sur Europe 1 : la France « échappe à un grand péril, la sortie du franc du SME. [...] Un certain nombre de mesures me paraissent aller dans le bon sens. [...] Dans les moments difficiles, nous n'avons pas le droit de prendre une attitude systématiquement négative. »

Pareil éloge n'est peut-être pas pour plaire à François Mitterrand, qui continue à affirmer que l'objectif du projet socialiste reste le même. Lionel Jospin lui offre le mot qui servira à sa justification : il s'agit d'une « parenthèse ». Le premier secrétaire du PS expliquera plus tard le choix du Président : « La tentation de s'affranchir du SME a été très forte mais deux éléments essentiels ont guidé sa décision de rester : le sentiment que la sortie du [SME] serait une fuite en avant dramatique sans garantie d'efficacité pour le redressement de la balance commerciale ; l'ambition de conduire une grande politique européenne. Ce qu'il a fait plus tard sur ce plan éclaire le choix de mars 1983[1]. » C'était une façon de dire que, pour François Mitterrand, l'avenir de l'Europe était désormais plus important que le projet socialiste. Le 28 mai 1983, Jean-Pierre Chevènement, devant la convention nationale du PS, affirme bien haut ce que d'aucuns pensent sans le dire : qu'il ne s'agit pas d'une « parenthèse » mais d'un « virage ». Sa faculté d'adaptation n'étant pas démentie, le Président socialiste parlera d'« économie mixte » — un partage entre un secteur privé majoritaire et un secteur public dynamique.

Contrairement à ce qu'écrira plus tard Jacques Attali, la politique économique menée entre le printemps de 1982 et le printemps de 1983 a bien été un tournant[2]. Derrière le mot « rigueur », le gouvernement a entraîné François Mitterrand dans une politique d'adaptation au marché en cours de mondialisation et à l'Europe en construction : « Revirement, bien sûr, écrit Jean-Charles Asselain, par rapport aux objectifs déclarés de 1981 : la relance par la demande publique s'efface derrière le soutien de l'investissement productif, la reconquête du marché intérieur fait place à l'acceptation des règles du jeu européen, et la stratégie de

---

1. *Ibid.*, p. 586.
2. Jacques Attali : « Une des plus grandes erreurs reprochées, comme une antienne, à François Mitterrand est d'avoir tourné le dos en 1983 à ses promesses et d'avoir renoncé à ses réformes pour se plier au diktat du marché. Il s'agit là d'une contre-vérité absolue. Le prétendu "tournant" de 1983 fut en fait l'occasion d'une confirmation des réformes engagées en 1981, avec, de surcroît, la mise en œuvre et la réussite d'une politique sur laquelle nul n'attendait la gauche : celle de la désinflation et du rééquilibrage de la balance des paiements », « Le faux tournant de 1983 », *in* « François Mitterrand, le pouvoir et la séduction », *Hors-Série Le Monde, Une vie, une œuvre*, sd, p. 107. Jean-Charles Asselain (voir note suivante) cite cependant ce mot de Jacques Attali à l'automne 1982 : « Le grand tournant idéologique est pris. On ne parle plus que d'allègement des charges de nos entreprises. »

rupture avec le capitalisme à la pleine reconnaissance du rôle de l'entreprise[1]. »

La politique de Pierre Mauroy est continuée par Laurent Fabius, qui lui succède en juillet 1984, cette fois sans participation communiste. La rigueur apporte ses fruits. La hausse des prix, les réformistes voulaient la faire descendre au-dessous de 10 % en 1983, et l'objectif est atteint (9,3 %) ; elle n'est plus en 1984 que de 6,7 % ; elle descendra à 5,8 % en 1985. L'équilibre de la balance commerciale est presque rétabli en 1984. Reste la plaie du chômage : 2 300 000 au moment de la campagne des élections législatives de 1986. Mitterrand en convient : « La France est un des pays qui a perdu le plus d'emplois depuis quatre ans. » Certes, le taux du chômage a un peu diminué en 1985, « mais, quand il reste plus de deux millions de chômeurs, qui osera — moi pas ! — dire que nous avons réussi ? ».

Ce qu'il reste de la volonté de « rupture » avec le capitalisme, ce sont les nationalisations. En fait, elles se trouvent mises en question même au PS. En avril 1985, Édith Cresson, ministre du Redéploiement industriel et du Commerce extérieur, ne craignait pas de poser la question : « Dénationaliser les entreprises publiques... pourquoi pas ? » En réalité la privatisation des entreprises publiques fait son chemin. Certains groupes se portent mal : en 1982, Pechiney a perdu 4,6 milliards de francs, Thomson 2,2 milliards, Rhône-Poulenc 787 millions... Dans l'impossibilité d'investir en raison de l'austérité budgétaire, l'État a fait appel à l'épargne privée. La loi Delors de 1985 crée des certificats d'investissement qui, avec les titres participatifs et titres subordonnés, permettent en 1985 d'injecter 20 milliards de francs dans les entreprises nationalisées. La Bourse, hier honnie, voit redorer son blason. Cette « dénationalisation douce »

---

1. Jean-Charles Asselain, « L'expérience socialiste face à la contrainte extérieure (1981-1983) », *in* Serge Berstein, Pierre Milza, Jean-Louis Bianco (dir.), *François Mitterrand, les années du changement, 1981-1984*, Perrin, 2001, p. 420.

correspond aussi à l'évolution de l'opinion. D'après les sondages, les Français mettent en cause les bienfaits de l'État entrepreneur : dès octobre 1983, les nationalisations suscitaient plus d'opinions négatives (46 %) que positives (34 %). En mai 1987, 27 % seulement désapprouvent les privatisations. Air du temps : la notion de profit elle-même est désormais appréciée positivement. Où va-t-on ?

La défaite de la gauche aux élections législatives de 1986 ouvrait, pour la première fois, une phase de « cohabitation » et permettait au nouveau gouvernement, celui de Jacques Chirac, désigné par Mitterrand, de procéder à une série de privatisations complètes : Saint-Gobain, Paribas, CGE, Société générale, Suez..., dont la vente rapportait à l'État entre 70 et 100 milliards de francs selon les estimations. En 1988, dans sa lettre-programme adressée aux Français, François Mitterrand semblait jeter l'éponge : « Laissons s'apaiser les bouillonnements que le va-et-vient *nationalisations-privatisations* ne prolongerait pas sans dommage. Il est temps que la Bourse redevienne le lieu où l'épargne s'investit pour créer et bâtir et que cesse de triompher une économie de spéculation à courte vue. » C'est la doctrine du « ni-ni », ni nationalisation ni privatisation. Sur Europe 1, Alain Duhamel qualifie cette *Lettre à tous les Français* de « rose très pâle », ce qui entraîne cette réplique du Président : « Lorsque je préfaçais les programmes socialistes, vous hurliez tous au révolutionnaire irresponsable. Aujourd'hui que j'ai adouci mon trait, vous m'accusez d'avoir trahi. Vous n'êtes pas logique. [...] Il est faux de dire que j'ai changé. Mes convictions sont les mêmes. Mais j'ai appris que la réalité résistait à la volonté politique. Voyez : en 1982, nous avons nationalisé le crédit. Eh bien, à quoi cela nous a-t-il servi ? Nous n'avons pas eu un gramme de pouvoir en plus pour autant[1]... » L'aveu est de taille. Dans cette logique « révisionniste », Mitterrand, au cours de cette campagne,

---

1. Jacques Attali, *Verbatim II*, Fayard, 1995, p. 483-484.

prône l'« ouverture », répondant, du reste, aux vœux de l'opinion. Un sondage de la Sofres du 19 au 21 mai 1988 révèle, en effet, que 8 % seulement des sympathisants du PS souhaitent un gouvernement d'alliance PS-PCF, 59 % étant favorables à un gouvernement du parti socialiste et des centristes[1]. Dans son ultime discours de campagne, à Toulouse, le vendredi 6 mai 1988, le Président-candidat déclare : « Notre philosophie de l'Histoire est celle qui répond depuis l'origine des temps à toutes les libérations de l'esprit ou du corps… », mais il ne prononce pas le mot « socialisme[2] ».

En 1988 Michel Rocard, nouveau Premier ministre, ouvrira au marché le capital des usines Renault. Édouard Balladur devenu Premier ministre, dans une nouvelle phase de cohabitation assumée par Mitterrand après les législatives perdues par la gauche en 1993, compléta les privatisations lancées par Jacques Chirac : ce fut le tour notamment de Rhône-Poulenc, de la BNP, Elf-Aquitaine et Total. La liste s'étendit après le second septennat de Mitterrand, et l'on ne s'étonna pas qu'un Premier ministre comme Lionel Jospin, pour renflouer les caisses de l'État, y contribue à son tour. Si, comme avait dit François Mitterrand, le socialisme devait passer par les nationalisations pour entamer la « rupture », la rupture avait vécu et le socialisme avec elle.

« Rubicon, connais pas ! » Ainsi Régis Debray résume-t-il la philosophie politique de celui qu'il a suivi jusqu'en 1988 et qui n'avait pas osé franchir le fleuve qui sépare le réformisme de l'action révolutionnaire. Dans un portrait féroce, publié en 1996, l'écrivain exprime sa déception : « Porté par un reste de zéphyr millénariste, surfant sur la dernière vague d'espérance révolutionnaire soulevée en France par mai 68, ultime résurgence de la religion du XIXe siècle dans le XXe, se servant du vieux Gulf Stream égalitaire d'autant mieux qu'il n'en provenait pas, sans

---

1. Sofres, *L'État de l'opinion. Clés pour 1989*, Éd. du Seuil, p. 119.
2. J. Attali, *Verbatim II, op. cit.*, p. 502.

prendre donc les mots pour les choses ("changer la vie", "rupture avec le capitalisme", "Programme commun", etc.), un cynique perspicace suit le mouvement; et comme il a de l'opiniâtreté, il l'accompagne jusqu'à son terme[1]. »

Dans ce joli morceau, le mot « cynique » n'est peut-être pas de mise. Je le dis avec prudence, car François Mitterrand, malgré tout ce qu'on a dit et écrit sur lui, garde une part énigmatique. Il semble avoir cru en son socialisme, à partir du moment où il l'a jugé un instrument nécessaire à sa conquête du pouvoir. Il s'est un peu forcé, a fait des lectures, s'est mis à chanter *L'Internationale*, a adopté le chapeau à larges bords de Léon Blum, parlé de la lutte des classes et des terrains de lutte... La foi lui est venue. La foi, une demi-foi, un quart de foi, on ne sait pas, mais le cynisme, non. Tête éminemment politique, il s'est aperçu que le socialisme « à la française » avait plus de complicité avec l'imaginaire qu'avec le possible. Ce retour au réel, si difficile à assumer, il y a résisté au cours de cette controverse sur la relance et sur la rigueur; il a été peu à peu convaincu de sa nécessité triviale, si peu conforme à son ambition d'entrer dans l'Histoire par la gauche. Mais, au fond, Pierre Joxe a sans doute raison de qualifier François Mitterrand de « réformiste pragmatique » : rester dans l'économie de marché ne lui est pas insupportable, tant que lui et la gauche restent au pouvoir.

Mais l'homme politique ne veut pas avoir eu tort. Il masque son changement d'attitude, il s'évertue à faire croire que son action reste la même, que l'objectif n'est pas changé. Pour entrer dans l'Histoire, la marquer de son sceau, il eût peut-être fallu se remettre et remettre le parti socialiste en question, en finir avec l'« exception française », admettre que le socialisme du xxᵉ siècle c'était la social-démocratie. Les Allemands l'avaient fait, collectivement, en leur congrès à proprement parler historique de Bad Godesberg en 1959. Réviser l'héritage du marxisme devait être à

---

1. Régis Debray, *Loués soient nos seigneurs*, Gallimard, 1996, p. 342.

leurs yeux un acte officiel. Trente ans plus tard, la faillite du « socialisme réel », devenant aveuglante avec la chute du mur de Berlin et bientôt la fin du communisme, aurait pu être l'occasion d'un réexamen des présupposés socialistes. Dans les pays scandinaves tout comme en Allemagne et en Autriche, les sociaux-démocrates n'avaient pas eu besoin de rompre avec le capitalisme pour bonifier le sort des hommes, à commencer par celui des travailleurs. Mais, il est vrai, cette politique progressiste s'était pratiquée dans le cadre d'un régime de libre entreprise. Pas de quoi faire rêver Régis Debray ! Mitterrand, on l'a vu, n'a pas manqué de rendre hommage à ces sociaux-démocrates, mais il s'est senti tenu de composer avec ce qu'on a appelé le « surmoi révolutionnaire » ou le « surmoi marxiste » des militants français. Peut-être, après la bourrasque de 1982-1983, s'il avait été plus féru de culture socialiste, plus conscient du rôle qu'il aurait pu jouer dans l'histoire du mouvement « ouvrier » français, eût-il impulsé la grande remise en cause, la refondation qu'un Léon Blum envisageait dans sa prison pendant la guerre, l'affirmation théorique d'une nécessité : la création d'un grand parti du travail, d'une vraie gauche républicaine, d'un socialisme réformiste au service des exploités, des humiliés, des sans-grade, mais débarrassé du maximalisme. Le *compromis* est l'esprit de la social-démocratie, et Mitterrand, quelle que soit la liste de ses compromis, ne pouvait en accepter le principe. « Socialiste j'étais, socialiste je reste[1] ! » La social-démocratie, on la pratiquera, mais on évitera surtout de l'appeler par son nom.

La social-démocratie condamnée mais pratiquée

Le « rêve socialiste » avait été oublié dès le premier septennat. Le second confirmait l'évolution. En 1988, François Mitterrand

---

1. Déclaration du 6 septembre 1984, en Savoie.

avait annoncé l'«ouverture»: le centre avait désormais sa place dans la majorité. À cet effet, il pouvait choisir de ne pas dissoudre l'Assemblée après sa réélection. Sa large victoire sur Jacques Chirac le convainc du contraire: la dissolution ressoude le dualisme gauche-droite: «Si le Président avait joué le jeu de l'ouverture, témoigne Maurice Faure, j'aurais pu lui ramener, dans les six mois, soixante-dix-sept députés et cent dix sénateurs[1]. » Mais il n'y eut pas de négociation avec des organisations politiques; seuls quelques individus, tels que Pierre Arpaillange, un magistrat de la Cour de cassation, appelé comme représentant de la société civile, nouveau garde des Sceaux, ou Jean-Pierre Soisson, ancien ministre de Raymond Barre, ou encore Lionel Stoléru, proche de Giscard et qui avait soutenu Barre lors de l'élection présidentielle, vinrent symboliser l'ouverture. Mais c'est Michel Rocard, le rival, l'ennemi intime, en même temps que le chéri des sondages, qui, pour le Président, signifie le coup de barre centriste.

Jusqu'au 15 mai 1991, le nouveau Premier ministre pratiqua une politique sociale-démocrate avec l'accord public de François Mitterrand qui se garda de prononcer le mot. Celui-ci fut quelque peu bluffé par la manière dont ce cadet, insupportable à ses yeux, sut régler le dramatique problème de la Nouvelle-Calédonie, où des troubles sanglants avaient eu lieu sous le gouvernement de Jacques Chirac. Rocard avait obtenu un accord entre le parti des nationalistes kanak du FLNKS et celui des colons dirigé par le RPCR Jacques Lafleur, un scrutin d'autodétermination étant prévu pour 1998. Ce succès initial permit au nouveau Premier ministre d'exercer ses fonctions dans la durée, sous l'œil d'un Mitterrand qui a pu en douter («on verra dans un an où on en est»).

Deux grandes mesures sociales sont redevables à ce gouvernement, le RMI (revenu minimum d'insertion) et la CSG (contri-

---

1. F.-O. Giesbert, *François Mitterrand, une vie, op. cit.*, p. 552.

bution sociale généralisée). La première avait été ébauchée par le candidat socialiste lors de sa campagne présidentielle; il s'agissait d'une aide aux familles les plus démunies qui serait payée par le rétablissement de l'impôt sur la fortune que le gouvernement Chirac avait eu l'imprudence d'annuler. Rocard, en Conseil des ministres, malgré l'opposition de Chevènement, ministre de la Défense, limita l'ISF afin de ne pas faire fuir les capitaux. «C'est l'accroissement de l'activité économique qui assurera les meilleures rentrées.» Le texte était adopté le 12 octobre 1988 à l'unanimité moins trois voix. La CSG ne bénéficia pas de la même unanimité. Le projet consistait à rééquilibrer les comptes de la Sécurité sociale, dont le déficit s'aggravait d'année en année, par un impôt portant sur tous les revenus, y compris ceux du capital. Le projet était soutenu par la CFDT, mais pas par FO et moins encore par la CGT qui le dénonça. Georges Marchais fit savoir que les députés communistes voteraient une motion de censure éventuellement proposée par l'opposition de droite. Rocard n'avait qu'une majorité relative à l'Assemblée; la défection des communistes risquait d'empêcher la loi de passer. Elle fut néanmoins votée, avec seulement cinq voix de majorité, grâce à deux députés barristes et trois élus d'outre-mer. La loi était promulguée le 29 décembre 1990.

Ce réformisme social avait l'approbation de Mitterrand, mais la querelle personnelle avait déjà eu raison de la bonne collaboration entre lui et son Premier ministre. L'occasion de la rupture entre les deux hommes fut le congrès de Rennes du PS au mois de mars 1990. La question des personnes et des postes tendait à devenir plus importante que les divergences idéologiques. Mitterrand, qui veut éviter que Rocard ne devienne son successeur, mise sur son dauphin, Laurent Fabius, mais celui-ci doit affronter la rivalité d'un autre prétendant, Lionel Jospin. Michel Rocard est franchement hostile à Fabius et à la manœuvre présidentielle, et Mitterrand ne le lui pardonne pas: «Rocard est vraiment petit, mesquin. Il est derrière toute cette haine contre Fabius. [...] Rocard me paiera ça très cher. Je vais le faire partir. Ne me reste qu'à trouver le prétexte[1]. » La punition ne sera pas immédiate, la première guerre du Golfe la retarda de plus d'un an. Le congrès de Rennes voit un affrontement violent entre Jospin, soutenu par Mauroy et Chevènement, et Fabius. Le congrès ne parvient à aucun accord et laisse aux yeux des observateurs l'image déplorable d'un parti déchiqueté, en proie aux pires luttes intestines, aux haines sonores et aux manigances occultes. Toujours selon le témoignage de Jacques Attali, Mitterrand est furieux : « Des fous suicidaires ! Des imbéciles ! Fabius est soutenu par plusieurs ministres importants et il est marginalisé ! L'envie me démange de dissoudre l'Assemblée nationale, pour les embêter[2]. » Quelques jours plus tard, à Paris, Pierre Mauroy est reconduit à son poste de premier secrétaire, une répartition des places scellant le compromis entre les diverses tendances. Le Président ne décolère pas : « Des enfants gâtés qui ne se battent pas contre la droite, mais entre eux ! Il fallait élire Fabius. C'était la seule façon de rénover ce parti. Ils ne l'ont pas voulu. Ils vont perdre les élections. Je m'en fiche. Je ne peux les sauver malgré eux[3]. » Mais sa colère est surtout dirigée contre Rocard. Certes, celui-ci, prudent autant qu'attentif, s'était tenu à l'écart, mais il n'en avait pas moins agi en coulisses contre Fabius, multiplié les conciliabules avec les adversaires de celui-ci, loin des regards, dans sa chambre d'hôtel. Mitterrand ne le lui pardonne pas. Son nom même a été sifflé ! Ce congrès qui devait assurer à Fabius une place de dauphin officiel, Fabius l'avait perdu et Mitterrand avec lui.

Le 15 mai 1991, le président de la République se débarrasse de Michel Rocard et le remplace par Édith Cresson. Une femme

1. Jacques Attali, *Verbatim III*, Fayard, 1995, p. 444.
2. *Ibid.*, p. 447.
3. *Ibid.*, p. 448.

Premier ministre, du jamais-vu en France ! Un coup d'audace. Malheureusement elle est vite décriée, attaquée, moquée par les médias et une bonne partie de la classe politique ; elle fera long feu à Matignon ; Pierre Bérégovoy, qui dirigeait l'économie du pays et qui piaffait d'être le chef du gouvernement, devient en avril 1992 le dernier Premier ministre de la législature. En matière de socialisme, ces deux gouvernements confirment l'évolution sociale-démocrate, même si la tempétueuse Édith Cresson a pu s'exclamer un jour avec un style de harengère : « La Bourse, j'en ai rien à cirer ! » L'échéance européenne, comme on verra, ajoute sa propre exigence : la défense de la monnaie contre l'inflation, la limitation des déficits budgétaires, l'équilibre de la balance extérieure sont des impératifs auxquels le gouvernement de Rocard s'était évertué à obéir, ses successeurs continuent. Quant à la doctrine du « ni-ni » concernant les nationalisations, Mitterrand n'en fait plus un principe intangible. Lors de sa conférence de presse de septembre 1991, il déclare : « J'ai autorisé le gouvernement à associer des capitaux privés au financement de certaines de nos entreprises publiques », avec pour limite que « l'État restera partout présent et partout majoritaire là où il est ». Certes, il revendique toujours son appartenance au socialisme, mais comme à une « grande tradition politique et sociale de la France » qu'il honore, mais le socialisme est devenu une manière de se positionner ; il ne porte plus le rêve de « changer de société ».

À l'intérieur du PS, cependant, certains s'interrogent. Peut-on continuer à se réclamer des principes d'Épinay, alors que la pratique sociale-démocrate est devenue évidente ? La question est posée à l'université du parti, qui se tient à Ramatuelle en ce même mois de septembre 1991. La politique du gouvernement est critiquée pour faire la part trop belle à la lutte contre l'inflation au détriment du combat contre le chômage. Mais ce qui se dégage de plus nouveau dans ces assises c'est une volonté de changer la doctrine, à un moment où le « socialisme réel » de l'Union soviétique vient de s'effondrer et alors que l'économie administrée est devenue la cible des économistes. Michel Charzat, secrétaire national du PS, propose un texte qui pourrait être discuté lors d'un congrès extraordinaire à venir. Si les socialistes, écrit-il, « sortent moralement indemnes de la faillite du communisme [...], l'idée du socialisme, elle, ne sort pas intacte de l'effondrement du prophétisme révolutionnaire. [...] L'histoire a donné raison au socialisme démocratique contre le bolchevisme et ses avatars, mais il n'a pas eu raison du capitalisme ». Charzat appelle à une nouvelle stratégie et à un renouvellement de doctrine. Cette initiative se heurte à l'hostilité de Jean Poperen, de Jean-Pierre Chevènement et d'autres, mais le congrès annoncé se tient effectivement à la Grande Arche de la Défense — construction neuve du Président — le 13 décembre 1991. Le rapport Charzat est adopté à plus de 80 % contre les motions de Jean-Pierre Chevènement et de Julien Dray. Michel Rocard résume le nouveau projet du PS : « une société solidaire dans une économie de marché ». Une conversion doctrinale feutrée, sans éclat, rien qui pût ressembler au congrès allemand de Bad Godesberg. Les opposants, derrière Chevènement, protestent : « Le PS tourne le dos à ses choix fondateurs. »

François Mitterrand participe à sa façon à la cérémonie des adieux à Épinay. Le mois précédent, en novembre 1991, dans un entretien à *L'Expansion*, il a fait savoir que l'Europe était devenue son « grand dessein ». Trois jours avant le congrès de la Grande Arche s'ouvrait à Maastricht le sommet des Douze, qui aboutissait au traité fondateur de l'Union européenne. Le projet de monnaie unique impliquait des exigences monétaires et budgétaires (inflation limitée à 1,5 %, déficit budgétaire n'excédant pas 3 % du PIB, dette publique ne dépassant pas 60 % du PIB, etc.) qui impliquaient une discipline fort peu propice à des initiatives « socialistes » comme celles de 1981. À la télévision, Mitterrand, qui avait pesé de toute son influence sur le sommet de Maastricht, célébra ses conclusions comme un événement historique, « un des plus importants du dernier demi-siècle et qui prépare le suivant ».

Il fallait maintenant convaincre les Français, car François Mitterrand voulut soumettre le traité de Maastricht au référendum. L'adoption du traité imposait un amendement constitutionnel sur le droit de vote des Européens non français aux élections municipales — desquelles dépend l'élection des sénateurs. Le 5 mai 1992, cette réforme constitutionnelle est discutée à l'Assemblée. Le gaulliste Philippe Séguin, député-maire d'Épinal, prononce un discours flamboyant contre Maastricht et, sans pouvoir l'emporter, recueille 101 voix, parmi lesquelles celles des 26 députés communistes et de 5 députés socialistes autour de Chevènement. Le 2 juin, les Danois repoussent le traité de Maastricht par 50,7 % des suffrages. La bataille du référendum français prévu le 20 septembre s'annonce serrée. À Pasqua, à Séguin, à Philippe de Villiers, s'ajoutaient Chevènement, démissionnaire du PS et fondateur d'un Mouvement des citoyens, les communistes et une partie des écologistes derrière Dominique Voynet. Mitterrand s'engage à fond dans la campagne, affronte le 3 septembre Philippe Séguin dans une émission télévisée en direct du grand amphithéâtre de la Sorbonne, huit jours avant son opération de la prostate à l'hôpital Cochin. Finalement, le 20 septembre, le oui l'emporte, mais de très peu : 51 %, environ 540 000 voix d'écart. L'Europe divisait désormais les Français ; Mitterrand, sorti vainqueur de la consultation, en devenait le héraut.

Le 17 février 1993, un mois avant les élections législatives, dans un discours prononcé à Montlouis-sur-Loire, près de Tours, Michel Rocard appelle au changement stratégique. Malgré Mitterrand, Rocard a été reconnu au congrès du PS tenu à Bordeaux en juillet 1992 comme le candidat « naturel » du PS à la prochaine élection présidentielle. Ses idées ont fait leur chemin, et la mise à l'écart de Laurent Fabius, impliqué dans l'affaire du « sang contaminé », favorise ses audaces. Au cours

d'un discours, préparé une semaine plus tôt dans le bureau de
Jacques Pilhan[1], le conseiller en communication de Mitterrand
lui-même, et avec les conseils de Jean-Paul Huchon et Guy
Carcassonne, il appelle, ce 17 février, un « big-bang » politique
pour refonder la gauche, « pour bâtir, dès les législatives passées,
un mouvement socialiste ouvert aux écologistes, aux centristes
et aux communistes rénovateurs ». Rocard explique : « Nous
sommes entrés dans une société de marché où les inégalités se
traduisent sous de multiples formes, mais où le sentiment
d'appartenance à une classe, à un mouvement collectif, n'est
plus perçu comme une réalité, où le changement n'est efficace
qu'autant qu'il touche l'individu. » C'était l'enterrement du parti
d'Épinay. Mitterrand était implicitement visé. Rocard reprochait au PS d'avoir promis « monts et merveilles » en 1981,
d'avoir présenté comme « un mauvais moment à passer » le tournant de 1983, d'avoir « tardé à reconnaître » les fautes de certains dirigeants du parti compromis dans les « affaires », et de
n'avoir « pas vraiment vu le monde changer ».

Au PS, les réactions sont largement favorables : Fabius
n'accepte pas le constat de décès du PS, mais Bérégovoy souscrit
à l'analyse de Rocard : « Oui au camp du progrès. » Brice
Lalonde, alors une des têtes de l'écologisme politique, ancien
ministre de l'Environnement dans le gouvernement Rocard, formule cette conclusion sans état d'âme : « Il y a enfin du nouveau,
c'est la fin du socialisme et il est bon qu'un socialiste le dise. » Et
Mitterrand ? Il s'exprime le 20 février : « Moi, je reste fidèle à un
certain idéal de l'union de la gauche, qui veut surtout dire l'union
de ceux qui votent... J'estime que c'est un souci qu'il ne faut pas
perdre de vue. » Ce n'est pas de l'idéologie, mais du pur électora-
lisme : ne pas perdre les voix communistes qu'on a conquises.
« Ce que je pense c'est que le PS doit d'abord dominer ses

---

1. François Bazin, *Jacques Pilhan, le sorcier de l'Élysée*, Tempus/Perrin, 2011,
p. 404-405.

propres contradictions, maîtriser ses propres divisions, retrouver sa propre ligne, rester fidèle à ses origines. Le socialisme, en France, c'est une grande égalité historique. »

Cependant, Laurent Fabius, son dauphin momentanément en retrait, dans un entretien au *Monde* daté du 20 février 1993, s'il condamne le libéralisme, assume pleinement la démarche sociale-démocrate, mot depuis longtemps tabou au parti socialiste et véritable injure dans les écrits communistes : « Le communisme s'étant effondré, ne demeurent plus face à face que la famille libérale et la social-démocratie. Or je ne vois pas lequel des grands problèmes posés au monde peut trouver sa solution par la voie libérale. C'est vrai des mouvements monétaires internationaux, de la lutte contre les grandes maladies, de la maîtrise de la démographie, de l'action contre la pollution. Quelles solutions trouver hors des éléments fondamentaux de la démarche sociale-démocrate, c'est-à-dire l'intervention des pouvoirs publics, la reconnaissance d'une démarche collective, le refus de l'anarchie du marché, la reconnaissance de la responsabilité, de la liberté et de la solidarité. » Avec justesse, Laurent Fabius reconnaissait que, depuis dix ans (c'est-à-dire depuis le tournant de 1983), les socialistes avaient mené une politique sociale-démocrate, à ceci près qu'ils ne disposent pas de la force des syndicats avec eux, d'où résulte cette conclusion : « Nous avons expérimenté, en quelque sorte, une social-démocratie de gouvernement et d'élus. »

Dans un article du *Monde* du 19 mars 1993, Érik Izraelewicz trace le bilan des « années Béré », les cinq années au cours desquelles Pierre Bérégovoy avait piloté l'économie de la France, comme ministre de l'Économie puis comme Premier ministre, sous un titre explicite : « Un capitalisme banalisé ». Et le journaliste de résumer : son action, aussi bien pendant les belles années de croissance mondiale (1988-1989) que pendant la crise du début des années 1990, « lui a valu de la part des institutions internationales comme des opérateurs financiers de nombreux brevets de bonne conduite [...]. Avec l'Europe comme point de mire, la modernisation du capitalisme français qu'il avait déjà entreprise auparavant, de 1984 à 1986. » À son crédit : l'inflation affaiblie, la compétitivité améliorée, les équilibres externes retrouvés, les bilans d'entreprises relativement sains. Mais : chômage élevé, protection sociale non maîtrisée, frais généraux de la nation très lourds et système de formation mal adapté. En fin de législature explosaient tous les déficits, du budget de l'État, de la Sécurité sociale, de l'assurance chômage, comme ceux de nombreuses entreprises. Le « Pinay de gauche », comme certains surnommaient Bérégovoy, pouvait se vanter de ne jamais avoir dévalué le franc, malgré la libéralisation des prix. Pour celui qui établissait ce bilan en partie double, l'Europe avait guidé les choix de Bérégovoy — « l'Europe avant la justice sociale ».

Dans sa volonté de « désidéologiser » le thème des nationalisations, Bérégovoy avait liquidé ce qui faisait le b.a.-ba du programme socialiste d'Épinay et du *Projet socialiste* de 1980. « Notre démarche, lisait-on dans celui-ci, ne saurait être confondue avec celle d'un "projet réformateur" qui sous prétexte d'éviter [le socialisme des pays de l'Est] maintiendrait intactes les structures de la société capitaliste. » La nationalisation des groupes dominants de l'économie demeurait alors « une des conditions préalables essentielles du renversement durable du rapport de force entre les classes et de la mise en œuvre d'une nouvelle logique de développement ». Il serait injuste de réduire l'action de François Mitterrand et du parti socialiste aux aspects purement économiques auxquels ils ont dû renoncer. Les réformes sociales, l'encouragement aux activités culturelles, la décentralisation, la libération de l'audiovisuel ont été des étapes importantes dans la modernisation de la France, mais, à s'en tenir ici au projet économique, force est de constater que les mesures les plus efficaces (contre l'inflation, contre le déséquilibre du commerce extérieur, pour la réhabilitation de l'entreprise et du marché) ne peuvent prétendre au label « socialiste » : ce sont des mesures à la rigueur sociales-démocrates, voire sociales-libérales, que des gouvernements moins positionnés « à gauche » auraient pu prendre. On a pu noter, du reste, une certaine continuité de politique économique et monétaire entre le gouvernement Bérégovoy et le gouvernement Balladur.

Il devenait logique de considérer que l'avenir du parti socialiste appartenait à celui qui, dès 1981, avait contesté les choix inspirés du programme commun. De fait, le congrès du PS d'octobre 1993 élisait Michel Rocard au poste de premier secrétaire par 81 % des suffrages. La « société de solidarité dans une économie de marché » était désormais l'idée-force du PS. Sur ce point, François Mitterrand, il est vrai, n'avait pas dit son dernier mot. Et Rocard, dans son ascension, pouvait se méfier de son rival qui, vaincu sur le terrain des idées, restait un tacticien politique de haute volée, capable de lui interdire la direction définitive du parti et de faire échouer sa candidature à la prochaine élection présidentielle. Mais c'est une autre histoire, celle d'une bataille personnelle entre deux hommes plutôt qu'une bataille d'idées.

François Mitterrand est devenu sur le tard socialiste — « un socialiste d'occasion », écrit Régis Debray — moins par une conversion à la doctrine de Marx, fût-elle révisée par Léon Blum, que par un choix de stratège hors pair. Cette conversion lui a ouvert la voie du pouvoir suprême. Cette adhésion fut sans doute rendue plus facile par la méfiance tenace qu'il nourrissait à l'endroit de la grande bourgeoisie ; ses sympathies pour les « petits », les humbles, les *humiliores*, est attestée avant qu'il ne devienne « socialiste ». Le Volontaire national qu'il fut adhérait dans sa jeunesse au catholicisme social du colonel de La Rocque, dont l'un des principaux slogans était : « Social d'abord ! » Ces antécédents l'ont aidé à parler une langue qui n'était pas la sienne au départ, d'une radicalité qu'il crut nécessaire à sa stratégie, et qu'il exprime souvent avec maladresse. Dès lors que les applications pratiques du programme socialiste se sont révélées inopérantes dans le projet européen, dont il est devenu le champion, dans une Europe libérale qui avait sa faveur, la «rupture avec le capitalisme» n'avait plus de sens. Mais que n'a-t-il, comme le préconisait jadis Eduard Bernstein — le père du révisionnisme allemand —, voulu réconcilier les mots et les choses, marier la théorie et la pratique, contribuer à donner au socialisme français une nouvelle armature intellectuelle, comme le souhaitait Michel Rocard. Il a continué à se proclamer «socialiste» par souci d'identification contre la droite. En changeant de «grand dessein» — celui de l'Union européenne à construire, qui révoquait en doute ses velléités d'étatisme —, il n'a pas désiré pour autant l'*aggiornamento* doctrinal du PS: après lui, «Épinay» continuera de hanter la gauche du parti et, du même coup, contribuera à entretenir la mauvaise conscience des socialistes appelés à gouverner. *Janus bifrons*, le socialisme français était ainsi appelé à décevoir à la fois les fidèles à sa tradition révolutionnaire et les partisans d'un «réformisme pragmatique» dont, paradoxalement, Mitterrand était un représentant certain, mais inavoué.

X

LE SOUVERAIN

Entre eux, les plus familiers l'appellent « Tonton » ; les plus admiratifs, « Dieu ». François Mitterrand n'a rien de céleste, mais son style, ses attitudes, sa hauteur en imposent au commun des mortels. L'Élysée n'est pas Versailles, mais chaque visiteur y sent la présence d'un trône invisible. À son goût de la majesté, que les ans ont accentué, Mitterrand ajoute le souci méticuleux d'un protocole d'un autre temps. Le président socialiste n'a pas vraiment la bosse de la démocratie. Il est le premier, on doit le savoir, il ne faut pas lui manquer dans les choses même les plus ordinaires de la vie. Il ne réfrène pas son goût de la cérémonie : remise de décorations, discours anniversaires, célébrations en tout genre, rien de ce qui est pompe et solennité ne lui est étranger. Autour de lui, les courtisans font assaut de dévotion. « Du regard, d'un battement de cils, sans un mot, écrit Hubert Védrine, François Mitterrand transperce, jauge, caresse, devine, récompense et renvoie au néant[1]. » Et Érik Orsenna, qui fut un temps la plume du « Grand Séducteur », constate dans son roman *Grand Amour* : « Notre Président n'avait pas à souffrir de la comparaison avec le Roi-Soleil : tout n'était qu'amour autour de Lui, odeur d'amour, mots et silence

---

1. Hubert Védrine, *Les Mondes de François Mitterrand, à l'Élysée, 1981-1995*, Fayard, 1996, p. 71.

d'amour[1]. » Si, toutefois, Louis XIV jugeait que l'exactitude est la politesse des rois, sa manière royale à lui, Mitterrand, c'est d'arriver toujours en retard, de faire attendre ses sujets interdits d'impatience. À ce propos Jean Daniel, parlant du « grand narcissique et retors », narre une anecdote significative. En 1980, le grand journaliste conduisait en auto le premier secrétaire du PS de la rue de Bièvre à l'Assemblée nationale, où l'attendait une importante réunion du groupe socialiste. Ayant constaté sur la montre de Daniel qu'il était à l'heure, il le prie alors « de faire deux ou trois fois le tour du Palais-Bourbon, tout heureux de découvrir un encombrement dans la rue Saint-Dominique qui allait nous procurer le retard souhaité... "Pourquoi, Président? — Pour prolonger notre échange." C'était faux : nous n'avions rien dit[2] ».

Contrairement aux Bourbons, François Mitterrand s'applique à séparer sa vie privée de sa vie publique. Il n'habite pas l'Élysée mais son appartement de la rue de Bièvre. Sa relation avec Anne Pingeot et l'existence de Mazarine ne sont connues officiellement que d'une poignée d'intimes : André Rousselet, Laurence Soudet, François de Grossouvre, Robert et Élisabeth Badinter. Désormais Anne et sa fille sont l'objet d'une protection et d'une surveillance d'État. Elle, elle continue à travailler au musée du Louvre puis au musée d'Orsay. Son père, Pierre Pingeot — qui n'avait guère apprécié, lorsqu'il l'avait apprise, sa liaison avec le chef socialiste —, reçoit en février 1983 la Légion d'honneur des mains de l'amant de sa fille. Jouissance du pouvoir ! Le souverain, soucieux de discrétion, convainc sa maîtresse de déménager dans une annexe de l'Élysée, un grand appartement de fonction du quai Branly, au premier étage, au-dessous de celui qu'occupe François de Grossouvre. Le Président et sa compagne, outre cet

---

1. Érik Orsenna, *Grand Amour, Mémoires d'un nègre*, Points-Seuil, 1993, p. 192-193.
2. Jean Daniel, *Les Miens*, Gallimard, 2010, « Folio », p. 269.

appartement où le chef de l'État la rejoint avec mille précautions, disposent d'un domaine réservé dans l'Essonne, à Souzyla-Briche, une maison du XIXᵉ siècle au milieu d'un parc, où ils aiment à passer le week-end. Grâce à l'aide financière du grand ami Roger-Patrice Pelat, Anne Pingeot acquiert en 1987 une propriété à Gordes, haut lieu du Vaucluse, un autre espace de vie commune. Danielle Mitterrand, elle, use de son nouveau prestige pour défendre la cause des Kurdes ou rendre visite à Fidel Castro. Jusqu'au numéro de *Paris-Match* qui la révélera, en novembre 1994, la liaison du Président et d'Anne Pingeot restera secrète, quoiqu'elle soit de moins en moins ignorée : le respect de la vie privée est encore à cette époque un impératif dans la déontologie des médias.

Côté public, Hubert Védrine, qui fut conseiller diplomatique à l'Élysée dès 1981, avant d'y achever sa carrière mitterrandienne comme secrétaire général, nous a laissé dans *Les Mondes de François Mitterrand* un tableau pittoresque de la « Cour » — que composent moins les collaborateurs du chef de l'État, nous ditil, qu'« une nébuleuse plus extérieure qu'élyséenne de groupes, de cercles, de réseaux créés et animés séparément les uns des autres par le Président ». Ceux-là existent bien : « Comment ne pas avoir été impressionné par la maîtrise mitterrandienne du maniement des hommes, par son charisme qui était aussi un vrai savoir-faire, un métier, une construction, et par l'attitude des "autres" en sa présence[1] ? »

Spontanément, l'observateur, Hubert Védrine, ou le biographe, Franz-Olivier Giesbert, se réfèrent, en suivant Mitterrand dans ses comportements, ses rites particuliers, ses manies, au duc de Saint-Simon : « Le roi utilisait les nombreuses fêtes, promenades, excursions comme moyen de récompense et de punition, en y invitant telle personne et en n'y invitant pas telle autre. Comme il avait reconnu qu'il n'avait pas assez de faveurs

---

1. H. Védrine, *Les Mondes de François Mitterrand…*, *op. cit.*, p. 68.

à dispenser pour faire impression, il remplaçait les récompenses réelles par des récompenses imaginaires, par des jalousies qu'il suscitait, par des petites faveurs, par sa bienveillance. »

Il ne laisse à personne le plaisir d'accrocher des médailles à la poitrine de ceux qu'il veut honorer, sachant comme Napoléon, inventeur de la Légion d'honneur, qu'on s'attache les personnes en flattant leur vanité. Il n'a certes pas le monopole de cette conduite impériale ou royale, mais il exerce sa distribution des grâces avec un plaisir qui ne se dément pas. Il en va de même des postes, des places, des prébendes et des missions dont il fait leurs destinataires ses obligés. Le népotisme ne lui répugne nullement : ses propres fils, Gilbert et Jean-Christophe, l'un député socialiste de la Gironde, l'autre conseiller à l'Élysée pour les Affaires africaines et malgaches, en bénéficient. La famille, les amis, les bons serviteurs, les personnes à séduire, le grand distributeur de la manne présidentielle se délecte de sa prodigalité tout en se créant les allégeances nécessaires.

À Latche, régulièrement, Mitterrand reçoit l'été ses fidèles ; il se garde bien d'y inviter Rocard ; chaque dimanche de Pentecôte, il entretient le rite de l'ascension de Solutré : même chose, Rocard n'en a jamais fait l'escalade. Il est vrai que Michel Rocard n'a rien d'un flatteur, et Dieu a besoin d'encens, que lui prodigue sa cour. Devenu Premier ministre, Rocard lui-même est pris un moment dans le piège de l'encensoir, ses amis s'en moqueront en l'appelant « le roi des carpettes ».

La hiérarchie de l'exécutif

Selon l'article 20 de la Constitution, le Premier ministre, responsable devant le Parlement, « détermine et conduit la politique de la Nation ». Cet article fut une concession faite aux dirigeants des partis par le général de Gaulle qui, dans son for intérieur, jugeait que le gouvernement relevait de la responsabilité exclusive du président de la République. Lui et ses successeurs, Georges Pompidou et Valéry Giscard d'Estaing, obéirent à cette règle non écrite du pouvoir présidentiel. François Mitterrand n'avait pas manqué de la dénoncer dans *Le Coup d'État permanent*. Arrivé au pouvoir, il ne remet nullement en cause la prééminence du Président et la subordination du Premier ministre.

Pour commencer son septennat, Mitterrand choisit Pierre Mauroy qui n'avait pas été à ses côtés au congrès de Metz, mais ce n'était pas pour lui déplaire : à cinquante-trois ans, grand patron de la fédération du Nord, maire de Lille depuis 1973, il avait de la surface ; il n'était ni un courtisan ni un suiveur. Loyal, courageux, populaire, adepte d'un socialisme modéré, il avait un caractère rassurant. Désigné par le chef de l'État, Pierre Mauroy se mit dans les jours suivants à composer son ministère. L'ingénu ignorait que, de son côté, et sans le lui dire, Mitterrand dressait la liste des futurs ministres, qu'il rencontrait un par un, jusqu'au moment où il la présenta à son Premier ministre pour qu'il l'avalise. En l'occurrence, le nouveau président suivait l'exemple de ses prédécesseurs ; il marquait d'emblée la hiérarchie de l'exécutif. Mauroy réussit seulement à faire entrer dans son ministère Alain Savary, pour l'Éducation nationale, André Chandernagor pour les Affaires européennes et Roger Quilliot pour le Logement. « Le roi règne et ne gouverne pas » : la formule de Chateaubriand était laissée lettre morte sous Charles X ; elle serait encore moins d'actualité sous François Mitterrand. Dès les premiers jours du septennat, Pierre Mauroy put s'en rendre compte.

D'emblée, Mauroy, alerté par Jacques Delors et Michel Rocard sur la situation monétaire et financière de la France, est convaincu de la nécessité d'une dévaluation. Mitterrand refuse : à ses yeux, commencer un septennat par une telle mesure serait se discréditer ; il veut d'abord appliquer son programme, la relance et les nationalisations. Vite, il apprend à détester les membres du cabinet de son Premier ministre, à commencer par Jean Peyrelevade, un des dirigeants du Crédit Lyonnais, conseiller économique. Cet ancien mendésiste est opposé à la politique de la relance par la consommation ; Mitterrand le sait, et n'apprécie pas. Mauroy, lui, s'évertue à appliquer la politique du Président inspirée par Fabius, Bérégovoy et Attali, mais, à l'écoute de Peyrelevade, il le protège et refusera de s'en débarrasser comme le veut Mitterrand. Pessimiste sur la politique de relance, sceptique sur la nécessité des nationalisations — et à 100 % —, Mauroy masque ses inquiétudes sous un langage convenu, conforme aux vœux du Président. Celui-ci déclare en juillet 1981 à son amie la journaliste Marcelle Padovani : « C'est un fait que le cabinet Mauroy, pas Mauroy lui-même mais son cabinet, a essayé d'utiliser les médias pour freiner mon programme de nationalisations[1]. »

Quand Jacques Delors se permet sa déclaration à la radio sur la « pause » nécessaire, on s'imagine qu'éclate alors un conflit entre le Premier ministre et son ministre de l'Économie. En fait, Mauroy est sensible aux arguments de Delors ; c'est Mitterrand qui est furieux. Mais, loyal à l'égard du Président, Mauroy annonce la poursuite des réformes. Il sait cependant résister : quand François Mitterrand l'invite à se débarrasser de Peyrelevade, il n'écoute pas ; quand le Président le prie de faire sauter Jean Boissonnat, dont la chronique économique sur Europe 1 lui déplaît, il n'en fait rien. Au demeurant, sur le principal, François Mitterrand a le dernier mot. Ainsi, quand on en vient à la loi sur la diminution du temps de travail, Mitterrand impose les trente-neuf heures payées quarante, à l'encontre de l'idée, défendue notamment par la CFDT et à laquelle adhère Mauroy, que le « travail partagé » implique aussi le partage du revenu.

Sans s'opposer de front, Mauroy, qui prête l'oreille aux cris d'alarme de Delors, amène progressivement François Mitterrand à cette politique de rigueur qu'il avait d'abord

---

1. Cité par F.-O. Giesbert, *François Mitterrand, une vie, op. cit.*, p. 361.

repoussée. Le Président, désormais convaincu, fera en sorte de la présenter comme une péripétie, un épisode conjoncturel : « Surtout, intime-t-il à son Premier ministre, ne dites pas qu'on a changé de politique. » Les Delors, les Rocard, les Peyrelevade ont l'oreille de Mauroy, auquel Mitterrand rappelle qu'il ne l'a pas choisi pour faire à Matignon la politique de Margaret Thatcher. Cependant, en 1983, quand François Mitterrand aura compris le bien-fondé des critiques et qu'il se ralliera à la politique de rigueur, il s'efforcera de laisser croire que cette politique, c'est lui qui l'a voulue : « C'est moi, déclare-t-il à Philippe Bauchard de *Témoignage chrétien*, en mars 1983, qui ai imposé la rigueur à certains de mes ministres qui n'en voulaient pas. » Le retour à la réalité auquel Mitterrand s'est résigné, il ne faut pas qu'on le croie d'une autre origine que celle de sa propre volonté. Le Premier ministre, autrement lucide que lui, ne tire aucun avantage personnel au « tournant ».

Les mécomptes économiques devaient être contrebalancés par des mesures symboliques. Ce fut notamment la mise en œuvre d'une des promesses électorales : la création d'un « grand service public, unifié et laïque de l'Éducation nationale ». En bon laïque, Pierre Mauroy y était prêt. L'élaboration du projet de loi appartenait à Alain Savary, ministre de l'Éducation nationale. Cet ancien résistant, compagnon de la Libération, avait cédé sa place de premier secrétaire du PS à Mitterrand à l'issue du congrès d'Épinay. C'était un proche de Pierre Mauroy, avec lequel il fut de connivence pour préparer le projet de loi qu'il négocia non sans longanimité avec les représentants de l'école catholique, dans un souci de compromis, en négociateur patient et pragmatique. Deux articles soulèvent la protestation des catholiques : l'un dispense les communes qui s'y refusent du financement des écoles privées et l'autre prévoit la titularisation des enseignants du privé. Les défenseurs de l'école privée, mesurant ce que cette loi d'apaisement pouvait avoir de menaçant pour leur autonomie, se mobilisent. D'énormes manifestations se succèdent au début de l'année 1984 ; le 4 mars près de huit cent mille personnes défilent à Versailles. En face, le camp laïque est pris au piège : l'école privée s'est mobilisée au nom de la « liberté ». C'est qu'il ne s'agit pas d'une nouvelle guerre de religion mais, pour la majorité de l'opinion, de la liberté qui doit être laissée aux familles du choix de l'école. Mitterrand lui-même se montre sensible dans ses conversations à la possibilité de la « deuxième chance » pour les élèves qui ont échoué à l'école publique. Pierre Mauroy et Alain Savary ne baissent pas les bras, multiplient les rencontres et les discussions avec les responsables de l'enseignement catholique et un certain nombre de prélats. Le 18 avril 1984, le Conseil des ministres approuve le projet d'Alain Savary, mais les députés socialistes, menés par Pierre Joxe et André Laignel, poussés par la FEN (Fédération de l'Éducation nationale), exigent des amendements moins favorables à l'école privée. Pierre Mauroy, malgré l'avis d'Alain Savary, cède : le financement des écoles privées par les communes devra être lié à la titularisation de la moitié de leurs maîtres. Les représentants de l'école catholique jugent inacceptables ces amendements « scélérats ». La guerre scolaire se déplace à l'Assemblée où, à partir du 18 mai, le projet est discuté puis, après l'échec d'une motion de censure de l'opposition, adopté en première lecture le 23 mai. Réaction catholique, accusation de Mgr Lustiger qui parle d'un « manquement à la parole donnée », appel à la manifestation nationale pour le 24 juin. Celle-ci s'affirme comme l'une des plus massives qu'on ait vues à Paris : 1 300 000 participants. Mauroy ne désarme pas. Le Sénat de droite repoussera le projet, mais l'Assemblée aura le dernier mot. C'était ignorer l'évolution de François Mitterrand.

Le Président n'a pas apprécié la surenchère laïque de ses députés ; il a été impressionné par la résistance et la mobilisation des partisans de l'école privée. Le 22 mai, en déplacement à Angers, le chef de l'État, violemment pris à partie par la foule : « Mitterrand, fous le camp ! », a été blessé. Selon Pierre Daniel, président des parents d'élèves du privé, cette manifestation agressive aura été déterminante sur la résolution de Mitterrand[1]. Celui-ci, à la recherche d'une « sortie », va court-circuiter complètement Mauroy. Comme d'habitude, il prend son temps et décide une session extraordinaire du Parlement en juillet. C'est à Latche que, inspiré par Michel Charasse et soutenu par Lionel Jospin, Mitterrand imagine d'utiliser l'instrument du référendum. C'était prendre au mot l'opposition qui, au cours du débat, l'avait réclamé. Mais la Constitution n'autorise pas la consultation référendaire pour les questions sociétales. D'où résulte l'idée « géniale » d'annoncer un référendum, parfaitement légal celui-là, sur l'élargissement du champ d'application de l'article 11, qui permettra ensuite un nouveau référendum sur l'école. Revenu à Paris à la veille des cérémonies du 14 Juillet, Mitterrand met au courant Mauroy qui tombe des nues et qui comprend vite que le Président s'est débarrassé d'un projet de loi trop brûlant. Savary démissionne, Mauroy veut démissionner, Mitterrand lui demande de surseoir : il aimerait le garder jusqu'à la fin de l'année, jusqu'au vote du budget. Devant l'insistance de son Premier ministre, épuisé, fatigué, écœuré, il cède. Il a depuis longtemps en tête le nom de son remplaçant : Laurent Fabius. Le référendum sur le référendum n'aura jamais lieu ; son annonce avait été pour Mitterrand une manière d'en finir avec une crise aux effets incalculables, aux dépens d'un Premier ministre complètement dupé.

Laurent Fabius, à trente-huit ans, devient donc le deuxième Premier ministre de la législature. Fils d'un antiquaire, normalien et agrégé de lettres avant de passer par l'ENA, il allie une grande culture aux compétences d'un maître des requêtes au Conseil d'État. Repéré par Georges Dayan, qui fut jusqu'à sa mort un recruteur efficace, il séduit vite Mitterrand par son intelligence et ses curiosités intellectuelles, et devient, parmi les

---

1. P. Favier, M. Martin-Roland, *La Décennie Mitterrand*, *op. cit.*, t. II, p. 127.

« énarcho-bourgeois », selon la formule de Pierre Mauroy qui ne les aime guère, un de ses fils spirituels préférés, bientôt le plus cher. Élu député socialiste en Seine-Maritime, en 1978, réélu en 1981, il fait partie du gouvernement Mauroy comme ministre délégué chargé du budget — poste où il se frottera à Delors —, puis comme ministre de la Recherche. Fabius est l'homme de confiance d'un Mitterrand qui se reconnaît dans ce cadet si semblable à lui par ses goûts, son calme, sa séduction ; il devient après 1981 un familier du bureau présidentiel. « Mitterrand se nomme à Matignon », titre *Le Quotidien de Paris*. Le Président apprécie aussi beaucoup l'épouse de Laurent Fabius, Françoise Castro, qui a été son assistante et qui a le don d'instiller en tout lieu sa vivacité : ce couple devient un symbole de jeunesse au sommet de l'État. Très vite, Mitterrand pressent en Fabius son successeur. Cela ne l'empêche pas de choisir lui-même les ministres de son gouvernement, comme il l'avait fait avec Mauroy. La hiérarchie demeure, le roi gouverne.

Affinités personnelles mises à part, le choix de Fabius pouvait étonner : n'a-t-il pas été l'un des partisans résolus de la politique de relance dont on sait l'échec ? Mais Fabius n'a rien d'un idéologue ; lui aussi sait être pragmatique, changer d'avis quand il le faut. Il va poursuivre la politique de rigueur voulue par le tandem Mauroy-Delors, auquel il s'est opposé, parce qu'elle s'affirme comme la plus opportune. Les communistes s'y opposent. Finie la participation communiste. Divorce prononcé. Ce n'était pas la volonté de Mitterrand, mais le propre souci des communistes de n'être plus les complices d'une politique économique jugée par eux insoutenable — malgré les avantages qu'ils avaient pu tirer de l'*entrisme*, cette politique du cheval de Troie qui avait été payante dans certains domaines (par exemple à la SNCF) grâce à leurs ministres[1].

---

1. Denis Jeambar, *Le PC dans la maison*, Calmann-Lévy, 1984.

Entre juillet 1984 et les élections législatives de mars 1986 perdues par la gauche, Laurent Fabius a assumé la gestion politique du pays sous l'œil paternel de François Mitterrand. Leur complicité, cependant, n'a pas complètement résisté à une tension qui, par intermittence, s'y introduisait. La presse et l'opinion accueillirent assez bien le nouveau chef du gouvernement, alors que le Président n'émergeait pas de l'impopularité. Les sondages favorisaient très sensiblement Fabius, ce dont Mitterrand ne pouvait se réjouir. Un mot de son protégé, le 5 septembre 1985 à la télévision, apparemment anodin : « Lui, c'est lui ; moi, c'est moi », n'eut pas l'heur de plaire à son protecteur. En novembre de la même année, à la suite d'un face-à-face télévisé entre Laurent Fabius et Jacques Chirac, qui s'était déroulé et terminé à l'avantage de ce dernier, Fabius, tout dépité, n'obtint pas de Mitterrand le réconfort qu'il en attendait.

L'affaire du *Rainbow Warrior* creuse le fossé entre les deux hommes. Pour parer aux agissements des écologistes de Greenpeace contre les essais nucléaires projetés par la France sur le site de Mururoa, les services secrets de la DGSE, dirigés par l'amiral Lacoste, font sauter, dans le port d'Auckland en Nouvelle-Zélande, le navire de l'association. L'opération « de routine » dérape, provoquant la mort d'un photographe néerlandais. Après plusieurs semaines de silence et d'équivoque, sur fond de campagne de presse de plus en plus insistante, Mitterrand, pour ne pas perdre la face, doit punir un responsable. Et qui le serait plus que le ministre de la Défense Charles Hernu ?

Fabius, appuyé par le ministre de l'Intérieur Pierre Joxe, demande à Mitterrand la démission d'Hernu. Mais Hernu est un vieux compagnon, un ami que chérit Mitterrand, et le Président, dans un premier temps, refuse tout net. Une enquête du *Monde*, menée par Bertrand Legendre et Edwy Plenel, parue le 17 septembre, démontre que l'ordre de détruire le bateau ne pouvait avoir été donné que par le pouvoir politique. Mitterrand accepte finalement la démission que lui offre le ministre de la

Défense, mais il en veut à Fabius qui s'est acharné contre son ami. L'amiral Lacoste remettra, en avril 1986, à André Giraud, ministre de la Défense du gouvernement Chirac, une longue note où il établit clairement la responsabilité d'Hernu mais aussi celle de Mitterrand : « Je ne me serais pas lancé dans une telle opération sans l'autorisation personnelle du président de la République[1]. » Selon Lacoste, Fabius n'avait pas été mis au courant de l'opération qu'on préparait, mais François Mitterrand ne pouvait l'ignorer : « Il savait ; mais il a choisi d'affecter l'ignorance et de se prêter au jeu de la recherche de la vérité "assortie de la vigoureuse condamnation des criminels". » Cet épisode dramatique révélait les limites de la solidarité entre le Président et son Premier ministre : les décisions secrètes, le court-circuitage de Matignon par l'Élysée, l'entente directe entre le Président et l'un de ses ministres restaient dans la pratique courante du pouvoir présidentiel, normalement discrète, exceptionnellement révélée par le scandale.

Le 2 décembre 1985, c'est par une dépêche de l'AFP que Fabius apprend que le chef de l'État allait recevoir à Paris le général Jaruzelski, le président polonais honni par tous ceux qui avaient soutenu Lech Wałęsa et Solidarność. Fabius en fut vexé. Mitterrand s'en expliqua devant lui, mais contrairement à ce qu'il escomptait, le Premier ministre, à l'Assemblée nationale, au cours de la séance des questions, n'hésita pas à se déclarer « troublé » par cette visite — au grand dam de Mitterrand. Fabius avait l'air de s'affirmer contre lui. Mais, après tout, il pouvait se féliciter que son dauphin ait fait preuve de caractère.

Après deux ans de cohabitation, le Président réélu en 1988, bénéficiant à l'Assemblée d'une courte majorité, choisit comme Premier ministre, à la surprise générale, Michel Rocard. Il n'aimait guère l'homme. Le plus grand tort de Rocard aux yeux de Mitterrand, et sans doute sa plus grande faute, avait été son

---

1. F.-O. Giesbert, *François Mitterrand, une vie, op. cit.*, p. 481.

absence au congrès d'Épinay, où tout s'était joué. Il était entré trop tard au PS où il était resté un intrus.

Mais en 1988 Rocard était l'homme de la situation. Mitterrand avait fait campagne en faveur d'une « France unie », ce qui impliquait l'« ouverture ». Nul mieux que Rocard ne pouvait l'incarner : il avait de bonnes relations avec les centristes, Méhaignerie, Stasi et d'autres qui se réjouirent tout de suite de sa nomination. Mitterrand dira plus tard qu'il voyait celui-ci plus comme un « démocrate-chrétien » que comme un « socialiste ». D'autre part, nommer Rocard à Matignon était le meilleur moyen de le mettre à l'épreuve. Selon lui, l'ancien agité du PSU n'avait pas l'étoffe d'un chef d'État ; il pronostiquait qu'en raison de ses erreurs, de ses gaffes et excès de langage, de sa faculté à se faire des ennemis dans les rangs du PS, il ferait long feu au pouvoir. Son intention était de promouvoir Laurent Fabius en dauphin incontestable, celui qui lui succéderait, le meilleur atout des socialistes pour la présidentielle de 1995. Lever l'hypothèque Rocard faisait partie des raisons qui avaient guidé son choix.

Au début de la nouvelle législature, Mitterrand joue le jeu. Il a, c'est sûr, bien verrouillé la liberté de manœuvre de son Premier ministre, choisi évidemment lui-même la plupart des ministres, ces « éléphants » du parti, fort peu rocardiens : Pierre Bérégovoy à l'Économie, Pierre Joxe à l'Intérieur, Roland Dumas aux Relations extérieures, Jean-Pierre Chevènement à la Défense. Ceux-ci traiteront directement avec lui, sans passer par Matignon. Malgré cela, il laisse Rocard assumer sa politique. Il s'étonne bientôt de son adresse dans le règlement du drame de la Nouvelle-Calédonie, où il n'a pas su freiner la politique de force de l'ancien Premier ministre Chirac. Le résultat est que, là-bas, les caldoches et les nationalistes sont au bord de la guerre civile. Avec méthode, Rocard réussit à faire se rencontrer à Paris les leaders des deux camps, Jacques Lafleur et Jean-Marie Tjibaou, qui acceptent de signer un compromis, remettant à plus tard un référendum sur l'indépendance de l'île. Le 15 juin 1988, le jour même de la négociation, Michel Rocard, en plein Conseil des ministres, est atteint d'une crise de colique néphrétique affreusement douloureuse. Le Président se montre alors plein de compassion, entraîne Rocard dans ses appartements privés, le fait étendre sur son lit, appelle son médecin, le docteur Gubler. C'est une autre face de Mitterrand qui se révèle : son attention à ceux qui souffrent. Lui-même est atteint d'une terrible maladie qui le met en sursis ; il est sensible à la douleur de l'autre. Le lendemain, il se rend à son domicile, boulevard Raspail, où Rocard s'est alité après quelques heures passées à l'hôpital du Val-de-Grâce. Le geste du Président ne change en rien ses résolutions, mais il émeut son rival.

Dans les premiers temps de son gouvernement, Rocard s'efface derrière Mitterrand. Il déclare à qui veut l'écouter qu'il entend mettre en œuvre le programme du Président. Progressivement, cependant, sans rien en montrer publiquement, le chef de l'État poursuit sa guerre contre son Premier ministre. Il le harcèle de ses impératifs : faire du « social » ! Rocard en a bien l'intention, mais sa méthode est différente. Le Président veut des résultats immédiats, la réduction des inégalités, la hausse des salaires pour les travailleurs les plus modestes, la baisse rapide du chômage. Soucieux des prochaines élections, il entend préserver une majorité de gauche. Celle de juin 1988 n'est que relative, Rocard doit se battre, pour chaque projet de loi, afin d'obtenir un soutien à l'Assemblée grâce à des voix centristes. Lui est préoccupé de la durée. Il veut éviter à tout prix que la France ne retombe dans l'ornière de 1981-1982. Pour cela, il faut remuscler les entreprises, alléger leurs charges, assurer leur compétitivité, lutter contre l'inflation. Éternel débat des temps de crise entre la politique de la demande et la politique de l'offre. Sur ce terrain, Rocard ne manque pas d'alliés, à commencer par son ministre de l'Économie, Bérégovoy, pourtant un fidèle parmi les fidèles du Président. L'inconvénient d'une politique de rigueur est que les résultats se font attendre, qu'elle déclenche des mouvements sociaux dont Mitterrand s'effraie. Dès septembre commence le mouvement des infirmières qui, en dehors de toute directive syndicale, manifestent et se mettent en grève. Leurs exigences d'augmentation de salaires paraissent à Évin, le ministre rocardien de la Santé, et à Rocard lui-même, impossibles à satisfaire. Alors, en pleine grève, le Président intervient et reçoit à l'Élysée Nicole Bénévise, la porte-parole de la coordination. Le mouvement s'apaise, mais suit une série de grèves, des fonctionnaires, des cheminots, des gaziers et électriciens, des agents de la RATP. Rocard négocie cas par cas, s'attirant la critique de Mitterrand : « Rocard s'est mal débrouillé. S'il avait adopté une approche globale, cela aurait finalement coûté moins cher[1]. » Les sondages révèlent la baisse de popularité de l'exécutif. Cela n'empêche nullement Rocard de tenir bon, de ne pas céder à toutes les revendications, non sans adresse. Mitterrand le sait, mais la réussite même de son Premier ministre l'inquiète : l'homme n'est pas le paltoquet qu'il imaginait, ce qui le rend d'autant plus dangereux.

En janvier 1989 éclate l'affaire Pechiney. La société nationalisée achète Triangle Industries, propriétaire d'American National Can, la première firme de l'emballage aux États-Unis. Or la COB (commission des opérations de Bourse) révèle dans cette opération un délit d'initié qui aurait largement profité à Roger-Patrice Pelat, le grand ami de Mitterrand. Scandale ! Mitterrand se sent visé, Rocard se tait. Interrogé à la télévision, Mitterrand rend hommage à son ami : « Rares sont ceux que j'ai connus, pendant la guerre et dans ces circonstances, qui aient montré autant d'énergie, d'esprit de décision, de présence et de force que Patrice Pelat. » Fidèle en amitié, il défend l'homme mis en cause, condamné par l'opinion, même s'il n'est pas assuré de son innocence. L'événement prend un tour dramatique : le 7 mars, Pelat meurt d'une crise cardiaque. Pendant toutes ces semaines,

---

1. *Ibid.*, p. 137.

Rocard, si longtemps muet, a prouvé aux yeux du Président son manque de solidarité.

La méfiance est désormais de règle. « Il y a quinze sujets par semaine sur lesquels on n'est pas en phase », déclare Rocard[1]. La posture de Mitterrand est de se dire fidèle à l'idéal de la gauche contre un Rocard jugé trop favorable aux patrons. Ainsi, pour le rétablissement de l'ISF (impôt sur la fortune), celui-ci veut éviter de matraquer les dirigeants de l'économie, modérer l'impôt, alors que le Président socialiste entend bien faire payer les riches. Le conflit, on le sait, prend un tour décisif au congrès de Rennes du PS, en mars 1990. En apparence, la rivalité Jospin-Fabius, la guerre entre deux dauphins ; derrière, la lutte entre Mitterrand et Rocard. Le Président comprend vite la manœuvre du Premier ministre : ce qu'il veut, Rocard, c'est empêcher coûte que coûte la prise du parti par Fabius, car le parti est le tremplin nécessaire pour devenir président de la République. Cinq ans avant l'échéance, la succession de Mitterrand est l'enjeu d'une lutte féroce, et Rocard ne peut laisser le favori de « Dieu », Laurent Fabius, en tirer avantage. L'échec de son poulain rend Mitterrand définitivement hostile à Rocard. D'autant que la popularité du chef de l'État est en forte baisse. Il s'agit désormais de se débarrasser de celui qui l'a manœuvré. Au demeurant, il doit éviter la précipitation. Dans les sondages, Mitterrand et Rocard forment un couple qui a les faveurs de l'opinion. Se séparer de son Premier ministre, c'est risquer gros. Un sursis s'impose, que, brusquement, la guerre du Golfe lui ménage.

Au cours de cette guerre, décidée par George Bush père contre l'Irak qui a envahi le Koweït, Mitterrand prend la direction des opérations, traitant directement avec Roland Dumas, son ministre des Affaires étrangères, l'amiral Lanxade, le chef d'état-major particulier du Président, avec le concours de Bianco, secrétaire général de l'Élysée, et de Védrine son

1. *Ibid.*, p. 174.

conseiller. Pour lui, Rocard n'a aucune vocation aux affaires du monde ; il est nul en stratégie ; il ignore l'histoire, qui fonde le temps long des relations entre les nations. La France participera aux opérations, mais le Premier ministre est tenu à l'écart. Ce qui n'empêche pas Mitterrand d'intervenir dans la politique intérieure. En novembre, la France est revenue à l'un des chapitres préférés de son histoire contemporaine, la crise lycéenne. Les manifestations sont perturbées par les violences des casseurs, les CRS répliquent. Depuis 1968, tous les gouvernants ont peur des turbulences de la jeunesse. Or le chef de l'État décide de recevoir les représentants des lycéens. Leur leader, Nasser Ramdan, sort de l'entrevue à l'Élysée en déclarant : « Le président de la République est d'accord avec nos revendications. C'est au gouvernement Rocard de prendre ses responsabilités. » C'est donc au Premier ministre de trouver les 4,5 milliards de francs supplémentaires dont Mitterrand a promis de créditer l'Éducation nationale. Ce soutien public donné aux lycéens ulcère Rocard, un petit coup de poignard dans le dos supplémentaire. Cette fois, les deux hommes sont à cran, et Rocard n'hésite plus à se heurter de front à Mitterrand. Le 13 février 1991, lors d'une discussion en Conseil des ministres sur le mode de scrutin à adopter pour les élections régionales de 1992, Rocard, partisan du scrutin régional contre Mitterrand, qui préfère des listes départementales, est brusquement interrompu dans sa démonstration. D'ordinaire, en écoutant son Premier ministre, le Président manifeste son impatience en tapant de l'index sur la table ; cette fois, il l'arrête sèchement. Mais Rocard se rebiffe : « Je vous fais remarquer que vous me coupez la parole, alors que vous ne l'avez fait pour aucun autre intervenant[1]. » Il va pouvoir compter ses jours.

Mitterrand remplaça Michel Rocard qu'il n'aimait pas par Édith Cresson qu'il affectionnait. C'était un coup d'audace :

---

1. *Ibid.*, p. 261.

pour la première fois en France une femme accédait au poste de Premier ministre. À cinquante-sept ans, cette ancienne élève d'HEC, fille d'un inspecteur des finances, était une alliée de François Mitterrand depuis la Convention des institutions républicaines et avait fait carrière sous le drapeau du PS : membre du Parlement européen, élue députée de la Vienne en 1981, maire de Châtellerault, ministre de l'Agriculture dans le gouvernement Mauroy, elle avait été ministre des Affaires européennes dans celui de Rocard, avant de démissionner en 1990. Elle était P-DG de Schneider industries services international lorsque le Président lui offrit de devenir chef d'un nouveau gouvernement.

Mitterrand connaissait Édith Cresson de près. Dans les années 1970, c'est elle qui le transportait en voiture dans ses tournées électorales. Il aimait chez elle son intelligence, sa bonne connaissance des dossiers économiques, son énergie et son caractère. Ce choix devait se révéler assez vite une erreur de distribution. Bien accueillie au départ par la presse et, selon les sondages, par l'opinion, elle fut très vite perçue comme quelqu'un qui n'était pas à sa place. Moins par incompétence que par son style, son langage, ses manières. Conseillée par Abel Farnoux, un personnage quelque peu extravagant, elle prononça un discours de politique générale qui fut un flop, commit un certain nombre de gaffes dans ses déclarations publiques, et devint bientôt la risée d'une classe politique volontiers misogyne, à gauche comme à droite.

Édith Cresson sut prendre des décisions (en lançant une réforme de l'apprentissage, en réformant le statut des dockers sur l'emploi desquels la CGT avait le monopole, en procédant à un grand mouvement de délocalisation, et notamment celle de l'ENA à Strasbourg...), mais elle subit le tir groupé des parlementaires, des journalistes et des humoristes. Le bruit courut qu'elle devait sa nomination à la faveur très privée du président de la République. Dans sa chronique du *Monde*, qui n'est pourtant pas l'exemple le plus certain de la presse de caniveau, Claude

Sarraute pouvait écrire le 11 juillet 1991 : «... Tu t'y entends bien, hein, la Cresson. [...] Bien qu'ignorant tout de vos rapports, j'imagine mal le Mimi te repoussant du pied, agacé par tes câlineries de femme en chaleur. Si tant est que tu l'exaspères, ce serait plutôt par tes bourdes de charretier en fureur[1]... » Le Bébête Show amuse le peuple avec sa marionnette nommée « Amabotte » qui ne cesse de roucouler au cou de Mitterrand. La cote de popularité d'Édith Cresson s'écroule : en trois semaines, après son installation, elle passe de 72 à 38 %.

François Mitterrand s'évertue à défendre sa protégée ; il s'indigne des attaques injustes qu'elle subit ; il rudoie Mauroy qui dissimule mal son hostilité : « Il mouillera sa chemise pour elle[2]... » Mais l'esprit chevaleresque de Mitterrand a des limites ; le vent tourne en 1992, notamment sous l'effet des élections cantonales du mois de mars qui fait retomber le PS à moins de 19 % des voix. La démission d'Édith Cresson suivra, le 2 avril. Amère, se sentant victime d'un lâchage de la part de ses camarades socialistes, elle en veut aussi à Mitterrand qui ne lui a pas donné les moyens de gouverner. Sept ans plus tard, elle se confiera à Jean Lacouture :

« Il m'a utilisée. Pour se débarrasser de Rocard par un coup médiatique qui permettait d'atténuer le choc que causerait dans l'opinion l'élimination de ce personnage encore populaire. [...] Et afin d'assurer sa propre gloire, celle de l'homme capable de cette audace : promouvoir une femme à un tel poste, en France[3]... »

Le gouvernement de Cresson avait duré moins d'un an. Celui de son successeur, Pierre Bérégovoy, à peine plus, jusqu'aux élections perdues par la gauche en 1993. Depuis longtemps, il piaffait de devenir Premier ministre, estimant injuste que ses mérites

---

1. Cité par J. Lacouture, *Mitterrand, une histoire de Français, op. cit.*, t. II, p. 485.
2. *Ibid.*, p. 504.
3. *Ibid.*, p. 505.

— réels — ne soient pas récompensés. En le choisissant, Mitterrand prenait le moindre risque : fidèle entre les fidèles l'ancien ministre de l'Économie était en phase avec sa propre évolution. Avec lui, le rêve socialiste était consommé. L'ancien champion de la relance, l'ancien partisan des nationalisations était devenu un homme respecté des affaires et de la Bourse. Sa volonté de moderniser l'économie équivalait à un ralliement au capitalisme, jadis dénoncé. L'idéologie libérale avait le vent en poupe, gagner de l'argent devenait un idéal commun ; l'effondrement du communisme soviétique avait fait la preuve du fiasco socialiste. Certains chroniqueurs appelleront cette nouvelle ère « les années fric », et Pierre Bérégovoy, le fils d'ouvrier, le Petit Chose, le vertueux défenseur des damnés de la terre, était devenu l'ami des banquiers. Rien de tout cela ne semblait contrarier François Mitterrand, même si, jusqu'au bout, il se réclamera du socialisme.

Il n'y eut qu'une seule opposition véritable entre le Président et son Premier ministre : le référendum sur le traité de Maastricht. Bérégovoy, prudent, jugeait le risque trop grand. Mitterrand passa outre et put se targuer de son intuition, même si la victoire du « oui » fut acquise de justesse. Les derniers mois du gouvernement Bérégovoy sont enveloppés d'un voile noir. En septembre 1992, François Mitterrand est hospitalisé à Cochin pour une opération de la prostate. Son cancer est désormais connu des Français. En février 1993, *Le Canard enchaîné* révèle l'emprunt gratuit dont a bénéficié Pierre Bérégovoy de la part de Roger-Patrice Pelat, l'ami de Mitterrand, l'homme d'affaires sulfureux qui, avant sa mort, avait été accusé de délit d'initié. Rien d'illégal en l'occurrence, sauf que, affolé par la campagne de presse, celui qui fut l'adversaire déclaré de la corruption est devenu suspect. En proie à des attaques multiples, il a le sentiment que Mitterrand le laisse tomber. Ce sont les élections d'avril 1993 qui mettent fin à son gouvernement. Mais lui, désespéré, est convaincu d'avoir été la cause de la défaite. Il n'y survivra pas.

Aucun des Premiers ministres socialistes de François Mitterrand n'a « gouverné » le pays. Certains ont pris des initiatives heureuses, procédé à des réformes durables ; tous ont dû admettre la prépondérance du souverain élyséen. Le système n'avait pas été inventé par le président socialiste, qui en avait hérité. Tous ses prédécesseurs avaient su jouer d'une Constitution qui assure au Président les moyens d'un souverain. Mais cette Constitution de 1958, il l'avait combattue. Dans *Le Coup d'État permanent*, il dénonçait la subordination du Premier ministre. En 1980 encore, dans *Ici et maintenant*, il affirmait : « Ce que je mets en cause, c'est bien la monarchie[1]. »

La dyarchie de la cohabitation

Ce qui ne s'était jamais produit depuis 1958, c'est que le Président ait à affronter une majorité hostile. En 1986, en pleine chute de popularité, François Mitterrand s'attend que son parti perde les élections législatives. Qu'allait-il décider en cas de victoire de la droite ? La question s'était déjà posée dès la fin du premier mandat du général de Gaulle. Celui-ci avait décrété qu'« on ne saurait accepter une dyarchie au sommet[2] ». Dès lors, s'il advenait que l'Assemblée soit en majorité formée par des députés de l'opposition, le fondateur de la Ve République envisageait de faire appel comme Premier ministre à une personnalité de la société civile. « Si nous n'avons pas de majorité à l'Assemblée, disait le Général à Alain Peyrefitte, nous nous en passerons ! À condition, évidemment, que nos troupes ne soient pas complètement écrasées. Cette Constitution a été faite pour gouverner sans majorité. Je ferais appel, comme en 58, à des hommes nouveaux, des techniciens, des spécialistes qui ne soient pas

1. F. Mitterrand, *Ici et maintenant, op. cit.*, p. 120.
2. Conférence de presse du général de Gaulle du 31 janvier 1964.

compromis dans les luttes politiques, mais qui soient respectés pour leur compétence. Des commis de l'État. Des gestionnaires[1]. » Cependant, en cas de raz-de-marée adverse, il s'inclinerait, il démissionnerait ou il dissoudrait l'Assemblée.

Une manière d'amoindrir la défaite socialiste était de remplacer le mode de scrutin majoritaire à deux tours par le scrutin départemental à la proportionnelle, dont le rétablissement était du reste prévu dans les *110 propositions* du candidat. La nouvelle loi électorale fut votée en avril 1985 à la suite des cantonales perdues par le PS. Ce vote provoqua la démission de Michel Rocard, attaché au scrutin majoritaire, refusant d'avantager le Front national pour affaiblir la droite, de son poste de ministre de l'Agriculture. Aux législatives de mars 1986, la majorité de gauche est effectivement balayée comme prévu, mais le Front national, avec près de 10 % des suffrages, obtenait 35 sièges, ce qui amenuisait la majorité de droite (RPR et UDF). Or de Gaulle était mort et, plutôt que de voir le gouvernement leur échapper, les gaullistes ou néogaullistes cessaient d'être hostiles à ce que l'on a pris l'habitude d'appeler la « cohabitation ». Édouard Balladur, une des têtes pensantes de la droite, en avait défendu le principe dans un article remarqué paru dans *Le Monde*. De son côté, François Mitterrand, après avoir pris acte, le 16 mars 1986, de la victoire d'une « majorité nouvelle », accepta cette innovation qu'il appela, lui, la « coexistence » entre un président de gauche et une majorité de droite. Jouant le jeu de la démocratie parlementaire, il appela sans finasser Jacques Chirac, tête de file du parti vainqueur, à former un nouveau gouvernement. Nul doute qu'il avait à l'esprit l'élection présidentielle de 1988 : pendant les deux ans de son gouvernement, Chirac devrait s'user et lui, Mitterrand, retrouver sa popularité à partir du moment où les décisions impopulaires ne lui seraient plus imputables. Ses tendances à l'ambivalence se

---

1. Alain Peyrefitte, *C'était de Gaulle*, Éd. de Fallois/Fayard, 2000, t. III, p. 87-89.

prêtaient à un exercice dont il put savourer les détails quotidiens. Jean Lacouture a eu cette heureuse formule : « La cohabitation, il la déteste voluptueusement[1]. »

Chirac et ses ministres ont sans doute gardé en mémoire cette séance aussi insolite que solennelle du premier Conseil des ministres de la cohabitation, le 22 mars 1986. Peu avant son ouverture, le Président avait reçu son Premier ministre, selon les habitudes, puis il était entré avec lui dans le salon Murat, sans serrer la main à aucun des ministres présents. « Ambiance à couper au couteau, note Attali. Bianco, Fournier et moi sommes assis à la petite table qui jouxte la porte menant au jardin d'hiver. Les photographes se précipitent puis se retirent. Le Président est glacé. Sa voix est basse. Je le devine très ému[2]. » Il précise : « C'est ici que se traitent les affaires du pays. Dès maintenant, la responsabilité entière, c'est la vôtre ; pour certains problèmes, c'est encore la mienne. Mais pour tous, ce sera la nôtre. »

D'emblée, Mitterrand a fait savoir qu'il ne sera pas un président soliveau. Chirac, de son côté, ne barguigne pas : « Je déposerai une loi d'habilitation permettant de rétablir le scrutin majoritaire, avec un redécoupage des circonscriptions, de 491 à 577, pour garder le même nombre de députés qu'à la proportionnelle. » L'entreprise de « détricotage » de ce qu'avait fait le président socialiste commençait. « Ce fut atroce », lâche Mitterrand devant Attali en sortant du Conseil.

François Mitterrand entend bien rester maître du secteur que la coutume à défaut de la Constitution appelait le « domaine réservé » : les Relations extérieures et la Défense. Lors de la formation du gouvernement, il avait refusé à Chirac des personnalités trop fortes à ses yeux pour ces ministères, Jean Lecanuet, Valéry Giscard d'Estaing, et même François Léotard, jugé, lui, « trop léger ». Aidé à l'Élysée par une bonne équipe, où Jacques

1. J. Lacouture, *Mitterrand, une histoire de Français*, op. cit., t. I, p. 241.
2. J. Attali, *Verbatim II*, op. cit., p. 23.

Attali et Jean-Louis Bianco étaient renforcés par Élisabeth Guigou, Jean Glavany, Hubert Védrine, Charles Salzmann, Michel Charasse et quelques autres, le Président était décidé à opposer des contre-sapes aux projets d'un Premier ministre décidé de son côté à déconstruire son œuvre, particulièrement en matière de nationalisation. Le monde était sous l'influence d'une idéologie libérale à tous crins, dont les grands prêtres s'appelaient Margaret Thatcher et Ronald Reagan. Chirac suivait le vent. Pressé, il voulait réaliser une série de privatisations par ordonnances. À cet effet, une loi d'habilitation était nécessaire. Balladur la prépara, elle visait soixante-cinq établissements et banques de crédit, dont Elf, Havas, Bull et Matra. En bonne guerre parlementaire, la gauche déposa une flopée d'amendements, comme la droite l'avait fait pour les nationalisations. Après le rejet d'une motion de censure et avec l'avis favorable du Conseil constitutionnel, la loi d'habilitation est votée le 2 juillet. On pouvait passer aux ordonnances. Se trouvent dans la liste des entreprises qui avaient été nationalisées avant 1982 (tels la Société générale, la BNP, le Crédit Lyonnais). Mitterrand s'y refuse : « Je ne signerai pas une telle ordonnance, dit-il à Attali. Le choc est inévitable. Je vais prendre le pays à témoin. La discussion de ce texte peut venir en Conseil des ministres, s'ils le veulent, mais ce n'est pas le Conseil qui signe les ordonnances, c'est moi. Et je ne signerai pas ! On va donc dans le mur[1]. » Pour parer au projet de la droite, le Président allègue l'indépendance nationale contre le contrôle étranger. Le 14 juillet, devant les caméras de la télévision, le Président annonce qu'il ne signera pas. Le soir, Chirac lui téléphone : « Ma majorité est à bout. » Mitterrand réitère son veto : il ne signera pas la privatisation des entreprises nationalisées en 1945. Si le Premier ministre insiste, alors il lui faudra passer par la loi, c'est-à-dire par le Parlement. Chirac menace-t-il de

---

1. *Ibid.*, p. 121.

démissionner pour en arriver à des présidentielles anticipées ? Mitterrand, très calme, lui objecte aimablement que c'est à lui qu'appartient le pouvoir de dissoudre l'Assemblée et qu'il n'a nullement l'intention de démissionner ; que Chirac ne songe donc pas à une élection présidentielle anticipée. À plusieurs reprises, Chirac revient à la charge, propose de changer l'ordonnance en prévision d'un contrôle étranger. Au Conseil suivant, le 16 juillet, il fait valoir le droit du Conseil des ministres de trancher. Nenni ! La signature revient au Président. D'ailleurs, dit Mitterrand en substance : si la loi est votée par le Parlement, je m'inclinerai, mais je ne veux pas signer une ordonnance à laquelle je m'oppose. Il faut que le gouvernement s'y résigne : il passera par la loi. Les privatisations auront bien lieu, et rencontreront un certain engouement du public. Du moins Mitterrand avait-il su faire montre d'une fermeté à laquelle ses « cohabitants » devront s'habituer.

La guerre larvée entre les deux têtes de la dyarchie a d'autres occasions de se manifester. Au mois de décembre 1986, d'imposantes manifestations d'étudiants et de lycéens se dressent contre le projet de loi d'Alain Devaquet en faveur de l'autonomie des universités. Le 9 décembre, sur Europe 1, le Président se déclare « sur la même longueur d'onde que les étudiants ». La France est alors en plein drame. Le 5, les manifestations sont endeuillées par la mort d'un étudiant de vingt-deux ans, Malik Oussekine, au cours d'affrontements avec la police, au Quartier latin. Le lendemain, manifestation de deuil et nouvelles bagarres avec la police. Alain Devaquet, ministre délégué chargé de la Recherche et de l'Enseignement supérieur, démissionne. Le 8, Jacques Chirac annonce qu'il retire le projet de réforme universitaire. François Mitterrand apparaît comme le vainqueur politique de la crise. Le 17 décembre, il refuse de signer une nouvelle ordonnance sur l'aménagement du temps de travail. Le gouvernement devra de nouveau en passer par la loi, laquelle est votée trois jours plus tard.

Le Président ne tarit pas de reproches sur Chirac et ses ministres, à qui veut l'entendre. À Latche, au cours de l'été 1986, il déclare à ses visiteurs : « S'ils continuent comme ça, ils vont me donner l'envie de me représenter. Juste pour le plaisir de les battre. Mais ça m'ennuierait... Je suis bien ici[1]. » Les affrontements se succèdent, notamment sur le projet Pasqua de redécoupage des circonscriptions électorales, que Fabius appelle le *chiracutage* électoral. Dans les rencontres internationales, Mitterrand s'évertue à montrer que c'est lui qui représente la France. Au conseil de la Défense, il fait valoir que c'est à lui de décider des principales orientations. Les mots assassins se multiplient derrière le dos de Chirac : « Il court vite, mais il ne sait pas vers où. » À suivre le *Verbatim* de Jacques Attali, on est frappé par le nombre d'accrochages, au cours desquels Mitterrand prend l'avantage sur Chirac, souvent désarçonné par la fermeté du Président. La droite au pouvoir voudrait le refouler, le neutraliser, l'enfermer dans un rôle subalterne, mais lui, sans majorité parlementaire mais arc-bouté sur ses prérogatives constitutionnelles, parvient à lui mettre des bâtons dans les roues. Le 1er janvier 1987, il reçoit au fort de Brégançon des cheminots en grève qui lui offrent des fleurs avec cette carte : « Nos vœux pour 1987. Cheminots en grève demandent faire intervenir négociations rapidement. » On devine la colère du gouvernement, Chirac proteste du soutien apporté par le chef de l'État aux opposants. « C'est un texte plutôt puéril, commente Mitterrand, faisant preuve d'un certain manque de maîtrise. Je n'y répondrai pas. » On voudrait qu'il règne sans gouverner, comme la reine d'Angleterre, mais c'est mal le connaître. Toujours aimable, parfois onctueux, s'appuyant sur la Constitution aussi bien que sur l'usage, il retarde des décisions, empêche le pire à ses yeux en amenant ses partenaires adversaires à des concessions. Il prend parfois un tel ascendant sur Jacques Chirac que, rieur, il peut dire à Jean-Louis

1. *Ibid.*, p. 136.

Bianco, au moment du conflit diplomatique avec l'Iran : « Il se comporte en ce moment comme mon chef de cabinet[1]. »

La tension entre les deux hommes peut être extrême, le Président ne ménage pas son mépris au Premier ministre : « Chirac pense comme il monte les escaliers ; il parle comme il serre les mains ; il devrait prendre le temps de s'asseoir », mais il manifeste souvent son indulgence : « Au fond, c'est un brave type ! » peut-il dire à son conseiller spécial Attali. Leurs relations sont souvent empreintes de bonhomie. Selon Marie-France Garaud, Jacques Chirac est « fasciné » par François Mitterrand. À la présentation des vœux, le 5 janvier 1987, Chirac quitte l'Élysée le premier. Le Président s'étonne : « Vous nous quittez déjà, monsieur le Premier ministre ? » Et lui de répondre : « Oui, mon Géné… heu… oui, monsieur le Président. » Chirac rit lui-même de son lapsus, alors que Mitterrand feint de n'avoir pas entendu. Il dit ensuite à Attali : « Vraiment ? Il a dit ça ? Vous l'avez entendu ? Comme c'est curieux[2]… »

Au total, François Mitterrand n'a pas souffert de la cohabitation. Sa cote de popularité est remontée en flèche : les Français appréciaient que l'opposition fût représentée au sommet de l'État. Il tira les avantages de sa situation, de son irresponsabilité constitutionnelle, et notamment en ces années qui voient la courbe du chômage monter, inexorable. Débonnaire, mais résolu, il en a imposé à ses adversaires. On voit même un Devaquet, ministre malheureux et démissionnaire de l'Enseignement supérieur, souhaiter que Mitterrand soit réélu, déclarant au conseiller de l'Élysée : « Dans la crise, Monory [ministre de l'Éducation] a manqué d'autorité ; Chirac ne pensait qu'à mouiller Monory, et Balladur a été nul. Je suis à la disposition du Président. S'il le désire, j'adhère au PS[3]. »

---

1. *Ibid.*, p. 361.
2. *Ibid.*, p. 231.
3. *Ibid.*, p. 291.

La défaite de la gauche aux élections législatives de 1993 est plus lourde. Mais la règle a été donnée ; les Français l'ont appréciée. Il y aura donc une nouvelle cohabitation. François Mitterrand nomme Édouard Balladur Premier ministre, avec l'accord donné à celui-ci par Chirac. Cette fois, la coexistence entre Président et Premier ministre est moins heurtée, pour plusieurs raisons. Il y va du caractère de Balladur, homme de culture, courtois, certes un peu hautain, mais que François Mitterrand n'aurait pas l'idée de classer au rang des « barbares ». Mais aussi, celui qui s'affirme toujours « socialiste » est revenu de quelques illusions, et la maladie qui gagne du terrain, la fatigue, une certaine lassitude ont contribué au calme des relations au sommet de l'État. Il n'en garde pas moins le souci de ses prérogatives.

Le 14 juillet 1993, au cours d'un entretien télévisé devenu rituel, il s'explique : « M. Balladur, c'est moi qui l'ai choisi. Pas par hasard. Non seulement parce qu'il répondait, vraisemblablement, d'après beaucoup d'indications, au sentiment général de la nouvelle majorité, mais aussi parce qu'il a des qualités. [...] Le président de la République doit tenir le plus grand compte de la majorité. Toutefois, l'élection au suffrage universel du président de la République confère à ce dernier un rôle d'une importance particulière, c'est évident, [une] autorité [notamment] dans le domaine de la politique étrangère et de la défense — c'est ce que je fais, beaucoup moins dans le domaine de la politique intérieure, économique et sociale, puisque cela relève de la loi et que la loi est votée par le Parlement. »

À plusieurs reprises, le Président usera de cette autorité. Ainsi, lorsqu'il est question de rectifier la loi Falloux datant de 1850, afin de permettre une aide à l'enseignement privé de la part des collectivités territoriales, et alors que la discussion du projet n'est pas achevée à la session qui se termine en juin 1993, il refuse, comme la Constitution le lui permet, de la mettre à l'ordre du jour de la session extraordinaire de juillet. La loi ne sera adoptée qu'en décembre ; elle provoquera une énorme manifestation de défense laïque le 16 janvier. C'est le Conseil constitutionnel qui, en annulant l'article 2 de la loi, apaisera une nouvelle « guerre scolaire », à la satisfaction de Mitterrand.

Le 14 juillet 1994, il prend l'initiative d'inviter des soldats allemands au défilé national, et il en revendique l'audace contre les critiques de la majorité. Montrer avec netteté qu'il est et reste le chef de l'État est un souci constant. Cela dit, les conflits sont rares avec Édouard Balladur. Le Pen pouvait s'exclamer : « Ce n'est plus seulement de la cohabitation mais une véritable lune de miel[1]. » Comme l'indiquent les sondages, les Français considèrent la cohabitation comme une « bonne chose » et que François Mitterrand n'a pas été un frein important à la politique menée par Édouard Balladur. Cela lui vaut de redresser lui-même sa cote de popularité[2].

Cette double expérience de cohabitation appelle des commentaires divergents. En rendant compte du *Verbatim II* de Jacques Attali, en 1995, Alain-Gérard Slama écrit dans *Le Figaro* : « Par comparaison avec la sourde violence du premier attelage Mitterrand-Chirac, l'expérience de la deuxième cohabitation et le ton modéré de la campagne présidentielle du printemps 1995 donnent parfois le sentiment que le temps du manichéisme est révolu. Mais il est peu probable que des blessures d'une telle profondeur soient aujourd'hui totalement refermées. Et l'on ne peut exclure qu'en autorisant Jacques Attali à publier ces notes ambiguës, le Président ait songé au parti qu'il pourrait en tirer. Comme s'il continuait à penser que la seule légitimité digne de ce nom a commencé et s'arrête avec lui. Sous les demi-teintes imposées par le climat d'apaisement actuel, il est à craindre que la droite continue de penser : "Je suis la

1. *Le Monde*, 16 juillet 1993.
2. *Le Monde*, 26 octobre 1993. Si l'on note 49 % de « mécontents », on note 47 % de « satisfaits », une très nette remontée en deux ans.

France" aussi longtemps que la gauche s'obstinera à lui lancer : "Je suis la démocratie". On ne saurait mettre plus nettement en évidence le coup que la "cohabitation" a porté à la Vᵉ République. Qu'elle ait exaspéré les conflits après 1986 ou qu'elle les ait, au contraire, escamotés après 1993, la coexistence de deux légitimités au sommet de l'État a durablement faussé le débat démocratique. Il faudra du temps pour le rétablir. »

La partition gauche-droite ou majorité-opposition se trouvait brouillée. À ce moment-là, les Français ne s'en plaignent pas. La cohabitation leur apparaît comme une forme de réconciliation nationale, avec ce qu'il faut de critique interne à l'union. Il faudra attendre la longue cohabitation Chirac-Jospin, de 1997 à 2002, pour que la confusion dénoncée par Alain-Gérard Slama parvienne à son comble, au profit d'une extrême droite capable de placer son candidat, Jean-Marie Le Pen, au second tour de l'élection présidentielle. La réforme constitutionnelle dite du quinquennat, en 2000, aligne le mandat du Président sur la durée des législatives ; elle tiendra lieu de sauvegarde (imparfaite) contre une nouvelle cohabitation.

Au demeurant, en inventant cette forme de dyarchie, que Raymond Barre avait dénoncée dans une stricte fidélité à la pratique constitutionnelle du général de Gaulle, Mitterrand a contribué à un apaisement de la vie politique qu'il n'avait pas prévu lui-même au temps du programme commun de gouvernement. Certains observateurs ont pu lire dans la cohabitation un retour à la Constitution de 1958-1962 qui n'avait jamais été respectée. « Cette "République parlementaire", écrivait Thierry Bréhier, où la majorité de l'Assemblée nationale et le gouvernement qui en est issu ont plus d'autorité que le chef de l'État, c'est celle qu'il [Mitterrand] dessinait avant 1981. [...] C'est celle qu'il n'a jamais appliquée pendant les dix ans où il pouvait se faire obéir du groupe le plus important du Palais-Bourbon. [...] Il paraît ravi de n'être que le "notaire" des desiderata de la majorité. Un de ces bons notaires de province qui savent être aussi des conseillers, mais qui ne s'offusquent pas quand leurs clients passent outre à leurs remarques. » Le Président laissait sa liberté de manœuvre au gouvernement, tout en se prévalant d'être « le gardien des grands intérêts diplomatiques de la France et de la défense nationale ». Et le journaliste d'observer : « Cette doctrine institutionnelle est certes permise par la Constitution. Elle est même à l'évidence plus conforme au texte fondateur de la Ve République que la pratique qui en a été faite par tous les présidents de la République depuis 1958, et par Mitterrand lui-même. »

Celui-ci en arrivait à une conclusion voisine de celle du chroniqueur du *Monde* : « Le pouvoir exécutif était trop faible sous la IIIe République et la IVe République. La pratique de la Ve a conduit à un pouvoir de fait, excessif, du chef de l'État. Je n'ai pas cessé de le penser depuis 1958, et d'en tenir compte. » Ce qui est faux quand il pouvait disposer de la majorité parlementaire, mais il avait peut-être changé d'avis entre-temps : « La situation présente dessine, avec beaucoup de tâtonnements, une approche qui se perpétuera, même si les majorités présidentielle et parlementaire coïncident de nouveau[1]. »

Ainsi, le souverain se prévalait, après avoir exercé un pouvoir quasi absolu, d'avoir œuvré pour la démocratie. Ces propos dataient de 1986, époque de la première cohabitation. Cela ne l'empêchera pas, deux ans plus tard, d'exercer de nouveau un pouvoir sans bornes, grâce à une majorité parlementaire. L'ambivalence de ses convictions ne se dément pas, ni sa faculté d'adaptation.

---

1. *L'Express*, 10 novembre 1986.

XI

EN QUÊTE DE GRANDEUR

François Mitterrand s'applique sans conteste à défendre et à illustrer le prestige de la France en même temps que le sien propre. À peine élu, il avait participé à un sommet des Sept à Ottawa où, reçu en parent pauvre, il avait ressenti une certaine humiliation. Il aurait sa revanche en juin 1982, quand le nouveau sommet eut lieu en France. Ne lésinant sur rien, il réunit ses homologues à Versailles, bien décidé à utiliser la fastueuse demeure du Roi-Soleil pour en imposer.

Le premier dîner des Sept fut servi au Trianon. Après quoi, raconte Attali, « nous passons plus d'une heure à mettre au point le plan de table du grand dîner du surlendemain dans la galerie des Glaces ». Le samedi 5 juin, le sommet commence ses travaux au premier étage du château orné du tableau de David représentant le couronnement de Napoléon, que François Mitterrand commente longuement à ses hôtes.

À vingt-trois heures, après un dîner somptueux, un gigantesque feu d'artifice met fin au sommet. N'en a-t-il pas trop fait, le président de la République ? Pierre Joxe se rappelle : « J'avais eu le malheur de dire : "Vous ne vous rendez pas compte de l'impression que cela donne ! Je sais bien que vous ne vous prenez pas pour Louis XIV, mais à la télévision, quand on voit la galerie des Glaces de Louis XIV, tout le monde voit Louis XIV !" Il me répondit : "Non, c'est l'image de la France[1]". »

Une autre manière de frapper les imaginations a été pour Mitterrand d'inscrire sa présidence dans la pierre. Rien de nouveau, mais « ce qui est quand même particulier, dans l'aventure récente de l'Élysée-architecte, écrit François Chaslin, c'est l'ampleur, la démesure peut-être de ses ambitions : sept, huit, neuf projets, sans compter toutes les réalisations provinciales du ministère de la Culture, ces confettis de la République[2] ». Jack Lang, le flamboyant ministre de la création, jugeait fort bien en septembre 1982, dans *L'Architecture aujourd'hui*, que « l'architecture est non pas l'expression d'une société, comme on le dit souvent, mais celle des pouvoirs qui la dirigent [...]. Et du pouvoir royal en particulier, qui entend immortaliser son passage dans l'Histoire ». Le Grand Louvre et la pyramide de l'architecte Ming Pei, l'Opéra de la Bastille, l'Institut du monde arabe, la Grande Arche de la Défense, la Cité des sciences et des techniques, la Grande Bibliothèque de France furent de ces initiatives princières, d'inégale valeur, mais toutes destinées à assurer la gloire de l'État et de son chef.

La France doit compter dans le monde, Mitterrand s'y emploie par une politique extérieure qui ne doit pas faire regretter la grandeur de la politique gaullienne. L'intention est ferme, les résultats sont inégaux.

Trois axes ont guidé Mitterrand et ses conseillers dans la politique extérieure de la France. En 1981, dans un monde encore divisé entre l'Est et l'Ouest, sa volonté fut celle de préserver ou d'assurer l'équilibre entre les puissances. La construction européenne deviendra pour lui, on le sait, un nouveau « grand dessein ». Mais, au lendemain de son élection, il importait à un président socialiste d'affirmer sa solidarité avec le tiers-monde.

---

1. P. Joxe, *Pourquoi Mitterrand ?*, op. cit., p. 23.
2. François Chaslin, *Les Paris de François Mitterrand*, Gallimard, 1985, « Folio Actuel », p. 18.

Un tiers-mondisme limité

Pour Mitterrand, dans son premier discours public de Président, « une France juste et solidaire, qui entend vivre en paix, peut éclairer la marche de l'humanité » — une ambition d'exemplarité, qui s'affirme d'abord par la tendance tiers-mondiste, revendiquée par le ministre des Relations extérieures Claude Cheysson. Le 20 octobre 1981, Mitterrand prononce un discours vibrant à Mexico, quelques jours avant la conférence Nord-Sud qui devait se tenir à Cancún : « Salut aux humiliés, aux émigrés, aux exilés sur leurs propres terres, qui veulent vivre, et vivre libres. Salut à celles et à ceux qu'on bâillonne, qu'on persécute ou qu'on torture, et qui veulent vivre, et vivre libres. Salut aux séquestrés, aux disparus et assassinés qui veulent seulement vivre et vivre libres. Salut aux prêtres brutalisés, aux syndicalistes emprisonnés, aux chômeurs qui vendent leur sang pour survivre, aux Indiens pourchassés dans leurs forêts, aux travailleurs sans droits, aux paysans sans terre, aux résistants sans armes, qui veulent vivre et vivre libres. À tous, la France dit : "Courage !" La liberté vaincra. » À la conférence de Cancún qui suivit, à l'initiative du président autrichien Bruno Kreisky, le président français réitère sa demande de nouveaux rapports Nord-Sud. Le ton est donné, les applications pratiques de cette politique ne sont pas évidentes.

Dans sa politique africaine, François Mitterrand se garde bien de bouleverser le statu quo. Comme l'explique Hubert Védrine, son conseiller diplomatique : « La déstabilisation des régimes en place aurait tôt fait de réveiller les antagonismes ethniques tant bien que mal contenus à l'intérieur des frontières héritées des colonisateurs[1]. » Il entretient de bons rapports avec les dirigeants de la « Françafrique » ; il reçoit à Paris le tyran de la Guinée,

---

1. Hubert Védrine, *Les Mondes de François Mitterrand…*, *op. cit.*, p. 340.

Sékou Touré, au dépit de Jean-Pierre Cot, le ministre de la Coopération, qui ne le restera plus longtemps. Dans l'immédiat, Mitterrand doit se colleter avec une affaire empoisonnée : celle du Tchad occupé par les troupes libyennes de Kadhafi, jouant du conflit entre les deux leaders tchadiens Hissène Habré et Goukouni Oueddei. Celui-ci, délogé du pouvoir par celui-là, fait alliance avec Kadhafi. La guerre civile doublée d'infiltration libyenne provoque l'intervention armée de la France, laquelle aboutit le 17 septembre 1984 à un accord, qui prévoyait l'évacuation simultanée du Tchad. Finalement, ce fut un marché de dupes : si les Français s'exécutèrent, ce ne fut pas le cas des Libyens. À l'instigation de son ami grec Andhréas Papandhréou, Mitterrand rencontra Kadhafi en Crète le 15 novembre suivant. Le dictateur libyen continua à affirmer que ses troupes avaient évacué le Tchad. En France la presse d'opposition jugea sévèrement le président français qui avait attribué à Kadhafi un certificat d'honorabilité. Quand, en février 1986, les troupes libyennes se lancèrent dans une offensive générale, la France répliqua par une nouvelle intervention militaire, l'opération *Épervier*. C'est finalement l'armée d'Hissène Habré qui remporta la victoire sur celle des Libyens. Un accord final entre le Tchad et la Libye fut signé à Alger en août 1989. Jean Lacouture, qui ne passe pas pour un antimitterrandiste, a émis, en 1994, ce jugement sans complaisance : « Il faut pourtant admettre que la politique africaine de la France depuis les proclamations d'indépendance de 1960, inventée et conduite d'abord par un minime tacticien, Jacques Foccart, et qui n'est rien d'autre qu'un clientélisme tribal, n'a été en rien rectifiée en treize ans de pouvoir socialiste — si l'on tient peu compte de la tentative amorcée par J.-P. Cot et bien vite interrompue. De compromissions en chaîne en affaires dont les livraisons d'armes ne sont jamais absentes, on se trouve ligoté à des potentats si corsetés eux-mêmes dans leur totalitarisme que la moindre tentative de pluralisme conduit à l'explosion. Ainsi sommes-nous, comme le disait Malraux, "enfouis dans l'irrémédiable[1]". »

Une politique tiers-mondiste ne pouvait oublier la défense des Palestiniens et de leur volonté de créer un État. C'était l'intention du Président, mais celui-ci était aussi un grand ami d'Israël, bien plus israélophile que ses prédécesseurs. En mars 1982, il fut le premier président de la République française à se rendre officiellement en Israël. Le 4 mars, devant la Knesset, il proclame l'«irréductible droit de vivre» de l'État israélien. En même temps, il défend la vocation des Palestiniens à fonder un État, ce qui, aux yeux de Menahem Begin, le Premier ministre israélien, représentait le «principal obstacle» à l'amitié franco-israélienne. La volonté d'équilibre est à l'honneur ; elle est difficile à tenir. Au mois de juin de la même année 1982, les Israéliens lançaient leur opération «Paix en Galilée» au Liban pour en déloger les Palestiniens de Yasser Arafat. Les soldats que la France envoya dans la force multinationale protégèrent le départ d'Arafat — une protection qui souleva contre la France la presse israélienne. On peut s'interroger sur l'efficacité de tels gestes, comme le fait Hubert Védrine : «Avec le recul, toute cette activité laisse songeur. Le Président, Claude Cheysson, puis Roland Dumas ont-ils vraiment pensé débloquer la situation contre une coalition d'intérêts aussi hostiles et aussi déterminés ? N'était-ce pas de la pure diplomatie de témoignage ? Non : François Mitterrand s'obstinera à rechercher la bonne clef et à juger la France bien placée pour la trouver. Avec le temps, il se convaincra qu'aucun des deux protagonistes du conflit du Proche-Orient ne peut faire le premier pas vers l'autre, mais que seul un contexte plus large, un "parapluie" international sous lequel les contacts bilatéraux seraient banalisés, le leur permettrait. À partir de 1984, il cesse donc de préconiser un dialogue direct et

---

1. Jean Lacouture, « Le Grand Turc et la tête de Turc », *Le Débat*, n° 81, sept.-oct. 1994, p. 148.

cherche à redonner vie à l'idée d'une conférence internationale sous l'égide du Conseil de sécurité des Nations unies, ce qui assurerait un rôle clef à la France[1]. » L'idée n'était pas mauvaise, mais c'était un vœu pieux que l'avenir ne confirma pas.

Les relations Est-Ouest

« L'équilibre des blocs militaires dans le monde » est une autre idée-force de la politique étrangère de François Mitterrand[2]. Dans ce domaine, plus que dans « le développement des pays pauvres », le président français a fait montre d'une résolution constante. Depuis la défaite américaine au Vietnam, l'Union soviétique apparaît de nouveau comme une puissance redoutable, surtout après sa décision, en 1979, d'intervenir en Afghanistan pour défendre un gouvernement prosoviétique en proie à la rébellion interne. En 1980, Raymond Aron publie un article explicite dans la revue *Commentaire*, titré : « L'An I de l'hégémonie soviétique ». En Europe, les Soviétiques ont installé, à partir de 1977, en Europe de l'Est, des missiles nucléaires — les SS 20 — dirigés vers l'Europe occidentale. Aux yeux de Mitterrand, partisan de la fermeté, ce déséquilibre peut être réglé par la négociation, mais en cas d'échec il deviendrait nécessaire de déployer les fusées Pershing américaines. Ce raisonnement, conforme à la théorie de la dissuasion, rencontre l'opposition d'un large mouvement pacifiste en Europe, et particulièrement en République fédérale allemande, où Helmut Schmidt, le chancelier social-démocrate, a vu son camarade Willy Brandt et son parti gagnés aux thèses pacifistes, que soutiennent aussi les églises protestantes.

1. H. Védrine, *Les Mondes de François Mitterrand...*, *op. cit.*, p. 315.
2. François Mitterrand, *Réflexions sur la politique extérieure de la France. Introduction à vingt-cinq discours (1981-1985)*, Fayard, 1986.

Mitterrand est depuis longtemps un partisan sans faille de l'Alliance atlantique. D'abord hostile à la force de frappe française, il s'y est rallié avec la volonté, qu'on peut dire « gaullienne », de préserver l'indépendance de la France, mais en refusant tout « splendide isolement ». Dans l'intention de rééquilibrer les forces en Europe, il veut convaincre les Allemands que le combat pour la paix ne peut reposer que sur la dissuasion, c'est-à-dire l'équilibre des forces, ou l'« option zéro » (c'est la formule de Reagan), grâce en l'occurrence au déploiement de contre-missiles : les Pershing II face aux SS 20. C'est avec cette volonté de convaincre qu'il prononce le 20 janvier 1983 au Bundestag, à Bonn, un discours retentissant, à l'occasion du vingtième anniversaire du traité de l'Élysée entre de Gaulle et Adenauer.

Ce discours a été minutieusement préparé. Mitterrand, qui est parti en voyage en Afrique le 13 janvier, emporte avec lui le projet de texte dû à Bianco, Attali, Védrine, et rédigé par l'historien Jean-Michel Gaillard. D'Afrique, à Franceville, le Président communique à son conseiller spécial : « Je viens de lire le projet de discours, c'est tragiquement nul. » Revenu à Paris, le 19 janvier, il rédige, au cours du Conseil des ministres qui retient peu son attention, un plan de discours en trois points qu'il remet à ses conseillers : « Il me faut un texte très clair, très pédagogique sur les conditions d'engagement de la force militaire française et sur les limites de la protection allemande par la France. » Les scribes se remettent au travail. Nouveau jugement sévère vers dix-neuf heures. À vingt-trois heures, il relit le texte à haute voix jusqu'à deux heures du matin, le modifiant, discutant paragraphe par paragraphe, mot après mot. « Il me demande, écrit Attali, d'assurer la cohérence des relectures de l'ensemble jusqu'au matin. Bianco et Hernu relisent avec moi une nouvelle version. Cheysson et Védrine prennent le relais pour la suivante. » Le lendemain 20 janvier, dans l'avion pour Bonn, Mitterrand travaille encore son discours, qu'il donne à taper par sa secrétaire particulière à la Chancellerie, dans le bureau d'Helmut Kohl qui fait les cent pas dans le couloir. Devant des députés silencieux, attentifs, certains ulcérés, d'autres admiratifs, le président français explique que l'équilibre des forces militaires en Europe est la seule garantie de l'« impossibilité de la guerre ».

Dès le lendemain, Henry Kissinger téléphone à Jacques Attali pour lui dire qu'il a trouvé « tout à fait remarquable » le discours de Mitterrand. « Mon seul regret est que le gouvernement américain n'ait pas jugé utile de se réjouir immédiatement d'un tel discours. » Le 28 janvier, le Président reçoit les félicitations de Reagan : « Votre discours de Bonn renforce l'Alliance au moment où les pays européens avouent sinon leur impuissance, du moins leur anxiété devant le poids de leur opinion. Je partage pleinement votre jugement sur les risques de découplage entre l'Europe et les États-Unis. Votre discours constitue une contribution importante à nos efforts mutuels pour renforcer la sécurité de l'Occident[1]. » Les premières fusées Pershing II sont déployées en Allemagne fédérale à la fin de 1983. Par la suite, des négociations auront lieu entre l'Est et l'Ouest, accélérées par l'arrivée de Gorbatchev à la tête du parti communiste de l'Union soviétique. Le dernier SS 20 sera mis hors service en mai 1991.

François Mitterrand s'est réjoui des réformes du nouveau dirigeant de l'URSS. Les deux hommes ont sympathisé, se sont rencontrés à Paris et à Moscou. Le Président a invité le Russe à Latche et l'a encouragé dans sa volonté de sauver le régime soviétique par de profonds changements, mais la décomposition accélérée de l'URSS, après la chute du mur de Berlin, en a décidé autrement. Le 19 août 1991, la vieille garde stalinienne, entraînée par Guennadi Ianaev, tente un coup d'État et arrête Gorbatchev. Par l'intermédiaire de l'ambassadeur à Paris, la junte assure qu'elle poursuivra les réformes mais selon « un processus de transformation maîtrisé ». Le soir, à la télévision, Mitterrand croit bon de donner lecture de ce message, sans le

---

1. J. Attali, *Verbatim I, op. cit.*, p. 388.

cri de protestation qu'on était en droit d'attendre de lui. Curieux flottement, dont Gorbatchev, une fois libéré, ne lui tiendra pourtant pas rigueur.

On observe chez lui un mélange de volonté et d'attentisme. Le discours du Bundestag a montré sa résolution de défendre la paix par une politique de dissuasion contraire aux tendances pacifistes. « Plutôt rouges que morts », le slogan scandé par les pacifistes, les gauchistes, les écologistes dans les rues de Berlin n'était pas le sien, qui était « ni rouge ni mort ». Il se souvient de la conférence de Munich en 1938 : il sait que la capitulation n'a jamais été un acte de paix. Sans s'inquiéter de la réaction de ses ministres communistes, il a parlé « au nom de la France » et au nom du « monde libre ». Sa stature d'homme d'État en a été consolidée : Reagan et les Américains prennent désormais au sérieux ce président socialiste qui leur résiste si souvent (sur l'Amérique latine, sur le commerce Est-Ouest) mais qui s'est affirmé l'un de leurs plus sûrs alliés.

La guerre du Golfe

Cette attitude volontaire est contrebalancée par une prudence qui a pu surprendre quand l'Histoire accélérait son cours. La fin de l'URSS, qui provoque des bouleversements centrifuges en Europe orientale et centrale, la réunification de l'Allemagne ou le démembrement de la Yougoslavie remettent en cause la stabilité de frontières qui, pour n'être pas idéales, n'en assuraient pas moins un statu quo relatif où la raison pouvait trouver son point d'appui. La lenteur chez Mitterrand est naturelle mais elle est devenue un système qui passe parfois pour de l'irrésolution. Sa complicité avec le *temps* qui fait son œuvre est sans doute une forme de sagesse, mais elle apparaît aussi comme un aveu d'impuissance. Hubert Védrine, dans *Les Mondes de François Mitterrand*, a défendu opiniâtrement la politique étrangère du

Président, à laquelle il a été lié pendant la durée des deux sep-tennats. On oublie trop souvent pour en juger les circonstances imprévisibles, dit-il en substance, le poids de l'Histoire, les engagements des prédécesseurs, l'environnement international de chaque moment précis. Reste que la volonté politique peut faire son œuvre. Plus que le discours resté célèbre du Bundestag, qui a consolidé le statut personnel de François Mitterrand mais n'a provoqué de changement dans les rapports Est-Ouest de l'époque qu'à la marge, c'est son action en faveur de la construc-tion européenne qui restera sa marque propre et, aux yeux de beaucoup, la part la plus positive de sa politique.

Au demeurant, le seul et véritable succès de politique étran-gère qui reçut l'approbation massive de l'opinion fut la participa-tion française à la guerre du Golfe en 1991. Mitterrand avait soutenu l'Irak de Saddam Hussein dans sa guerre contre l'Iran, entre 1981 et 1988, mais il condamna fermement le dictateur irakien quand celui-ci décida l'invasion du Koweït par ses troupes le 2 août 1990. La diplomatie internationale, pendant plusieurs mois, fut à l'œuvre pour trouver une solution négociée. Dès le 9 août, Mitterrand tenait une première conférence de presse où il condamnait l'Irak. Le jour même il confiait à Jacques Attali : « La guerre est inéluctable. » Le Conseil de sécurité de l'ONU, dont la France est membre permanent, lança des som-mations à Saddam Hussein, en vain. Le 21 août, publiquement cette fois, Mitterrand déclarait qu'« à la suite de la responsabilité prise par M. Saddam Hussein, nous sommes dans une logique de guerre ».

Cette résolution est largement approuvée par les parlemen-taires de la majorité et de l'opposition. Seul le parti communiste fait figure d'opposant radical à toute intervention armée des Français. Au-delà des partis, un mouvement pacifiste hétéroclite se développe, du chanteur Renaud à Claude Cheysson, l'ancien ministre, d'Alain de Benoist à Régis Debray chez les intellectuels. Cependant l'opposant le plus déterminé à la guerre est le ministre de la Défense, Jean-Pierre Chevènement lui-même, qui multiplie les cris d'alarme à l'exaspération de François Mitterrand. Le 18 janvier, le Parlement réuni en session extraordinaire approuve le recours à la force (523 voix à l'Assemblée contre 43, 290 au Sénat contre 25). Depuis le début de l'engagement militaire, les manifestations et les appels pacifistes sont surtout le fait des extrémistes de droite (Jean-Marie Le Pen) et de gauche (trotskistes et communistes); leurs voix cessent bientôt de se faire entendre. Le 29 janvier, Chevènement démissionne et est remplacé par Pierre Joxe. Les sondages, qui se multiplient, suivent l'adhésion de plus en plus forte de l'opinion à la politique de Mitterrand : à la fin de février 1991, au moment où l'Irak se retire du Koweït, il bénéficie de l'appui de 81 % des Français. Le 3 mars, dans une allocution télévisée, le chef de l'État exprime sa satisfaction : « La France a tenu son rôle et son rang avec fierté. » Au-delà de sa politique étrangère, le président de la République connaît alors un nouvel état de grâce : en mars 1991, un sondage publié par *Le Figaro* indique que 62 % des Français disent lui faire confiance pour résoudre les problèmes qui se posent au pays.

Sarajevo

Au début de 1991, au moment même où s'achève la guerre du Golfe et où le traité de Maastricht est signé, l'attention se porte sur la crise yougoslave. Depuis la mort de Tito en 1980, les forces centrifuges sont à l'œuvre dans la République fédérative de Yougoslavie, composée de six républiques (Slovénie, Croatie, Bosnie-Herzégovine, Serbie, Monténégro et Macédoine), de deux « nationalités » (albanaise et hongroise) et douze « minorités » (Tziganes, Turcs, Slovaques, Roumains, etc.). En 1988, le conseiller diplomatique de l'Élysée, Hubert Védrine, avertit Mitterrand : « Les facteurs de crise se sont amplifiés. Huit ans après sa mort, la Yougoslavie est toujours orpheline de

Tito. La dilution de l'autorité centrale, la résurgence des antago-nismes nationaux, le surgissement sur la scène d'un leader serbe de tonalité populiste et autoritaire (M. Milošević), le marasme économique persistant (inflation à 200 %, dette s'élevant à 20 milliards de dollars) constituent une toile de fond préoccu-pante[1]. »

François Mitterrand, dès qu'il est averti des menaces de décomposition qui pèsent sur la fédération yougoslave, va s'effor-cer de contribuer au maintien de son intégrité. C'est compter sans la volonté des Slovènes et des Croates d'accéder à l'indépen-dance contre l'hégémonie serbe : « Nous souhaitons que la Yougoslavie reste la Yougoslavie, déclare le président français le 19 novembre 1990 au président fédéral Jović. Il n'est pas souhai-table que les pays existants éclatent en plusieurs morceaux. Mais est-ce compatible avec le respect des minorités. C'est tout le pro-blème. » Mitterrand, malgré qu'il en ait, ne peut empêcher la Slovénie et la Croatie de déclarer leur indépendance le 25 juin 1991, l'Europe des Douze n'ayant pu parvenir à une solution commune, en raison du soutien vigoureux apporté par l'Alle-magne à la Croatie. La minorité serbe de la Krajina refuse le fait accompli et entre en guerre contre Zagreb, avec l'appui de la Serbie de Milošević. Les milices serbes de Croatie, soutenues par l'armée fédérale de Milošević, conquièrent une partie du territoire croate ; assiègent le 27 août Vukovar, qui est bombardé, ainsi que d'autres villes croates, par l'aviation fédérale. Les atrocités se suc-cèdent, Dubrovnik purement croate est assiégé. Les combats, très violents, durent jusqu'à l'automne de 1991. La France préconise de saisir le Conseil de sécurité, mais les États-Unis s'y refusent.

Le drame yougoslave, qui devait durer jusqu'à la fin de 1995, fut largement dû à la mésentente d'une « communauté interna-tionale » incapable de résolutions à même d'établir la paix dans un pays ravagé par les horreurs de la guerre civile. Le Conseil de

---

1. H. Védrine, *Les Mondes de François Mitterrand...*, *op. cit.*, p. 595.

sécurité vote une résolution d'embargo sur les armes destinées à l'ex-Yougoslavie — une mesure qui favorise les Serbes, nettement mieux armés —, mais refuse le projet d'une force d'interposition. Mitterrand appelle, le 10 novembre 1991, à la création de couloirs humanitaires, que Bernard Kouchner, secrétaire d'État à l'Action humanitaire, est chargé de mettre en œuvre en se rendant à Dubrovnik.

Cette guerre de Croatie, qui se déroule peu de temps avant la réunion européenne de Maastricht, aurait pu provoquer une rupture des bonnes relations entre la France et l'Allemagne. François Mitterrand insistait pour que l'autodétermination des républiques yougoslaves soit assortie de garanties pour les minorités : si la Slovénie comptait 90 % de Slovènes, la minorité serbe de Croatie était importante. Helmut Kohl, pressé par son opinion catholique, la diplomatie du Vatican, les Croates d'Allemagne, décide de reconnaître unilatéralement, le 23 décembre 1991, les indépendances de la Croatie et de la Slovénie. Les bonnes relations entre les deux hommes et l'impérative solidarité européenne à l'heure de Maastricht empêchera la crise : la France se résigne à reconnaître la souveraineté de la Croatie et de la Slovénie en janvier 1992.

Sitôt la guerre serbo-croate achevée, une autre, plus grave, commence en Bosnie. Le 29 février 1992, le président bosniaque, Alija Izetbegović, organise un référendum sur l'indépendance de la Bosnie-Herzégovine. Les Serbes, qui composent une forte minorité de la population (31,4 %), le boycottent, abandonnant aux musulmans et aux Croates le choix de l'indépendance. Les Serbes de Bosnie, conduits par Karadžić et soutenus par la Serbie de Milošević, s'insurgent contre le pouvoir de Sarajevo. Une nouvelle guerre commence, cruelle, impitoyable, atroce, qui va durer pendant trois ans et demi, d'avril 1992 à novembre 1995. Rapidement, les récits et les images des combats et des bombardements en Bosnie émeuvent l'opinion : épuration ethnique, camps serbes de la mort lente, viols systématiques des jeunes femmes bosniaques... Un groupe d'intellectuels pourfendent alors, non seulement l'impuissance de la Communauté européenne, mais aussi l'immobilisme du président français, accusé de sentiments proserbes. Accusation nullement gratuite. S'appuyant sur l'histoire des deux guerres mondiales, le président français déclare le 29 novembre 1991 à la *Frankfurter Allgemaine Zeitung* : « La Croatie appartenait au bloc nazi, pas la Serbie. » Il refuse la levée de l'embargo sur les armes, au détriment des musulmans de Bosnie. À vrai dire, il n'existe alors nulle entente entre Américains, Européens et Russes sur une politique commune face à la décomposition de la Yougoslavie. Mais Mitterrand ne fait rien pour y parer ; il n'entend nullement lancer, par ailleurs, une armée française dans un conflit de guérilla. Il recherche une solution politique, qui ne peut venir que d'un accord international. Le 19 août 1992, il déclarera en Conseil des ministres, alors qu'il est pris à partie par les médias et les intellectuels mobilisés : « Il faut poser à l'opposition la vraie question : de quelle manière voulez-vous que la France s'engage militairement ? En envoyant cent mille hommes, dont des appelés, pour conquérir Belgrade ? Pour protéger Sarajevo ? La France a-t-elle un intérêt national dans une telle entreprise[1] ? »

Hubert Védrine, secrétaire général de l'Élysée depuis mai 1991, qui se montre dans son ouvrage *Les Mondes de François Mitterrand* comme un défenseur inconditionnel de la politique présidentielle, fait cependant cette réserve : en disant trop explicitement « qu'il ne voulait pas "ajouter la guerre à la guerre", le Président a malgré lui adressé un mauvais signal aux protagonistes, et d'abord aux chefs serbes, ce qui a sans doute contribué à leur faire penser qu'ils pouvaient persévérer dans leurs actions [...] ; il n'a fait qu'exprimer tout haut ce que pensaient les dirigeants occidentaux et russes, il a alimenté le réquisitoire, à mon sens injuste, dressé contre lui[2] ». Son réalisme, en un mot, n'est pas allé jusqu'à l'utilisation d'une arme très réaliste : la menace.

1. *Ibid.*, p. 636.
2. *Ibid.*, p. 638.

Hostile à l'intervention militaire, hostile à la levée de l'embargo, Mitterrand, avec son ministre des Affaires étrangères Roland Dumas, n'en était pas moins sensible aux ravages de la guerre. Le 2 mai 1992, Roland Dumas faisait adopter par les Douze un plan d'aide humanitaire, dont un pont aérien vers Sarajevo. Le 8 juin, le Conseil de sécurité adoptait à l'unanimité la résolution 758 instaurant une zone de sécurité autour de l'aéroport de Sarajevo, protégée par un millier de casques bleus. Mais les bombardements reprennent sur la capitale de la Bosnie. C'est alors que, le 28 juin, François Mitterrand prend un avion à Lisbonne, où vient de s'achever un Conseil européen, et, flanqué de Bernard Kouchner, s'envole pour Sarajevo. Décision extraordinaire, propre à frapper les imaginations : Mitterrand, téméraire, répond à un appel du président bosniaque Izetbegović. Son but est d'ouvrir l'aéroport de Sarajevo à l'aide internationale. Mais, pour l'heure, son avion ne peut atterrir sur un terrain cerné par les *snipers* serbes ; il se pose à Split. De là, un hélicoptère, arrivé de Paris, l'emmène à Sarajevo, où il rencontre successivement Alija Izetbegović, qui lui dessine les tableaux effroyables de la guerre, et des dirigeants serbes, qui se montrent, selon Bernard Kouchner, « outranciers et cyniques[1] ».

Le panache de Mitterrand est salué par la presse internationale : courage physique, volonté de paix, ténacité dans ses convictions que le règlement du drame en cours ne peut être que politique. Son initiative a entraîné la réouverture de l'aéroport de Sarajevo par décision de l'ONU ; des casques bleus sont chargés de l'acheminement de l'aide. Mais l'aide humanitaire apparaît à beaucoup comme une diversion, rien n'est décidé pour que l'agression cesse[2]. L'historien André Burguière s'est rendu en octobre 1993 à Sarajevo comme premier missionné du couloir culturel que le recteur de l'académie de Paris, Michèle

---

1. Bernard Kouchner, *Ce que je crois*, Grasset, 1994, p. 35-51.
2. Paul Garde, *Vie et mort de la Yougoslavie*, Fayard, rééd. 1994, p. 422.

Gendreau-Massalou, venait d'inaugurer. Il témoigne : « Débarquer dans une ville assiégée, comme à la Renaissance, débarquer est le mot car je suis arrivé avec un avion de la Forpronu (donc de l'ONU) qui piquait sur l'aérodrome au dernier moment pour éviter les batteries serbes éventuelles ; j'ai mis le pied sur le tarmac avec un gilet blindé et un casque. [...] Le général français (avec un nom béarnais que j'ai oublié) qui dirigeait la Forpronu et les officiers, tous français, avec qui j'ai pu discuter m'ont dit que les Serbes, qui tenaient les hauteurs de Sarajevo avec des tanks qui ne bougeaient jamais, auraient pu être délogés facilement s'ils avaient eu le droit de répliquer à leurs tirs sur les marchés et les rues. Mais le cahier des charges de la Forpronu l'interdisait[1]. » La politique de Mitterrand dans la crise yougoslave peut être qualifiée de conservatrice. Il ne se montre pas capable d'imaginer des formules nouvelles et les aspirations qui les portent ; il se replie sur la défense du statu quo sans voir que Milošević met en place un ordre nouveau.

Finalement, c'est après l'arrivée du gouvernement Balladur et la nomination d'Alain Juppé aux Affaires étrangères que la France et les États-Unis, créant un « groupe de contact » — comprenant des experts des États-Unis, de Grande-Bretagne, de Russie et de France —, entreprennent une action concertée. Après de nouveaux combats meurtriers, le bombardement de Sarajevo, les massacres de Goražde et de Srebrenica, la rupture entre Milošević et Karadžić en 1994, on parviendra aux accords de Dayton le 21 novembre 1995, mettant fin à la guerre de Bosnie : une fédération bosno-croate contrôlera 51 % du territoire dont 49 % sont attribués à la République de Srpiska. François Mitterrand n'était plus en exercice depuis le mois de mai précédent. Dans cette affaire, l'ambivalence de son action avait été dénoncée : accusé de saboter toute intervention européenne, il avait été le premier à envoyer un ambassadeur à Sarajevo. Défen-

---

1. Entretien avec l'auteur, 29 août 2014.

seur de la cause humanitaire, il s'était refusé à considérer les Serbes comme l'agresseur. Sans doute son attentisme tenait-il à son attachement historique à l'intégrité de la Yougoslavie et aussi à la conviction que les intérêts de la France n'étaient pas en jeu. On a pu lui reprocher de n'avoir pas joué la solidarité du couple franco-allemand quand la Croatie a été attaquée et que les Serbes ont commencé à appliquer l'épuration ethnique en détruisant Vukovar et en chassant les Croates : Helmut Kohl se serait peut-être senti obligé de continuer à contrer Milošević quand il ne s'agissait plus de Croates catholiques mais de Bosniaques musulmans. Cette entente poursuivie aurait fait naître un sentiment européen de responsabilité qui fut terriblement absent. De toute façon, même si cette idée n'est qu'une hypothèse, la guerre de Bosnie ne fut pas le chapitre le plus méritoire de la politique extérieure de François Mitterrand.

Maastricht

Entre-temps, il avait pu réaliser ce qui fut considéré comme le meilleur de sa politique extérieure : la mise sur rails de l'Union européenne. L'opinion n'a pas épousé complètement la conviction de cet homme, né pendant la Grande Guerre et meurtri par la Seconde Guerre mondiale, que l'avenir de la France et l'avenir de la paix s'appelait l'Europe. « Dans la mise en œuvre de tous les volets majeurs de sa politique — Allemagne, Afrique, Proche-Orient, Europe —, on l'a vu faire appel à toutes les tonalités de son talent, écrit Hubert Védrine. Mais c'est au service de son grand dessein européen que cette orchestration a été la plus accomplie[1]. »

La première pièce de cette politique a été l'affermissement des relations franco-allemandes. Inaugurées par de Gaulle et

---

1. H. Védrine, *Les Mondes de François Mitterrand, op. cit.*, p. 758.

Adenauer, ces relations avaient été très bonnes entre Valéry Giscard d'Estaing et Helmut Schmidt. Celui-ci est remplacé par le chrétien-démocrate Helmut Kohl, et c'est avec lui que François Mitterrand tisse des liens d'amitié fructueux, mais non sans périodes de désaccord. Le 22 septembre 1984, à l'occasion de la commémoration des débuts de la Grande Guerre, les deux hommes s'étaient retrouvés à Verdun ; une photo mémorable immortalise le Français et l'Allemand main dans la main, rendant hommage aux « victimes des deux guerres mondiales ». Le choix de la construction européenne sur l'axe franco-allemand est fait, en dépit des antieuropéens qui, tels Jean-Pierre Chevènement et Michel Jobert, quittent le gouvernement Mauroy. En 1985, c'est un Français, Jacques Delors, qui devient président de la Commission européenne. Le président français prend une part active aux différents actes qui renforcent l'Europe : les accords de libre circulation signés à Schengen ; l'adhésion en 1986 de l'Espagne et du Portugal ; la même année la signature de l'Acte unique qui prévoit d'établir en sept ans le grand marché intérieur et annonce l'Union européenne ; le traité de Maastricht du 10 décembre 1991 qui l'accélère après la réunification allemande. « C'est l'acte le plus important depuis le traité de Rome [de 1957] », déclare Mitterrand à la télévision.

La bonne entente franco-allemande avait pourtant eu maille à partir au sujet de la réunification de la RFA et de la RDA. En décembre 1989, Mitterrand avait déclaré qu'il ne fallait pas « toucher aux frontières comme ça, si on veut préserver la paix ». Le 20 décembre de la même année, à la suite d'une invitation d'Erich Honecker, il se rend officiellement en République démocratique allemande — une visite interprétée comme l'incompréhensible soutien du Français à une Allemagne communiste. Mais Kohl poursuit sa politique de réunification avec l'accord de Gorbatchev, que Mitterrand n'avait pu supposer. Réaliste cependant, il s'incline, sachant retomber sur ses pieds. Mais il pose une condition à la reconnaissance de la grande Allemagne : la reconnaissance simultanée de la frontière Oder-Neisse avec la

Pologne — une question restée en suspens, sur laquelle l'insistance du Français provoque l'irritation de la presse allemande. Selon Hubert Védrine, c'est une des raisons de la réception à Paris du Polonais Jaruzelski en mars 1990, « pour accroître la pression sur les Allemands ». À plusieurs reprises, à Latche et à Paris, Mitterrand s'évertue à convaincre le chancelier allemand de la nécessité d'un acte international sur la question. Ce sera chose faite le 25 avril 1990, suivi, le 17 juin, par un traité germano-polonais de bon voisinage. Le 21 juin, le Bundestag reconnaît le caractère définitif de la frontière avec la Pologne. La détermination de François Mitterrand avait porté ses fruits, ce vote accomplissant par là même un acte de paix indiscutable.

Par la suite, la coopération franco-allemande au service de la construction européenne ne se dément pas. L'amitié entre le président français et le chancelier allemand a permis les concessions réciproques. Mitterrand a tenu à ce que le traité de Maastricht fût ratifié par référendum. Le risque était grand ; il s'y lance contre vents et marées. En France, contre le mouvement antieuropéen, de droite et de gauche, qui mène campagne. En Conseil des ministres, l'inquiétude est manifeste : « La France est devenue poujadiste », déclare Michel Charasse[1]. Coup de poker ? Quitte ou double ? « Il faut savoir prendre des risques, réplique Mitterrand. En plus, tomber là-dessus, cela ne serait pas si mal. » Au référendum du 20 septembre 1992, le « oui » l'emporte de peu : 51 % des voix. Le soir, François Mitterrand, qui sort de son opération à Cochin, le teint livide, se réjouit : « Nous venons de vivre l'un des jours les plus importants de l'histoire de notre pays. [...] La France démontre qu'elle est encore capable d'inspirer l'Europe, en mesure désormais d'égaler les plus grandes puissances de la terre. » Sans conteste, ce patriote, né l'année de Verdun, a vu dans la construction de l'Europe le premier des bienfaits : la paix institutionnalisée après

1. *Ibid.*, p. 554.

des siècles de guerre. Il y a vu aussi l'avenir d'une France qui n'était plus en mesure de jouer les premiers rôles en restant isolée, fermée sur son patrimoine, barricadée dans ses souvenirs et ses nostalgies. « Au fil du temps, conclut Hubert Védrine, c'est bien cette politique allemande et européenne — faisant une seule et même chose — que François Mitterrand regarde comme l'essentiel de son œuvre, son legs le plus précieux[1]. » Au demeurant, le traité de Maastricht était très imparfait. Claude Bartolone en a résumé les limites en quelques mots : « [Il] manquait d'approfondissement démocratique et d'affirmation d'un projet européen : l'Europe était présentée avant tout comme une facilité de circulation des marchandises et des personnes, pas comme le fondement d'un projet culturel et rassembleur[2]. »

La politique étrangère de François Mitterrand a été l'objet de jugements contradictoires. Quoi qu'il en soit, il n'a, en monarque républicain, jamais laissé à personne d'autre le soin de la mener, même en période de cohabitation. La France n'était plus qu'une moyenne puissance depuis la Seconde Guerre mondiale. De Gaulle avait transcendé son déclin, donné l'illusion qu'elle était encore un des grands acteurs du monde. Restait cet héritage gaullien, la force de frappe, une économie qui, vaille que vaille, se situait encore dans les premiers rangs, autant de points d'appui à une politique de présence, sinon de prestige. Mitterrand s'y consacra et y acquit une renommée internationale que son verbe a su entretenir pendant quatorze ans. Il ne s'est pas montré grand visionnaire lors de la débâcle de l'URSS, mais il a eu la prescience d'une nécessité, la construction d'une Europe solidaire et pacifiée, dont il a accéléré la mue, forçant la main à des Français qui, pour beaucoup, au fond, ne la souhaitaient guère.

---

1. *Ibid.*, p. 578.
2. Claude Bartolone, *Je ne me tairai plus*, Flammarion, 2014, p. 151.

XII

FIN DE RÈGNE

Les deux dernières années de son second septennat, 1993-1995, ressemblent pour François Mitterrand à une descente aux enfers. Les élections de mars 1993 sont celles de l'effondrement socialiste. Cette défaite est aussi celle de François Mitterrand, dont la cote de popularité ne cesse de se dégrader depuis le début de 1992 : en novembre, 66 % des Français lui refusent leur confiance. Plus de la moitié de ceux qui ont voté pour lui en 1988 se déclarent déçus, alors qu'en 1991 les réponses positives à son égard étaient majoritaires. Existe donc un malaise dans la relation personnelle des Français avec leur président. La situation économique et sociale en est sans doute la raison principale, car le chômage, malgré quelque répit, n'a cessé de s'amplifier : le chiffre fatidique des trois millions de demandeurs d'emploi est atteint, et le pouvoir socialiste paraît incapable de le juguler. Mais c'est aussi une crise morale qui mine la majorité, en raison des « affaires » qui ont révélé la collusion entre la gauche et l'argent. Le dernier Premier ministre, Pierre Bérégovoy, se trouve compromis personnellement dans une histoire de prêt gratuit où ses détracteurs veulent voir un symbole de corruption. Pire pour l'homme Mitterrand : une guerre sournoise s'est engagée entre lui et la mort.

La débâcle de mars 1993

Dès le premier tour des législatives de 1993, la débâcle socialiste apparaît dans toute son ampleur : « L'usure en accéléré, écrit
Bruno Frappat. L'électorat ne fait jamais, quand il veut sanc-
tionner un parti au pouvoir, les choses à moitié. Le temps, faut-
il croire, n'était plus aux avertissements, aux marques de désaveu
ou à la simple déception : le PS vit sa plus grande épreuve depuis
l'euphorie de 1981, il est piétiné. Quelle que soit la mobilisation,
mollement réclamée pour le second tour, la droite va se réinstal-
ler en force pour une alternance par K.-O.[1]. » Entre 1988 et
1993, les voix des socialistes et de leurs alliés radicaux sont passées de 37,5 à 20 %, soit une perte de quatre millions de suffrages. Le PCF, de son côté, a décroché au-dessous des 10 %.
La victoire de la droite s'annonce écrasante. De fait, à l'issue du
second tour, le RPR obtient 242 sièges, l'UDF 207, tandis que
le PS et ses alliés radicaux n'ont plus que 67 députés, le PCF 24.
La violence du choc est extrême.

Interrogé au cours de la campagne électorale sur la détériora-
tion de l'image du PS, François Mitterrand juge que les
« affaires » ont eu « un impact considérable », ajoutant : « Parfois,
je me demande si ce n'est pas le facteur qui a le plus accentué la
distance prise avec les socialistes par une partie de leur électorat.
Cet électorat est, à juste titre, par tradition, par éducation, par
inclination naturelle, très exigeant sur les critères moraux. » Il y
a eu des fautes, reconnaît-il, des « indélicatesses », « quelques cas
graves de malhonnêteté » et, si le parti socialiste est « un parti
d'honnêtes gens », ces quelques cas l'ont fait souffrir[2].

N'était-ce pas prendre un peu trop de distance avec ses

1. Bruno Frappat, « Usures », *Le Monde*, 23 mars 1993.
2. *21 mars - 28 mars 1993, élections législatives*, Dossiers et documents du *Monde*,
1993, p. 55.

propres responsabilités ? On se souvient qu'en 1989, il avait été mis en cause pour avoir défendu son ami Pelat, accusé de délit d'initié. François Mitterrand a toujours manifesté son mépris de l'argent, au point de n'en avoir jamais dans sa poche et de faire régler ses notes de restaurant par ses commensaux. Mais cette habitude s'accompagne chez lui d'une indulgence parfois excessive à l'égard des amis retors qu'il protège.

C'est à la fin des années 1980 que l'opinion s'est alarmée des pratiques et des mœurs de la majorité socialiste, qui paraissait immunisée contre la concussion et la corruption. En 1989, Michel Pezet, successeur de feu Gaston Defferre à la tête de la fédération socialiste des Bouches-du-Rhône, était compromis dans une affaire de fausses factures d'une entreprise de travaux publics, la Sormae, qui contribuait au financement du parti. L'enquête révèle que cette pratique frauduleuse, loin d'être localisée, est courante au niveau national : commence alors l'affaire Urba, levant le voile sur le financement occulte du PS. Il ne s'agit pas d'enrichissement personnel, même si, au passage, un certain nombre d'intermédiaires ont pu se faire offrir quelques primes à coups de notes de frais. Les campagnes électorales qui coûtent cher sont particulièrement visées. François Mitterrand réagit alors en proposant une loi sur le financement des partis. Dans le dessein de remettre tous les compteurs à zéro, lui, Mauroy et Fabius ont l'idée de doubler cette loi d'une mesure d'amnistie. Les deux textes sont votés le 22 décembre 1989 par la majorité socialiste après trois mois de débats, quatre lectures par l'Assemblée, trois par le Sénat ; la loi est promulguée le 15 janvier 1990. Elle a été adoptée d'abord sans disposition d'amnistie, mais, en deuxième lecture à l'Assemblée, le PS par l'intermédiaire de Jean-Pierre Michel, député de la Haute-Saône, a déposé un amendement rétablissant l'amnistie pour toute infraction commise avant le 15 juin 1989, à l'exclusion des élus. Malgré cette clause, l'opinion interprète la loi comme celle d'une auto-amnistie.

Les circonstances l'y encouragent. Pendant la durée des discussions parlementaires, les inculpations défrayaient la chronique, celles de Gérard Monate et de Joseph Delcroix, deux dirigeants des bureaux d'études Urba-Technic, chargés de récolter les fonds pour le PS, celle ensuite de Michel Pezet. Or on apprend que l'enquête policière et judiciaire se heurte au pouvoir politique, et qu'un des inspecteurs, Antoine Gaudino, a été muté. Après la promulgation de la loi, plusieurs non-lieux sont prononcés, qui bénéficient à l'ancien ministre Christian Nucci, puis à Michel Pezet. Là-dessus paraît un livre du même Antoine Gaudino, *L'Enquête impossible*, qui détaille l'affaire des fausses factures de Marseille. Le 7 avril 1991, le juge Thierry Jean-Pierre ouvre une perquisition au siège d'Urba-Technic. Le 14 janvier suivant, un autre juge, Renaud Van Ruymbeke, perquisitionne le siège du PS rue de Solférino. Au mois de mai suivant, Marie-Noëlle Lienemann, ministre du Logement, met en cause deux élus socialistes de l'Essonne. Bernard Tapie, lui, homme d'affaires médiatique devenu ministre de la Ville dans le gouvernement Bérégovoy, doit démissionner de son poste avant d'être inculpé dans une affaire de droit privé. En juillet, Henri Emmanuelli, président de l'Assemblée, pour sa gestion du PS dont il avait été trésorier, est inculpé par le juge Van Ruymbeke.

Toutes ces mises en cause, ces inculpations, ajoutées au malentendu d'une supposée autoamnistie pour les parlementaires, motivent la réprobation dont souffre la classe politique, et particulièrement les socialistes au pouvoir. Mitterrand en subit les effets, soupçonné de jeter un voile sur les turpitudes de son parti. Le pire, peut-être, est que le Premier ministre, Pierre Bérégovoy, se voit soudain projeté, lui qu'on pouvait juger insoupçonnable, au cœur de cette crise morale.

Un mois avant les législatives, le 2 février 1993, *Le Canard enchaîné* révèle que Pierre Bérégovoy, alors qu'il était ministre de l'Économie, a bénéficié, en 1986, d'un prêt sans intérêt d'un million de francs de la part de Roger-Patrice Pelat afin d'acquérir un appartement dans le XVIe arrondissement. À l'époque, le prêteur, ami de Mitterrand, n'était pas encore compromis dans l'affaire Pechiney mais, désormais, sa mémoire sent le soufre. Deux anciens directeurs de cabinet de Bérégovoy, Alain Boublil et Jean-Charles Naouri, ont été inculpés. On découvre que Bérégovoy, l'homme du peuple, le « Petit Chose », celui dont l'honnêteté pouvait passer pour la moins récusable, qui, dans son discours de politique générale, avait déclaré la guerre à la corruption, frayait avec les hommes d'argent, comme ce marchand d'armes syrien Samir Traboulsi, qui avait été invité, en même temps que Pelat, à l'anniversaire de mariage des Bérégovoy dans un grand restaurant parisien, en novembre 1988.

Le 3 mars, le journaliste Philippe Alexandre remue le fer dans la plaie sur RTL : « M. Bérégovoy, histoire de laver une réputation un peu ternie par de singulières fréquentations, nous a chanté l'air de l'honnêteté avec la même majesté que Basile celui de la calomnie. Devenu Premier ministre malgré cette méchante affaire Pechiney, il a accusé la droite, constitué des commissions, proposé des lois. Mais dans ces sortes d'affaires, plus on frotte et plus la tache réapparaît. » La presse reprend ces attaques. Sur Europe 1, le 5 mars, c'est au tour de Catherine Nay : « Peut-on être à la fois le champion de la lutte contre la corruption et l'ami ébloui de toute une série de personnages dont la fortune n'a pas été bâtie sur la candeur : Traboulsi, Pelat, Tapie ? Pour conclure, disons que nous les femmes, qui, en général, faisons moins la morale que les hommes, savons très bien quelque chose : c'est toujours très risqué de s'habiller de blanc, parce que c'est très salissant[1]. »

Quant à Tapie, on ne sait si c'est Bérégovoy qui avait convaincu Mitterrand de le prendre comme ministre de la Ville dans son gouvernement, ou si c'est le Président qui en a pris l'initiative. Bernard Tapie avait déjà une forte réputation de chevalier d'industrie, d'homme d'affaires sans scrupule, ayant fait

---

1. Cité par J. Lacouture, *Mitterrand, une histoire de Français, op. cit.*, t. I, p. 513.

fortune par l'achat au moindre coût d'entreprises en difficulté et leur revente avec de substantielles plus-values. Mais bravache, gouailleur, d'une vulgarité qui fait mouche, il avait acquis une popularité grâce à ses passages à la télévision, et particulièrement à un face-à-face mémorable avec Jean-Marie Le Pen, qu'aucun homme politique ne voulait affronter. Attiré par la politique, il avait été élu député à Marseille sous l'étiquette «Majorité présidentielle». Devenu ministre de la Ville, il avait démissionné en 1992 alors qu'il avait été mis en examen dans une affaire d'abus de biens sociaux; bénéficiant d'un non-lieu, il avait réintégré le gouvernement en janvier 1993. Ce ministre incongru, mal vu des socialistes mais patronné par Mitterrand, ne pouvait guère renforcer la popularité de Pierre Bérégovoy.

Ce fameux prêt d'un million de francs, déclaré au fisc, n'a en soi rien d'illégal, si ce n'est que Bérégovoy, effrayé par le scandale, prétendait avoir remboursé la moitié de la somme en «meubles et livres anciens». Il devient la risée des médias, veut démissionner, Mitterrand refuse. Bérégovoy, miné, cassé, culpabilisé, participe à la campagne des législatives comme un fantôme, se fait brocarder dans les réunions publiques et, quand tombe le verdict du 28 mars 1993, il se persuade qu'il a été la première cause de la déroute socialiste.

Quelle responsabilité porte François Mitterrand dans cette dégradation d'image, dans ce rejet populaire? Le choix de ses Premiers ministres ne s'est pas révélé heureux. En 1991, il a débarqué Michel Rocard qui gardait l'estime de la majorité des Français et l'a remplacé par Édith Cresson, qui, elle, n'a pas réussi à convaincre et a été le chef du gouvernement le plus éphémère de la Ve République. On pouvait applaudir à cette audace de porter à la tête d'un gouvernement une femme dans un milieu politique resté foncièrement misogyne. Malheureusement, il n'avait pas à sa disposition une Simone Veil. Bien qu'elle fût intelligente et courageuse, Édith Cresson, par ses maladresses, n'avait pas eu, c'est le moins qu'on puisse dire, la faveur de l'opinion. Le choix de

Pierre Bérégovoy était logique. L'ancien socialiste converti à l'économie de marché et à la défense du franc paraissait adapté à cette époque néolibérale. Son bilan ne fut pas négligeable, mais son mandat correspondit aux années d'argent facile et ostentatoire, qui n'était pas la vocation des socialistes. Pendant ce temps-là, la cote des trois millions de chômeurs était franchie, et Mitterrand avouait l'impuissance de l'État à résoudre ce problème de plus en plus angoissant. Les sondages montrent que cette impuissance est le principal grief de la contestation antisocialiste et, du même coup, anti-Mitterrand, mis en avant par 77 % des Français et 69 % des sympathisants de gauche. Les deux autres reproches suivants, « l'accroissement des pauvres et des exclus » et « l'amnistie des fausses factures », se tiennent serrés[1]. Les « affaires » ont donc pesé lourd. Le contraste entre l'enrichissement d'une minorité et la montée du chômage choque d'autant plus l'opinion que les socialistes, censés défendre les plus démunis, sont au pouvoir et que leur président, François Mitterrand, leur paraît, du moins de loin, s'abandonner au fatalisme. On a souvent attribué à sa maladie les faiblesses politiques de ses dernières années, une sorte de résignation au destin, de lassitude. Mais il a pu mesurer pendant douze ans les limites du pouvoir politique malgré les moyens attribués par la Ve République à son président. Le volontarisme ne peut annihiler les faits, les contraintes internationales, les contradictions mêmes de la société. Mitterrand éprouve alors l'amertume de voir la presse et l'audiovisuel, auxquels il a donné une liberté totale, se retourner contre lui.

Une nouvelle cohabitation commence, preuve d'un nouvel échec. Deux fois de suite, en 1986 et en 1993, la majorité présidentielle a été contestée par la majorité législative. Une double sanction qui entre dans les raisons de la critique : par deux fois sanctionné, par deux fois désavoué, le bilan donne beau jeu aux éreinteurs.

---

1. Sofres, *L'État de l'opinion*, Éd. du Seuil, 1994, p. 79.

Les révélations

Les élections de 1993 n'ont pas encore eu lieu quand *Le Monde* daté du 5 mars 1993 révèle que la ligne téléphonique privée d'un de ses collaborateurs, Edwy Plenel, a été mise sur écoute en 1985 et 1986 par la cellule antiterroriste de l'Élysée. *Libération*, de son côté, publie le contenu de seize relevés d'écoute sur la ligne du journaliste, des conversations privées ayant trait à sa vie professionnelle, sociale et familiale. À cette date, Edwy Plenel enquêtait sur deux affaires gênantes pour le pouvoir, Greenpeace et les Irlandais de Vincennes. La première affaire avait commencé en juillet 1985, avec le sabordage du *Rainbow Warrior* dans le port d'Auckland, en Nouvelle-Zélande, alors que le bateau s'apprêtait à partir en campagne contre les essais nucléaires français dans le Pacifique. Un photographe avait été tué par l'explosion. Une sale histoire à rebonds, qui avait causé notamment, on l'a vu, la démission du ministre de la Défense Charles Hernu. La seconde affaire concernait l'arrestation de trois Irlandais dans un appartement de Vincennes, que la cellule antiterroriste de l'Élysée rendait coupables de l'attentat de la rue des Rosiers qui, quinze jours plus tôt, avait fait six morts et vingt-deux blessés. Décidée à montrer sa détermination face au terrorisme, la cellule de l'Élysée, dirigée à ce moment-là par le capitaine Barril, avait procédé à ces arrestations sur la foi d'une dénonciation. Les trois militants irlandais firent trois mois de prison, avant que leur innocence ne soit reconnue. Encore une sinistre affaire dans laquelle les gendarmes de l'Élysée avaient interprété les mauvais rôles. Dans les deux cas, le pouvoir politique, craignant les révélations des journalistes, avait entrepris de surveiller les enquêteurs les plus zélés. Edwy Plenel déclarait à *Libération* : « Ces écoutes ne révèlent rien me concernant. En revanche, elles révèlent, au plus haut niveau de l'État puisqu'elles ont été établies à la demande de la "cellule" de l'Élysée, une atteinte grave aux libertés fondamentales. »

On ne connaît pas encore à cette date l'ampleur de cette surveillance téléphonique, qui dépasse de loin le cas d'un journaliste, mais les réactions sont vives contre l'Élysée et le gouvernement. Bruno Frappat dénonce dans *Le Monde* « les oreilles du "château" [qui] ont donc fonctionné en toute impunité, hors du champ du droit et hors du champ démocratique. […] Après douze ans de présidence, une cohabitation, cinq gouvernements socialistes, une brassée d'affaires, tant de renoncement sur les "idéaux", cet éclairage rétrospectif sur les méthodes de police politique qui avaient cours au plus près du haut de l'État ne devrait laisser indifférent aucun citoyen[1] ». Le lendemain, dans *Le Monde* daté du 6 mars, Jean-Marie Colombani évoque la responsabilité de François Mitterrand lui-même : « On retrouve là, bien sûr, l'éternelle dualité de François Mitterrand : d'un côté, la passion de l'État de droit qui fonde son engagement politique ; de l'autre, le goût de la clandestinité, des systèmes parallèles, qui lui vient des mille et un complots qu'il a dû affronter dans sa vie publique, tant ses adversaires ont été acharnés à sa perte. » De son côté, l'Observatoire des libertés, une association de magistrats, d'avocats et de parlementaires de l'opposition, publie un communiqué en forme d'accusation : « Cette révélation peut enfin permettre de faire la vérité sur dix ans de turpitudes juridico-politiques. C'est notre liberté et notre démocratie qui sont remises en cause par ces pratiques inavouables. »

Il n'est pas sûr que ce scandale des tables d'écoute illégales ait compté dans le résultat des élections législatives, car les jeux étaient faits. Au demeurant, les Français n'ont jamais cru à l'honnêteté des pouvoirs politiques, mais Jean-Marie Colombani jugeait cette attitude récente : « C'est peut-être aussi que le pays s'est converti en douze ans de mitterrandisme, non pas au

---

1. *Le Monde*, 5 mars 1993.

socialisme, mais à une sorte de cynisme tranquille, qui lui fait considérer que ce genre d'"affaire" ne concerne que le "microcosme". » Quoi qu'il en soit, l'image d'une gauche « morale » n'était plus crédible : ces écoutes téléphoniques partaient de l'Élysée, Mitterrand avait donné son accord, et sa faute deviendra un vrai scandale quand sera révélée la liste de toutes les victimes de ces écoutes, au rang desquelles on notera non seulement des noms de journalistes mais ceux de chanteurs, d'acteurs, a priori aussi inoffensifs que Carole Bouquet, surtout connue pour être une icône de beauté. *Le Point* du 18 mars 1995 publiait une liste de 1 348 noms qui, disait l'hebdomadaire, « ne constituent vraisemblablement que le premier volume des œuvres complètes des maniaques de la cellule ». Jean-Marie Pontaut, l'auteur de l'article, écrivait : « Scandaleux, honteux, intolérable, inadmissible. On pourrait multiplier les adjectifs pour qualifier les basses besognes des "hommes du Président" entre 1983 et 1986. Durant ces trois années, les membres de la fameuse cellule élyséenne, dirigée par Christian Prouteau et supervisée par le préfet Gilles Ménage, ont enregistré, au gré de leurs désirs et de leur curiosité, sans aucun contrôle, des milliers de conversations téléphoniques. Non seulement les "grandes oreilles" de l'Élysée ont violé la vie privée et professionnelle de leurs "cibles", mais elles ont soigneusement mis en mémoire et conservé dans des listings informatiques secrets les noms les plus marquants de leurs victimes. Un travail de mise en fiches de citoyens incroyable dans une démocratie. »

Une bien plus grande émotion publique se produit au début de septembre 1994 quand paraît l'ouvrage de Pierre Péan *Une jeunesse française*. Après une enquête fouillée, comprenant des entretiens avec François Mitterrand qui s'y est prêté de bonne grâce, l'ouvrage établit ce qui se chuchotait jusque-là ou que l'on pouvait attribuer à la médisance politique. La couverture du livre produisait un effet dévastateur : une photo représentant François Mitterrand en compagnie du maréchal Pétain. La légende de la francisque qui lui aurait été attribuée alors qu'il était à Londres ou à Alger se dégonfle complètement. Certes, l'enquêteur ne cache rien de l'authentique passé de résistant du futur président de la République. Du reste, en couverture, sous la photo de la rencontre avec Pétain, est publiée une photo d'identité de Morland, avec moustache, le pseudonyme de Mitterrand dans la clandestinité. Cependant, on ne voyait pas que le chef de l'État eût jamais regretté sa participation au régime de Vichy. Il avait été vichyste mais n'était pas devenu résistant sur une rupture avec le régime pétainiste : il avait été l'un puis l'autre successivement, voire en même temps. Toute cette histoire cadrait mal avec ce qu'avait dit François Mitterrand de sa jeunesse antifasciste et de son ralliement à la Résistance dès son retour d'Allemagne en 1941.

Le véritable choc tenait à une autre révélation du livre : les relations durables et amicales de François Mitterrand avec René Bousquet, l'opérateur français de la rafle du Vél'd'Hiv en 1942. Bousquet était alors secrétaire général de la police à Vichy. À la demande des Allemands et avec l'accord de Vichy, il organisa les 16 et 17 juillet 1942 la capture par la police française de 12 884 Juifs « étrangers et apatrides », destinés aux camps d'extermination. Il avait évité le pire après la guerre, s'étant prêté à un double jeu, fréquent chez les fonctionnaires de l'époque. Condamné en 1949 par la Haute Cour de justice à cinq ans d'indignité nationale, il avait été immédiatement relevé de sa peine pour services rendus à la Résistance. Or François Mitterrand et René Bousquet se connaissaient, sans doute depuis Vichy, à coup sûr depuis 1949. Ils sympathisaient, ils se rencontraient, ils communiaient tous les deux dans l'antigaullisme. Bousquet, devenu directeur général adjoint de la Banque d'Indochine et administrateur de *La Dépêche du Midi*, entra dans le réseau de Mitterrand. En 1957, alors que celui-ci était ministre de la Justice, le Conseil d'État restitua à Bousquet sa Légion d'honneur que le tribunal lui avait retirée à la Libération.

L'émotion publique provoquée par le livre de Pierre Péan amène François Mitterrand à se défendre sur les ondes. Interrogé sur France 2 par Jean-Pierre Elkabbach, le 12 septembre 1994, le chef de l'État en vient à s'expliquer sur Bousquet : la Cour de justice l'a acquitté, il est devenu une personnalité, rentré dans la vie normale, reçu par tout le monde. Il ne dit pas cependant que lui-même l'a invité à plusieurs reprises, chez lui rue de Bièvre, privilège plus rare, à Latche, enfin à l'Élysée. Leur dernière rencontre remonte à 1986, date à laquelle on connaissait la contribution de Bousquet à la rafle. Les explications à la télévision de Mitterrand, très malade, passent mal, il en a conscience, l'effet produit par le livre de Péan est accablant pour lui... et pour ses amis, et pour les militants socialistes, atterrés. Réunis à l'université d'été de La Rochelle le 6 septembre, plusieurs dirigeants du PS se sont évertués à le défendre : « Depuis l'affaire de l'Observatoire, déclare Henri Emmanuelli, il sait qu'on ne le lâchera jamais sur ces histoires. En se confiant à Péan, il a voulu, cette fois, contrôler tout ce qui pourra être déversé sur lui demain. » Laurent Fabius, lui, se réjouit de son évolution de la droite vers la gauche : « Ce qui compte, c'est le cheminement que fait un homme tout au long de sa vie, et je préfère de loin ce parcours-là à l'inverse. » L'attitude des cadors, si prompts à innocenter leur maître, n'est pas appréciée par les jeunes socialistes. Ils ont eu des cours d'histoire au lycée ou à Sciences-Po : ils voient Vichy autrement. La rafle du Vél'd'Hiv est depuis les années 1980 une date à laquelle on échappe moins qu'au 11 novembre 1918. Dans la même réunion de La Rochelle, Pierre Moscovici se fait accusateur : « En tant que Français et en tant que Juif... ce qui me choque, c'est qu'en 1994 François Mitterrand avoue avoir fréquenté jusqu'en 1986 René Bousquet[1]. » Manuel Valls, premier secrétaire (rocardien) de la fédération du Val-d'Oise, se dit « choqué et indigné » par les révélations de ce livre et « inquiet du silence du parti

---

1. *Idem*, 6 septembre 1994.

socialiste ». La complaisance de François Mitterrand à l'égard de René Bousquet, l'homme de la déportation massive des Juifs, le symbole de la collaboration de la haute administration française avec les nazis, est condamnable. Jean-Marie Le Guen, premier secrétaire (jospiniste) de la fédération de Paris, éprouve le même sentiment, tout comme Benoît Hamon, président du Mouvement des jeunes socialistes, qui signe un long communiqué. Les membres du PS sont profondément divisés, des débats houleux s'ensuivent. Lors du bureau national du 7 septembre, on assiste à plus de deux heures d'affrontements poignants entre la jeune garde et les anciens (Emmanuelli, Mexandeau, Mermaz, Quilès, Glavany). « "Un débat à vomir", "épouvantablement dur" selon les plus meurtris, "suintant la mauvaise foi", entre ceux qui ont profité de Mitterrand et ceux qui n'en ont pas profité[1]. » C'est aussi un débat entre des générations qui ne voient pas le monde de la même façon.

Le 8 septembre, dans un entretien avec *Le Figaro*, Mitterrand affirmait qu'il n'avait jamais flirté avec l'extrême droite, qu'il avait toujours été républicain, issu certes de la petite bourgeoisie française catholique, de droite, mais patriote : « Je n'étais pas Action française. Il n'est jamais passé une ombre d'antisémitisme sur ma famille, ni sur moi. » Soit ! Mais, à propos de la francisque, il reprenait la justification quelque peu usée : « C'était un excellent alibi. » On ne se débarrasse pas si facilement des sarclures de la mémoire. Dans un grand article du *Monde*, Thomas Ferenczi, le 9 septembre, se montre sévère : « Ses silences, ses faux-fuyants, ses mensonges mêmes lui ont ainsi permis, pendant un demi-siècle, de se poser en victime de la calomnie. » Edwy Plenel insiste sur la longue amitié avec René Bousquet et rappelle que Mitterrand avait été hostile à l'ouverture d'une procédure judiciaire contre le « collabo » après le dépôt d'une plainte par Serge Klarsfeld : « René Bousquet fut assassiné le 8 juin 1993, alors

---

1. *Idem*, 9 septembre 1994.

même que le parquet mettait la dernière main à la rédaction du réquisitoire.» Pour Mitterrand, Bousquet avait été jugé une fois pour toutes en 1949; il ne pouvait être rejugé «pour les mêmes faits, au nom d'une loi postérieure instaurant l'imprescriptibilité des crimes contre l'humanité. Mais, à ces arguments de droit, qui furent publics, se sont ajoutées des raisons privées, qui furent cachées: René Bousquet et François Mitterrand ont entretenu, y compris après l'élection de ce dernier, une relation amicale». La mise en cause de Bousquet dans la rafle du Vél'd'Hiv par Darquier de Pellepoix, ancien commissaire aux questions juives de Vichy réfugié en Espagne, dans son interview de *L'Express* du 28 octobre 1978, avait provoqué l'enquête et l'action judiciaire de Serge Klarsfeld — ce qui n'empêcha nullement Mitterrand de recevoir Bousquet jusqu'en 1986. Si l'on ajoute à cela que le Président faisait fleurir chaque année la tombe de Pétain à l'île d'Yeu, on comprend le trouble au sein du PS.

Outre l'aspect existentiel de la question, le livre de Pierre Péan révélait aussi un système Mitterrand, le *mitterrandisme*, que Gilles Martinet, tête pensante du PS, ambassadeur à Rome, a pu observer de près. Pour lui, la «rupture avec le capitalisme» n'a jamais correspondu à ses convictions véritables, Mitterrand est avant tout un homme de pouvoir qui a su le conquérir et le conserver: «Les rapports avec René Bousquet et quelques autres s'inscrivent dans un système de pouvoir basé sur la gestion d'un vaste réseau de relations qui étend sa toile sur la plupart des secteurs de l'opinion. Le réseau fondé à la fois sur l'amitié, la complicité et les services rendus ne s'arrête pas aux frontières de la gauche et de la droite. Il permet à celui qui en a la maîtrise une multitude de combinaisons et de manœuvres possibles.» Martinet précisait: «C'est ainsi que François Mitterrand a gouverné dans les bonnes comme dans les mauvaises périodes. Il trouve toujours quelqu'un pour accomplir ce qu'il désire, parce que ce quelqu'un sait qu'il sera aidé, défendu, protégé, récompensé, promu, même s'il passe pour un adversaire politique.»

Évidemment, Mitterrand n'a rien inventé dans ce domaine, mais, écrivait Martinet, « ce système de type féodal, si drôlement décrit par Orsenna dans *Grand Amour*, a atteint un certain degré de perfection. Il a, pour une large part, permis aux socialistes de se maintenir puis de revenir au pouvoir, tout en pratiquant une politique non socialiste (ce qui ne veut pas dire sans mérite). Ce dont nous ne nous rendions pas compte au départ, c'est que les ambiguïtés mitterrandiennes allaient devenir nos propres ambiguïtés, celles du mouvement socialiste dans son ensemble. Or, maintenant qu'est venue la défaite et que s'affirme une volonté de renaissance, c'est avec ces ambiguïtés et avec ce système de pouvoir qu'il faut rompre ». Pour Gilles Martinet, le socialisme n'avait d'avenir en France que par « une rupture avec le mitterrandisme[1] ».

Jamais peut-être jusqu'à ce jour un socialiste de haut vol, collaborateur du *Nouvel Observateur* avant de devenir ambassadeur à Rome, n'avait dressé pareil réquisitoire du vivant de Mitterrand contre le mitterrandisme. Le 12 juin précédent, les élections européennes avaient été une dernière démonstration de l'ambiguïté mitterrandienne — d'aucuns préféraient parler de perversion : en approuvant, en suscitant même, en encourageant la candidature de Bernard Tapie sur une liste de gauche rivale de celle des socialistes conduite par Michel Rocard, il avait fait toucher le fond au « mitterrandisme ». Mitterrand avait réussi à provoquer la défaite du premier secrétaire du PS et son échec définitif dans la course à l'Élysée.

Pourquoi le chef de l'État en est-il venu à ces aveux tardifs qui démentaient tant de récits passés ? Tout se passe comme si, dans l'antichambre de la mort, le vieil homme malade voulait se confesser, sortir de ses mensonges, de ses ambiguïtés. Trois mois après la bombe Péan, *Paris-Match*, le 3 novembre 1994,

---

1. Gilles Martinet, « Le crépuscule du mitterrandisme », *Le Monde*, 10 septembre 1994.

révèle au public l'existence de Mazarine. «Mitterrand et sa fille, le bouleversant récit d'une double vie.» Le magazine contient un photoreportage où l'on découvre les traits de la jeune fille et une interview du journaliste Philippe Alexandre qui publie le jour même un ouvrage sur la double vie du Président, *Plaidoyer impossible pour un vieux président abandonné par les siens*, lequel ouvrage «lève le voile sur le dernier mystère de la vie romanesque du Président».

Le lecteur apprend par la légende des photos que dans les années 1960, à Hossegor, François Mitterrand rencontrait une jeune fille discrète et cultivée, dont on ne donnait pas le nom, et qui allait devenir la mère de Mazarine. «Toujours présent et attentionné, le Président est très fier de cette enfant qui partage sa passion des livres. Ainsi une nouvelle page se tourne-t-elle de sa vie romanesque.» On apprenait aussi que Mazarine et sa mère avaient fait la connaissance de Danielle, l'épouse officielle, lors des deux opérations que le Président avait subies : «Toutes sont réunies aujourd'hui autour du patriarche.»

Philippe Alexandre prévenait l'accusation d'indiscrétion, car Mitterrand, disait-il, se promène partout en compagnie de sa fille, c'est un secret de Polichinelle! Et puis, en avocat diligent des contribuables, il lâchait : «C'est une histoire qui appartient à la vie publique puisque cette famille, que j'appelle "morganatique", a vécu dans les palais de la République, a été transportée et entretenue par l'argent des contribuables.» Une attaque en flèche contre un président qui puisait dans la caisse publique pour satisfaire aux exigences de sa vie privée! Alexandre allait plus loin : «Cela explique un certain nombre d'affaires et en particulier le rôle qu'a joué Patrice Pelat, l'implication de Patrice Pelat dans les affaires financières sulfureuses et la défense acharnée de Patrice Pelat par le président de la République.» Cette fois, la révélation de Mazarine devenait une charge. Nous n'étions plus dans une bluette, somme toute attendrissante, mais dans une mise en cause grave de l'interférence du privé et du public, d'une vie secrète et d'une protection abusive. Non sans plaisir, l'imprécateur raclait son violon : « C'est une très belle histoire, une histoire de fidélité, surtout de la part d'un homme qui a la réputation d'être un collectionneur de femmes » ; avant de conclure au sujet de ce secret « inutile » : « Il se serait senti plus libre s'il avait mis, là aussi, de l'ordre plus tôt, s'il lui avait donné son nom et en avait fait un membre de sa famille. »

On s'est demandé aussitôt comment *Paris-Match* avait obtenu ces photos. La direction de l'hebdomadaire y est alors allée d'une mise au point : « Réalisées peu avant la parution du livre de Philippe Alexandre, les photos de la fille du président de la République avaient été, bien entendu, montrées au préalable, et par nos soins, à François Mitterrand. Ce fut fait sans intermédiaires. Le Président en prit connaissance lui-même [...]. François Mitterrand ne s'opposa pas à la publication de ce reportage. »

Le reste de la presse française a été pris de court ; elle n'a d'abord eu qu'un cri d'indignation. Dans *Libération*, Serge July affirmait : « Il n'y a aucune raison de rompre cette règle essentielle à la vie politique, et sans laquelle il faudra se résoudre au règne des moralisateurs, le pire qui soit. » Bref, la vie privée des hommes publics doit rester hors d'atteinte des curiosités malsaines de la presse. Franz-Olivier Giesbert reprend une expression d'Helmut Kohl pour flétrir le « journalisme de porcherie » : « Eh bien, les auges arrivent, où nous serons appelés à cochonner à loisir, en vertu des grands principes. Quand tous les yeux seront braqués sous la ceinture, ne va-t-on pas jeter un discrédit supplémentaire sur la classe politique, déjà déstabilisée par les "affaires" ? » *L'Humanité* exprimait le même avis : des pratiques « méprisables » qui « ne peuvent qu'alimenter un peu plus le rejet de la politique déjà entretenu par les jeux politiciens à cent lieues des préoccupations des Français ». Jean Miot, directeur délégué du *Figaro* et président de la Fédération de la presse française (FNPF), s'indigne qu'on puisse en France imiter « la presse de caniveau de certains confrères anglo-saxons ». Aucun de ces journaux ne paraissait s'imaginer le concours que François Mitterrand avait apporté à ce déballage et aucun, comme le fit remarquer le *Daily Telegraph*, « n'a osé s'attaquer à François Mitterrand pour avoir entretenu une maîtresse aux frais de l'État ».

La révélation de la double vie de François Mitterrand — on sortait de Bousquet en septembre par Mazarine en novembre — a-t-elle contribué à affaiblir sa popularité ? Une longue tradition monarchique a accoutumé l'esprit public aux incartades des puissants, rois, présidents, ministres. La tradition républicaine, elle, a appris, selon le mot de Pierre Larousse, à s'arrêter aux portes de la chambre à coucher. Les Français peuvent en faire des sujets de conversation mais, à l'exception d'une minorité de prudes, certes pas d'indignation. Dans ce cas d'espèce, il ne s'agit pas des fredaines d'un monarque républicain, mais d'un secret, d'une occultation, d'un long mensonge officiel permettant à l'épouse légale d'assumer sa fonction officieuse et contraignant la compagne de cœur à la clandestinité. La question ici n'est pas tant le fait lui-même, au sujet duquel l'opinion est portée à l'indulgence, que la confirmation d'un caractère et d'un comportement. François Mitterrand, décidément, n'est pas un adepte du « parler vrai ». Le secret révélé ajoute à la suspicion largement répandue dans l'opinion à l'endroit d'un homme qui passe pour un manœuvrier, adepte des coups fourrés, champion de la duplicité. L'affaire de l'Observatoire de 1959 est restée ancrée dans les mémoires. Oubliée au moment des grandes victoires électorales, elle resurgit quand l'actualité remet en lumière le goût de Mitterrand pour la dissimulation ou la sournoiserie avec laquelle il peut abattre un adversaire. Établir la proportionnelle pour limiter la défaite de son camp, quitte à laisser le Front national en tirer des bénéfices, favoriser la liste Tapie pour mieux torpiller la liste socialiste conduite par Rocard aux européennes de juin 1994, il n'y a pas de quoi s'en étonner dès lors que, depuis le livre de Péan, l'affaire Bousquet, la révélation de Mazarine, on mesure l'équivoque de toute une existence en trompe-l'œil. D'aucuns savourent la dimension « romanesque » d'une telle vie, mais, hors de toute considération littéraire, les secrets qui se découvrent, les mensonges qui se révèlent, les légendes qui se dissipent, le privé et le public finissent par faire un tout et par atteindre la personnalité du chef de l'État. Le contexte s'y prête ; l'indulgence serait plus aisée si l'on ne comptait pas en France trois millions de chômeurs. En tout cas, en cet automne de 1994, à quelques mois d'une nouvelle élection présidentielle, les Français aspirent à l'après-Mitterrand. Ils ignorent alors un autre mensonge, un autre secret : le Président est la proie d'un cancer depuis 1981, l'année même de sa première élection à la présidence.

L'homme devant la mort

Les trois dernières années du second mandat présidentiel de François Mitterrand sont hantées par la mort. Le 1er mai 1993, est annoncé le suicide de Pierre Bérégovoy, près de Nevers, ville dont il est le député maire. Celui qui a quitté son poste de Premier ministre cinq semaines plus tôt s'est tiré une balle de revolver dans la tête, alors qu'il se promenait seul au bord d'un canal. Transporté en hélicoptère de Nevers à Paris, il meurt à la verticale de Pithiviers. François Mitterrand, bouleversé, s'est aussitôt rendu au Val-de-Grâce où se trouve la dépouille. Le 4 mai, il prend la parole au cours de ses obsèques, et dénonce « ceux qui ont pu livrer aux chiens l'honneur d'un homme ». Il faisait allusion aux médias qui avaient accablé Pierre Bérégovoy pour cette affaire de prêt sans intérêt. Mais lui-même, Mitterrand, ne l'avait-il pas un peu laissé tomber ? Bérégovoy était un symbole dans le parti socialiste : fils d'un ouvrier immigré, sans bagage universitaire, il avait réussi, à force de ténacité, grâce à son intelligence, à gravir tous les échelons de la promotion sociale et politique jusqu'à l'hôtel Matignon. Ancien membre du PSU rallié au chef du PS, il en était devenu un fidèle serviteur, depuis ses fonctions de secrétaire général de l'Élysée jusqu'à son rang de Premier ministre. Le bruit court qu'il ne s'est pas suicidé, qu'il a été tué par des agents du pouvoir, en raison des trop lourds secrets qu'il gardait. Pareille suspicion ne fait qu'aggraver le trouble causé par cette mort dramatique. On interprète son suicide comme le résultat de son échec politique. Il s'était convaincu, disent les témoins, on l'a vu, d'avoir été le responsable de la défaite électorale du PS aux législatives, et ne pouvait s'en consoler. Devant cette déconvenue, il s'était senti seul, abandonné, comme maudit. « Pardonnez-moi de vous avoir menés là », aurait-il dit à des camarades[1]. Il avait son honneur à défendre : « Il lui fallait sans doute en passer par là, écrit Bruno Frappat, pour que le pays endeuillé, toutes tendances politiques confondues, lui offre l'hommage que, vivant, il n'avait pas eu[2]. » Mais le Président n'aurait-il pu le retenir, n'avait-il pas négligé la terrible détresse de cet homme qui lui était dévoué ? Michel Charasse avait été de ceux qui, avant l'acte fatal, avaient prévenu le Président que « Béré » était « en pleine déprime » ; Mitterrand avait bien résolu d'aller le voir, mais trop tard. Dans sa hiérarchie affective, Bérégovoy n'avait jamais été du premier cercle. « C'était un bon numéro 2 », confie Mitterrand à Giesbert. Après avoir prononcé son oraison funèbre, à Martine Aubry qui lui demande qui sont les « chiens » dénoncés, Mitterrand répond : « C'est tout le monde. Chacun a une part de chien en soi[3]. » Ressentait-il une certaine culpabilité ?

Moins d'un an plus tard, le 7 avril 1994, un nouveau suicide jette une ombre sur le septennat devenu crépusculaire, celui de

---

1. J. Lacouture, *Mitterrand, une histoire de Français, op. cit.*, t. II, p. 524.
2. Bruno Frappat, *Le Monde*, 4 mai 1993.
3. F.-O. Giesbert, *François Mitterrand, une vie, op. cit.*, p. 666.

François Durand de Grossouvre qui, dans son bureau, à l'Élysée, se tire une balle dans la tête. Détenteur d'un titre cocasse, « président du comité des chasses présidentielles », il avait été un intime de François Mitterrand, connaissant ses secrets, protégeant sa double vie et sa seconde famille. Le Président l'avait installé auprès de lui à l'Élysée et logé au 11 quai Branly où résident depuis 1981 Anne Pingeot et Mazarine et où le Président passe la plupart de ses nuits. Mais la relation entre les deux hommes s'est peu à peu effritée, Grossouvre se déclarait déçu par le comportement de son maître, ses réseaux, ses compromissions ; Mitterrand s'agaçait de ses accusations contre ses collaborateurs et ses amis. Il l'a mis à l'écart, tout en lui laissant son bureau au « château ». Mitterrand ne chasse pas les gens qui n'ont plus grâce à ses yeux, il les abandonne, les laisse végéter dans leur coin. Il est tout de même étrange que ce « coin »-là soit dans les murs de l'Élysée. Anne Lauvergeon, secrétaire générale adjointe, l'explique à F.-O. Giesbert : « Le Président ne savait pas se séparer des gens. Il ne pouvait pas dire à quelqu'un : "Bon. Allez-y maintenant, on a fini le bout de chemin qu'on devait faire ensemble, bonsoir." Résultat : ça rendait souvent l'air irrespirable et la situation intenable, avec des gens qui faisaient des crises de dépit amoureux. [...] Même pour renvoyer Rocard, ça n'a pas été simple. Ce qui, chez lui, est souvent passé pour de la duplicité venait d'une vraie difficulté à trancher dans le vif[1]. »

« Dépit amoureux » est sans doute l'explication la plus plausible de ce suicide, exécuté à l'Élysée, laissant des traces de sang sur les murs. Comme pour Bérégovoy, la rumeur, qu'on ne bride jamais, a couru que Grossouvre avait été assassiné par les sbires du Président. La malédiction tombait sur sa tête couronnée comme dans un drame de Shakespeare. Tout le monde s'est regardé, pâle comme la mort.

Cette mort, François Mitterrand la tient en respect depuis

1. *Ibid.*, p. 704.

1981, l'année de son sacre. À soixante-cinq ans, la silhouette un peu alourdie, il ne donne, au moment de l'élection, aucun signe de mauvaise santé. Il a bon appétit, boit très modérément, se livre à l'exercice physique et régulièrement au golf, lorsque, brutalement, se plaignant à la fin du mois de juillet du dos et de la jambe, on lui découvre en novembre, par des examens passés dans la plus stricte discrétion au Val-de-Grâce, un cancer de la prostate disséminé. Son médecin traitant, le docteur Claude Gubler, lui conseille de consulter un des urologues les plus réputés, le professeur Adi Steg. C'est lui qui prononce devant le Président le terrible diagnostic : un cancer de la prostate diffusé dans les os. La réaction du malade est spontanée : « Je suis foutu ! » Le spécialiste, sans le lui dire, lui donne entre trois mois et trois ans à vivre.

Mitterrand est piégé. Il avait pris l'engagement après avoir été frappé par la fin de Georges Pompidou, dont l'état de santé avait gardé le statut d'un secret d'État, de publier un bulletin de santé semestriel. À peine élu, condamné à mort dans un bref délai, il assumera un mensonge d'État à coups de bulletins de santé factices avec la complicité de ses médecins, sommés de garder un silence absolu. Défiant les statistiques et les pronostics, François Mitterrand résistera pendant onze ans à son cancer et à son traitement. Au prix de ruses multiples, de dissimulations et de précautions incessantes, ses médecins peuvent l'examiner, le soigner, le protéger pendant ses voyages. « Au plan statistique, écrira le docteur Gubler, nous sommes donc en présence d'une situation hors norme. Sur le plan humain également, car l'homme va se révéler exceptionnel en face de ce destin[1]. » François Mitterrand pouvait avoir le sentiment d'être guéri, ce qui a contribué à sa décision de se représenter à la présidentielle en 1988. Mais en 1992, le cancer a progressé, une opération chirurgicale se révèle nécessaire. À ce moment-là, l'illusion s'est

1. Claude Gubler, Michel Gonod, *Le Grand Secret*, Plon, 1996, p. 57.

dissipée ; il n'y a pas eu de guérison ; le face-à-face avec la mort commence. Depuis longtemps, Mitterrand est fasciné par le thème de la mort, cultivant sa curiosité par ses lectures, ses conversations, faisant preuve d'une curiosité continue sur l'agonie et l'au-delà. Il préfacera en 1995 l'ouvrage d'une spécialiste des soins palliatifs qui l'assiste depuis des mois, Marie de Hennezel, *La Mort intime*, où il écrit : « Nous vivons dans un monde que la question effraie et qui s'en détourne. Des civilisations, avant nous, regardaient la mort en face. Elles dessinaient pour la communauté et pour chacun le chemin du passage. Elles donnaient à l'achèvement de la destinée sa richesse et son sens. Jamais, peut-être, le rapport à la mort n'a été si pauvre qu'en ces temps de sécheresse spirituelle où les hommes, pressés d'exister, paraissent éluder le mystère. » Mitterrand rejette l'attitude de ses contemporains devant la mort qu'ils effacent comme le suprême tabou. On a souvent observé et parfois raillé son goût des cimetières, mais il est attentif aux moribonds, à ceux qui souffrent en vivant leurs derniers jours, les dernières heures de leur vie : il les visite, les écoute, fait preuve auprès d'eux de sa sollicitude. En même temps, il est possédé par ce mystère, le passage de l'être au néant.

Le 11 septembre 1992, le Président subit une résection endoscopique à l'hôpital Cochin, dans le service d'urologie de Bernard Debré ; l'opération se passe bien, mais les prélèvements examinés secrètement font état par ailleurs de lésions cancéreuses. C'est à cette occasion qu'entre en scène le docteur Jean-Pierre Tarot, qui fera partie de l'entourage médical en 1994, après la deuxième opération subie par le Président. À cette époque, Mitterrand est soigné par une équipe de médecins dont il se plaît à attiser la rivalité comme c'est son habitude dans son entourage politique. Outre Steg et Gubler, qui l'ont soigné pendant dix ans, il peut compter sur Jean-Pierre Tarot, spécialiste de la douleur, auquel il donne une chambre à l'Élysée, sur un médecin militaire, le docteur Kalfon, et sur un énigmatique homéopathe, le docteur

Philippe de Kuyper, qui utilise des « médecines naturelles », et
particulièrement des extraits de plantes concoctés par un ancien
chercheur du CNRS, Mirko Beljanski, naguère condamné pour
exercice illégal de la médecine. Ces médecins ont chacun leur
méthode, leurs convictions et rivalisent les uns avec les autres. Le
frère de François Mitterrand, Robert, qui ne prise pas la médecine française, s'en mêle, fait venir à Paris un urologue américain
qui l'a guéri, le professeur Pontès, lequel prescrit un changement
de traitement, une chimiothérapie, et suit le malade depuis...
Detroit. Le 16 juillet 1994, une nouvelle opération s'est imposée
qui a lieu à Cochin. La maladie du Président est désormais
connue des Français. Nombre d'entre eux lui envoient des messages, des fleurs, des cadeaux. Il passe sa convalescence à Souzyla-Briche en compagnie d'Anne Pingeot, de Mazarine et du docteur Kalfon. Au mois d'août, c'est au tour du docteur Tarot de
l'accompagner à Belle-Île. Les conflits entre médecins vont se
multiplier, particulièrement entre Tarot et Kuyper. Gubler et
Kalfon subissent la disgrâce. Soumis maintenant à une radiothé-
rapie, Mitterrand souffre immensément. Arrivé le matin à l'Élysée, il se recouche jusqu'à l'heure du déjeuner, lit les journaux,
somnole. Plus rien ne semble l'intéresser que son dialogue avec la
mort. De démission, il ne peut être question. Il irait jusqu'au bout
de son mandat ou mourrait à l'Élysée. La période de cohabitation
facilite ses éclipses, Édouard Balladur, respectueux, déférent, ne
dit rien des défaillances du Président, lequel continue à présider
les Conseils des ministres, distraitement. Il se rend quand même
le 28 juin 1994 à Sarajevo. Ce printemps-là, c'est aussi la tragédie
au Rwanda, où la France sera impliquée : ce Mitterrand agoni-
sant, qu'en a-t-il saisi ?

Le 31 décembre 1994, à l'occasion du message rituel adressé à
ses compatriotes, François Mitterrand fait ses adieux aux Français : « L'an prochain, ce sera mon successeur qui vous exprimera
ses vœux. Là où je serai, je l'écouterai le cœur plein de reconnaissance pour le peuple français qui m'aura si longtemps confié son

destin et plein d'espoir en vous. Je crois aux forces de l'esprit et je ne vous quitterai pas. » Vient de paraître le livre d'entretiens qu'il a fait avec Élie Wiesel, *Mémoire à deux voix*. L'heure des bilans a sonné, il souhaite qu'on ne dresse pas celui de son double septennat de façon injuste. Certes, il est resté « très en dessous » de ses ambitions, « et, d'une manière générale, je donne raison aux critiques que l'on me fait, dit-il, même si mes adversaires ont tort de condamner en bloc mon action, et de façon définitive. Mon avis est plus mitigé, bien sûr. Il est injuste, me semble-t-il, de tout dénigrer. J'espère en tout cas que, si l'on s'y intéresse un jour, on pourra trouver dans mes paroles et mes écrits, dans mes actes, de quoi alimenter sa foi dans le destin de l'humanité, dans le destin de la France, dans la construction de l'Europe, et que l'on partagera certains de mes principes idéaux et moraux ». De quoi est-il le plus fier ? Assurément de l'abolition de la peine de mort, de la décentralisation, de « la défense dans certaines grandes circonstances des peuples opprimés du tiers-monde », de la construction de l'Europe. Quel est son plus grand regret ? À coup sûr de n'avoir pu enrayer la progression du chômage. Mais, ajoute-t-il, « on ne change pas la société par une décision législative ». Au fond, point trop d'orgueil dans tout cela, et une certaine lucidité.

Ce livre avec Wiesel, il vient en parler, le 11 avril 1995, à « Bouillon de culture », l'émission de Bernard Pivot. Il s'agit d'un enregistrement qui sera diffusé trois jours plus tard. Il a peine à parvenir au studio ; on doit le soutenir. Mais, devant le micro, il retrouve voix et force, parle de lui, de sa fin prochaine, de ses grands travaux. Le 23 avril suivant est la date de l'élection présidentielle. C'est Lionel Jospin le candidat des socialistes, qu'il soutient officiellement, qui arrive en tête au premier tour, mais c'est Jacques Chirac qui l'emporte finalement le 7 mai. Dix jours plus tard a lieu la cérémonie de la passation des pouvoirs à l'Élysée, que Mitterrand quitte pour se rendre au siège du PS, rue de Solférino, où il fait ses adieux devant les permanents du parti. Désormais, il habitera un grand appartement que l'État met à sa disposition, au 9 avenue Frédéric-Le-Play, près du Champ-de-Mars, avec Anne Pingeot et Mazarine. À côté de l'appartement privé, il garde des bureaux, une archiviste, deux secrétaires. Le docteur Tarot veille sur lui. Michel Charasse et Anne Lauvergeon sont de ses visiteurs les plus assidus. Il a gardé le solide appétit qu'il a toujours eu et fait honneur aux bons restaurants du quartier de l'École Militaire. Il entreprend avec Georges-Marc Benamou des entretiens autobiographiques qui paraîtront sous le titre *Mémoires interrompus*. Une fois encore, en cette année 1995, il désire faire l'escalade rituelle de la roche de Solutré, en dépit des conseils du docteur Tarot. Il entreprend la montée le dimanche 4 juin, mais peine à gravir la côte, s'arrête, souffle, s'assoit, reprend douloureusement son chemin avant, épuisé, de renoncer et de redescendre. En juin, il se rend une dernière fois à Venise, en compagnie d'Anne Pingeot. Il retourne à Vézelay. Avenue Le-Play, sa chienne Baltique, un labrador, couche dans sa chambre ; elle l'accompagne dans ses promenades au Champ-de-Mars. C'est dans cette chambre que Danielle Mitterrand et Mazarine se retrouvent nez à nez ; la famille s'élargit. Juste avant de passer le réveillon de la Saint-Sylvestre avec les siens, à Latche, il entreprend un voyage à Assouan pour les fêtes de Noël en compagnie d'Anne, de Mazarine et d'André Rousselet. Il est exténué. Le 31 décembre, à Latche, il fête la nouvelle année avec Danielle, sa belle-sœur Christine et son mari Roger Hanin, ses fils Jean-Christophe et Gilbert, ses amis Bergé, Lang, Emmanuelli, Munier, Georges-Marc Benamou, le docteur Tarot. Il déguste deux ortolans, toasts de caviar et tranches de foie gras. Mais c'est la dernière fête. Rentré à Paris, François Mitterrand a décidé d'interrompre son traitement ; il meurt dans son sommeil le 8 janvier 1996, après avoir reçu le sacrement d'extrême-onction.

Les journaux, les radios, les télévisions rivalisent d'oraisons louangeuses. Sans tarder, un numéro spécial de *Paris-Match*, avec photos inédites, est mis en vente. Des admirateurs, des badauds, des fervents à l'œil mouillé attendent en file indienne avenue Le-Play, pour déposer une rose. Jacques Chirac décrète le deuil national pour le jeudi suivant, avec cérémonie à Notre-Dame. De droite et de gauche, les hommages tombent à foison sur la dépouille dans un concours de vénération. L'écrivain Jean d'Ormesson donne l'explication de cette ferveur : Mitterrand aura été « représentatif de tous les Français, successivement : les Français de droite, les catholiques, les vichyssois, les résistants, les socialistes, les centristes, les communistes[1] ». La même idée se retrouve sous la plume de Régis Debray : « Son œuvre aura été son propre personnage, et il inventa ses héros à mesure, tous solidaires et différents : croix-de-feu, maréchaliste, giraudiste, gaulliste, troisième force, anticommuniste, anticapitaliste autoritaire, libéral indulgent, européiste, union sacrée. [...] Ce grand accompagnateur du Temps en a épousé les caprices, les poussées avec tant de bonne foi qu'il est incapable un jour de revenir sur la veille pour un début de contrition. Il s'absout en chaque moment, puisqu'il y fut précisément sincère et en entier[2]. »

Bien des électeurs de 1981 enterrent avec le Président celui qui avait été le chef du rêve socialiste, et qu'il avait lui-même éteint par la force des choses. Un autre sentiment s'est emparé de nombreux Français, au-delà des oppositions politiques de gauche et de droite, celui de la nostalgie : avec François Mitterrand disparaissait une certaine France, qui résistait à la modernité endiablée. Le natif de Jarnac, l'hôte du Vieux Morvan, l'amateur de paysages et de vieux livres, le piéton de Paris, l'ancien combattant, le patriarche, sa disparition était pleurée par des millions d'orphelins. Avec lui s'éloignait une ancienne France qu'on ne reverrait plus.

Le soir du 10 janvier, le parti socialiste convie les admirateurs

---

1. Cité par Hugues Le Paige et Jean-François Bastin, *François de Jarnac, portrait en surimpressions*, RTBF-TSR, 1994.
2. Régis Debray, « La Route de Sauveterre », *Le Monde*, 9 janvier 1996.

de l'ancien président de la République à rendre hommage à sa mémoire place de la Bastille, où une photographie géante du disparu est dressée et où Barbara Hendricks chante *Le Temps des cerises*. La vieille gauche, derrière le double fantôme de François Mitterrand et de ses illusions de 1981, veut serrer les coudes. C'est justice, car Mitterrand aura permis à la gauche d'exister sous cette Ve République aux portes de laquelle elle était consignée. Pour quoi faire est une autre question, que l'on ne veut pas se poser en ce jour de deuil.

Mitterrand aura été un épicurien du pouvoir, goûtant à tous ses raffinements, se délectant aux aplatissements de ses courtisans, bravant l'opinion jusqu'à soutenir publiquement les coquins. Le pouvoir, à la fin, a été pour lui une manière d'exorciser la mort. Un « j'y suis, j'y reste » thérapeutique, lui permettant de braver la Camarde aux aguets. C'est par le pouvoir que cet homme-là a survécu, qu'il a déjoué les pronostics de ses médecins qui ne lui donnaient au mieux, en 1981, que trois ans de survie. Dans les dernières années, nous aurons assisté à ce tête-à-tête shakespearien, à ce tango macabre, dont les notes funèbres nous éloignaient de la politique et nous ramenaient à la méditation métaphysique. Il ne fallut pas moins qu'une visite de Jean Guitton, philosophe catholique, expert ès vies éternelles, pour nous faire saisir ce qui se jouait au sommet de l'État : non point le sort prosaïque des citoyens mais la survie d'une âme. Dans quelle autre démocratie ce majestueux échange entre le Chef et la Mort eût-il été possible ? L'heure de Marx n'avait jamais sonné ; celle d'Épicure était passée ; c'est Pascal désormais qui présidait : « Le dernier acte est sanglant, quelque belle que soit la comédie en tout le reste. On jette enfin de la terre sur la tête, et en voilà pour jamais. »

Quand François Mitterrand est mort, les Français avaient oublié depuis un certain temps qu'il était un homme politique.

ÉPILOGUE

Dans l'immédiat, la mort redonna à François Mitterrand tout son lustre. Il eut droit à des funérailles en double exemplaire : les obsèques de Notre-Dame à Paris, où officia le cardinal-archevêque Lustiger en nouveau Bossuet, et qui réunissaient le gotha politique de la planète ; et, le même jour, les obsèques de Jarnac, où l'évêque d'Angoulême rassembla sous sa crosse les intimes de François et ses deux familles côte à côte (à l'exception de Michel Charasse qui n'entra pas dans le sanctuaire). Les deux services furent largement diffusés dans les foyers par les caméras du petit écran. « La télévision est naturellement nécrophile », écrit Jacques Julliard, qui se livre à une comparaison avec de Gaulle[1]. Elle contribua à installer ce climat de dévotion inattendu en faveur d'un président dont la cote d'amour avait si régulièrement tangué au long de son double septennat. L'un des meilleurs journalistes français, Alain Duhamel, a décrit le moment : « La France portait le grand deuil de l'un de ses souverains les plus contestés. Une atmosphère de recueillement empreint de religiosité, de surprise, peut-être de repentir, suspendait provisoirement les polémiques infinies qu'il avait suscitées de son vivant. […] Celui qui venait de disparaître n'était ni

---

1. Jacques Julliard, « De de Gaulle à Mitterrand et retour », *in* J. Julliard (dir.), *La Mort du roi, essai d'ethnographie politique comparée*, Gallimard, 1999, p. 53.

un héros ni un saint, mais un artiste de la politique, peut-être le plus fascinant du XXe siècle français, à coup sûr le plus complexe, le plus romanesque, le plus atypique, le plus labyrinthien et cependant celui dont la mort réunissait soudain le personnage et la personne. Si, chez de Gaulle, on escamotait Charles, chez Mitterrand, François, l'homme public et l'homme privé ne pouvaient se scinder[1]. »

Sur le coup et par la suite, ses fidèles ont concouru à construire à la mémoire de François Mitterrand un cénotaphe de papier voué à perpétuer sa gloire. Loyaux serviteurs, caudataires, prébendiers et pleureuses l'ont embaumé. D'autres, au contraire, rétifs, déçus, rancuniers et vindicatifs y sont allés de leurs sentences implacables. De cette littérature mémorielle, quelques bribes suffiront ici à montrer à quel point la personnalité et l'action du président socialiste sont sujettes à controverse.

Les raisons de s'attacher à Mitterrand sont diverses. Pierre Joxe, qui fut son ministre de l'Intérieur et son ministre de la Justice, répond au titre de son ouvrage *Pourquoi Mitterrand?* : « Dans ma génération, nous savons ce que nous lui devons : une révolution copernicienne. C'est son action obstinée, son ambition, ses inépuisables capacités d'entraînement qui nous ont permis d'ouvrir une nouvelle période de la vie politique de la France, une nouvelle époque[2]. »

La France, avec lui, a changé de visage ; elle s'est débarrassée de ses oripeaux conservateurs, comme l'atteste le plus clairement la place accordée par le président socialiste à la culture. « Pour François Mitterrand, écrit Jack Lang, longtemps son ministre emblématique de la Culture, l'exigence de la création et du savoir était une évidence. Passionné par l'art, les musées, la littérature, l'histoire, le théâtre, le cinéma, il voulait changer la vie, mais sans

---

1. Alain Duhamel, « L'artiste de la politique », *François Mitterrand, le pouvoir et la séduction*, Hors-Série *Le Monde*, p. 7.
2. P. Joxe, *Pourquoi Mitterrand?*, *op. cit.*, p. 12.

rien céder à des objectifs de rentabilité à court terme, de spéculation, ou de vision étroite, nationale : "La France ne peut pas se
retrouver sans retrouver le monde", ajoutait-il en 1981. Moi qui
avais tant aimé accueillir Bob Wilson à Nancy, tant applaudi au
génie de Giorgio Strehler ou de Peter Brook, je ne pouvais être
plus comblé[1]. » Avec Mitterrand, les intellectuels et les artistes
de tout pays se sont sentis chez eux en France. Le Président eut
même l'idée (vite corrigée par ses successeurs) d'offrir un privilège fiscal aux écrivains sur leurs droits d'auteur.

La culture propre du Président, sa connaissance de l'Histoire
en ont fait, selon Hubert Védrine, un chef d'État réaliste,
« concentré sur *ce que l'on peut faire* », et en ce sens « un homme
d'État *très moderne*. Chez lui, histoire et modernité ne se contra-
riaient en rien, se nourrissaient plutôt dans un rapport dialec-
tique. Cela est notamment illustré par la façon dont il s'est
intégré dans les relations internationales de son temps ». Contrairement à ce que d'aucuns affirment, poursuit Hubert Védrine,
ancien conseiller technique, puis secrétaire général à la présidence
de la République, Mitterrand était un visionnaire : « Visionnaire
il l'était à l'évidence quand il évoquait le destin du Proche-Orient,
celui de l'Europe, le destin des relations franco-allemandes. »
Mais rien n'est plus éclatant que son action en faveur d'une union
européenne : « Les esprits sceptiques et lucides sont souvent fata-
listes ; les utopistes et les idéalistes, souvent chimériques. Chez
François Mitterrand, le scepticisme était actif, et la lucidité
constructive. Certes, il doutait parfois du désir des Français ou
des Européens de mener ce chantier. Il ne doutait pas, en
revanche, que hors d'Europe on n'en voulait pas ! Mais il était sûr
de l'influence que retrouverait une France résolue à travers une
Europe forte, par quoi se poursuivrait l'épopée française[2]. »

---

1. J. Lang, « L'Exigence de la création », in *François Mitterrand, le pouvoir et la séduction, op. cit.*, p. 91.
2. H. Védrine, *Les Mondes de François Mitterrand…, op. cit.*, p. 759.

Louis Mermaz, ancien président de l'Assemblée, ministre de l'Agriculture dans le gouvernement Bérégovoy, un fidèle parmi les fidèles depuis la Convention des institutions républicaines, avait un peu soupiré sous les deux mandats de son ami : « Je regrettais à nouveau dans mon for intérieur qu'il ne m'eût ni appelé en son temps comme Premier ministre, ni soutenu plus tard pour parvenir à la tête du parti. Était-ce témérité, mais j'étais persuadé que j'eusse apporté à son action un concours essentiel et une vision d'ensemble[1]. » Mais, tout regret oublié, le compagnon des bons et des mauvais jours s'évertue dans ses *Mémoires* à une célébration finale : « Aujourd'hui, d'un bout à l'autre de la planète s'est établi un contraste terrifiant entre ceux qui vivent des progrès du siècle et ceux qui n'ont pour eux que la misère et les souffrances. Que signifie pour ceux-là la mondialisation sinon trop souvent le pillage de leurs richesses et de leur travail ? Le mérite de François Mitterrand, c'est d'avoir opposé à cet état de fait sa vision de l'avenir du monde et, même s'il n'a pu pousser aussi loin qu'il l'aurait voulu les transformations auxquelles il appelait les Français, de n'avoir jamais renoncé à rien, affichant sa certitude que les temps viendraient où les forces sociales opprimées triompheraient. Avec lui, les Français, un peuple fier, à la tête épique, ont eu le sentiment de renouer avec le destin. Méditant sur l'histoire des civilisations, il a inscrit son action dans un temps qui dépassait celui de son existence[2]. »

C'est bien ce que contestait Régis Debray, qui fut son conseiller de 1981 à 1985 avant de rompre avec lui en raison précisément de ses renonciations. De tous les contestataires, l'écrivain, en 1996, dressa de Mitterrand un des portraits les plus cruels dans un de ses ouvrages les plus remarqués, *Loués soient nos seigneurs*, où les blâmes tombent en cascade : « défaut de radicalité », « déficit de valeurs », « défaut de rigueur », « dextérité verbale conférant à

---

1. Louis Mermaz, *Il faut que je vous dise, Mémoires*, Odile Jacob, 2013, p. 486.
2. *Ibid.*, p. 728.

quelques généralités de bon ton le vernis d'un humanisme passe-
partout, d'autant plus accommodant qu'imprécis », « écriture
vigoureuse, pensée approximative », « pas de vision d'ensemble »,
« pas de remise en question des pratiques », « peu d'imagination,
beaucoup de rouerie », « socialiste de rencontre » — le tout relayé
par cette averse d'oxymores : « l'audacieux timoré, le *condottiere*
centriste, le délicat méprisant, le calculateur imprudent, le caute-
leux à panache, le virtuose gaffeur... [...] L'homme oblique prend
nos grilles en écharpe, désarme les antithèses, remplace le *ou* par le
et. Débrouillez-vous avec cela, mes petits chats. Moi, j'ai régné ».
Que penser de cet « insensible attentionné » ? « Modéré en tout,
sauf en nihilisme — son seul principe radical. » Que deviendra
son image ? « Ego sans transcendance, volonté sans finalité, il
passera à la postérité comme une longue étoile filante. » Ce portrait écrit à l'arbalète par un écrivain de gauche désabusé, on ne
sait s'il révèle plus les faiblesses de Mitterrand ou l'ingénuité initiale de l'auteur, qui se demande en fin de compte avec ironie :
« L'activité politique ne consiste-t-elle pas, trivialement et en définitive, à traduire l'espérance en gestion, l'absolu en petite monnaie[1] ? » Ce portrait charge est celui d'un amour déçu plus encore
que d'un moraliste ou d'un « spectateur engagé ». « Nous lui don-
nâmes notre foi, à lui qui en avait peu [...]. »

C'est du vivant même de Mitterrand, à l'automne 1994, que
déjà Paul Thibaud, ancien directeur de la revue *Esprit*, gravait du
Président un portrait au burin impitoyable. Pour lui, le chef
socialiste était « incapable de penser à autre chose qu'à lui-
même » : il « a tenté de sauver sa personne de l'échec de son
œuvre ». « Entre l'intensité de la passion pour le pouvoir et
le résultat d'une dizaine d'années de pouvoir sans partage,
le contraste est affligeant. Si l'on met à part le discours au
Bundestag, réaction apparemment convaincue et certainement
pertinente au chantage nucléaire soviétique, Mitterrand présente

---

1. R. Debray, *Loués soient nos seigneurs*, op. cit., p. 326-343.

un bilan essentiellement passif ; il a enregistré et utilisé à son profit la mort de la gauche et le déclin de la France sans aller jusqu'à penser ces événements et à essayer de remplacer les capacités défaillantes. Même en politique intérieure, après l'abolition de la peine de mort, retardée par la pusillanimité des gouvernements de droite, il n'y a pas eu de réforme importante menée à bien. […] Mitterrand aime le pouvoir, non le gouvernement. Le pouvoir a souvent été pour lui l'exercice d'un contre-gouvernement. Il y a chez cet homme dont le projet de gouvernement a échoué une croyance profonde en l'inaction, dans la vanité de l'action, une tendance à réduire la politique à un faire croire, à l'art de conjurer les événements en leur opposant des mises en scène, des gestes. »

Pour Paul Thibaud, Mitterrand a fait preuve d'un « absolutisme inactif », d'« une démagogie immobiliste » : « s'il n'y a rien à entreprendre, le souci de l'image et la détention du pouvoir sont toute la réalité du politique ». Qu'est-ce que régner sans gouverner ? C'est choisir « la grandeur à vide, la grandeur parodiée, la vanité, le pouvoir débridé sans substance politique ». Thibaud fait-il partie des déçus comme Debray ? Oui, mais sa déception n'est pas la même. Si elle date du « tournant » de 1983, c'est parce que François Mitterrand lui avait donné à espérer : « On voit l'erreur de ceux (j'en étais avec la "deuxième gauche") qui ont espéré que les déceptions de 1982-1984 pouvaient entraîner une redéfinition, plus stricte et moins marquée par le ressentiment, du projet de la gauche. Le choix de Mitterrand, ce ne fut pas la rénovation du socialisme, le projet que certaines de ses valeurs redeviennent opérationnelles, mais l'utilisation de son délabrement, sa conservation dans un état si déconsidéré que s'en réclamer (Mitterrand continue de le faire) ne signifie plus rien[1]. »

Avec moins de virulence et plus de recul, Jean-François Revel,

---

1. Paul Thibaud, « L'homme au-dessus des lois », *Le Débat*, n° 81, sept.-oct. 1994.

dans ses *Mémoires* publiés en 1997, rejoint certains traits du portrait dessiné par Thibaud : « Mitterrand se passionnait, certes, pour les instruments de la politique, pas pour ses objectifs ; pour ses moyens, pas pour ses fins ; pour la conquête et la conservation du pouvoir, pas pour les éventuels desseins que le pouvoir permet de réaliser. C'est le dessein même qui devenait l'un des instruments. S'interroger sur son bien-fondé intrinsèque, hors sa relation avec la stratégie du pouvoir, n'avait pour Mitterrand aucun sens. Seule comptait son efficacité momentanée sur l'opinion publique en vue de la prise ou de la consolidation d'une position. Dans la conversation, je n'ai jamais entendu Mitterrand s'étendre que sur deux thèmes : la pure tactique politique et ses propres souvenirs. Il ressassait son autobiographie avec l'opiniâtreté répétitive d'un vieillard, quoiqu'il n'eût pas atteint cinquante ans quand je le connus. La véracité dans ses récits de sa jeunesse n'était au demeurant pas son fort, ainsi que je le découvris plus tard. Quant à la réflexion politique, à la connaissance des faits, Mitterrand était si incurieux des idées générales, des visions d'ensemble tirées de l'examen scrupuleux du réel que, précisément à cause de son indifférence à la pensée, ce réaliste était incapable de distinguer une analyse sérieuse d'une ânerie chimérique[1]. »

Le Monde daté du vendredi 12 janvier 1996 présentait un dossier consacré à François Mitterrand au lendemain de sa mort. Il était composé d'articles sur les ombres et lumières du président défunt. Jean-Marie Colombani, dans un texte de conclusion, s'évertuait à dresser un bilan équitable qui était aussi un résumé des ambivalences mitterrandiennes : « Le lyrisme social a pour envers l'enracinement du chômage ; l'engagement antiraciste, l'installation à demeure du Front national dans le paysage politique ; le souci démocratique, la perpétuation de cette monarchie

---

1. Jean-François Revel, *Mémoires : Le Voleur dans la maison vide*, Plon, 1997, p. 390.

républicaine qui nourrit la désaffection civique ; le culte de la mémoire, les mensonges sur une jeunesse nationaliste et maréchaliste dont la révélation tardive n'évitera pas une réhabilitation douce de Vichy ; la fidélité aux amis, la tolérance à l'égard de dérives où des intérêts privés profitèrent de privilèges publics. »

Pour faire comprendre pourquoi Mitterrand avait plu néanmoins à tant de monde, on doit insister sur sa *puissance de séduction*. Son physique était un atout. Imparfait, certes : la taille un peu courte, les paupières clignotantes, une denture qu'il a dû corriger, une lèvre supérieure trop mince… Mais son visage, bien dessiné, et son sourire un peu narquois sont ceux d'un charmeur. Ceux qui le rencontrent sont frappés par sa douceur, son urbanité ; d'autres, par sa froide ironie, sa causticité. Ses références culturelles — littéraires surtout — impressionnent nombre de ses assistants et interlocuteurs qui ne se donnent pas le temps de lire, sinon des rapports, des circulaires et des discours. Évidemment, Mitterrand s'est évertué à la mise en scène de soi-même, et bien avant qu'il ne devienne président de la République. Un air de majesté aristocratique, la pratique soutenue du vouvoiement, le goût de la lenteur et des comportements rituels, la culture du retard systématique, le mépris ostensible de l'argent… Mais tous ces signes de supériorité et de distance calculée ne l'empêchent pas de s'intéresser aux autres, de les soutenir, de se faire aimer par sa faculté d'écoute et son indéfectible fidélité.

Non seulement il séduit, mais il provoque l'attachement à sa personne, et notamment par l'affection et la compassion que lui inspirent ses proches en difficulté, les maladies de ses amis et leurs deuils. « Si François Mitterrand est fidèle, c'est à ses amis, écrit Françoise Giroud. Là, il est incomparable…[1]. » Pour le meilleur et pour le pire — le pire s'appelant clientélisme, aveuglement et défense de l'indéfendable. L'amitié est une des valeurs les plus certaines de son code moral personnel. « Mitterrand,

---

1. *Le Nouvel Observateur*, 18 mai 1995.

nous dit Pierre Joxe, avait ce don : personne ne se sentait écarté
par lui et, comme il était fidèle, les gens lui étaient fidèles, sans
être forcément vraiment liés ni à lui, ni entre eux[1]. » Pour gagner
les foules, il a su apprivoiser la télévision, qui exige tant de savoir-
faire. Ses débuts au petit écran n'ont pas été bons, mais ce fut le
cas également du général de Gaulle avant qu'il ne devienne une
star cathodique. Son discours affligeait les experts mais plaisait
au grand nombre. En 1981, face à Valéry Giscard d'Estaing,
entre les deux tours de la présidentielle, Mitterrand parut aux
yeux des connaisseurs, des spécialistes en économie, des intellectuels, surclassé par l'aisance de Giscard qui jonglait avec les
chiffres et regardait d'un peu haut son ignare d'adversaire. Or le
grand public jugea Mitterrand le meilleur des deux : le charme
avait opéré face au donneur de leçon. On ne comptera jamais
assez dans sa réussite les ressources de sa séduction.

Elle était naturelle, secondée par sa culture et son esprit délié.
On a souvent raillé Mitterrand d'être un lecteur de Jacques
Chardonne, un réactionnaire démodé ; lui-même y a concouru
en citant souvent l'écrivain charentais, l'homme de son terroir.
En fait, Mitterrand a été un grand liseur, toujours un livre à la
main en avion ou dans le train, et ses lectures étaient étendues,
depuis Lamartine jusqu'à Marguerite Duras, en passant par
Tolstoï, Gabriel García Márquez, Albert Cohen, Michel
Tournier... Dès son investiture, le nouveau président avait tenu
à marquer ce que Jack Lang appelle un peu pompeusement « le
passage symbolique d'une certaine ombre culturelle à une
lumière certaine : le pèlerinage au Panthéon se fit en présence
de Yachar Kemal, Gabriel García Márquez, Carlos Fuentes,
Julio Cortázar, William Styron, Élie Wiesel, Melina Mer-
couri et d'autres qui étaient invités à ces noces télévisées de
la politique et de la culture ». La première sortie officielle de
Mitterrand fut pour le Centre Pompidou et, la même année, sa

1. P. Joxe, *Pourquoi Mitterrand ?, op. cit.*, p. 112.

présence est notée au festival d'Avignon. Des mesures mieux
que symboliques furent prises : la loi sur le prix unique du livre,
que réclamaient les éditeurs et les libraires depuis longtemps ; le
doublement du budget de la culture, et, dès 1981, l'idée du
Grand Louvre, dont la conséquence était le déménagement du
ministère des Finances. Quelle que fût la part d'esbroufe d'un
certain nombre d'actions menées par le ministre superactif Jack
Lang, dont la popularité ne s'est pas démentie au fil des années,
notamment auprès des jeunes générations, son bilan est réel. Il
est incontestable que la culture a pris dans les années Mitterrand
une dimension politique sans précédent. Les grands travaux
(Grand Louvre, Opéra Bastille, Grande Arche, etc.) en furent
la manifestation la plus ostensible.

François Mitterrand eut à répondre de sa moralité. Sur ce
terrain-là, nous dit Alain Duhamel, « François Mitterrand a toujours eu mauvaise réputation[1] ». Sa carrière et ses variations politiques en sont la première cause. De la droite à la gauche, à
contre-courant des habitudes. En même temps, l'évolution a
paru inspirée par l'opportunisme. Mitterrand ne renie jamais ce
qu'il a été, malgré les inconséquences de ses engagements. Les
révélations de l'ouvrage de Pierre Péan nourrissent l'interroga-
tion : François Mitterrand a-t-il *changé* ou *cumulé* ? Il a addi-
tionné les idéologies, les amitiés de tous bords, les images
contradictoires, les fréquentations douteuses, au vu desquelles le
soupçon pèse : la seule constante de sa trajectoire n'aurait-elle pas
été la passion du pouvoir ? Ses relations tous azimuts sont
comme un immense clavier, sur lequel il joue à volonté, appuyant
sur une touche ou sur une autre, se servant aussi bien de ses
anciens camarades de stalag, des pseudo-alliés communistes ou
des pseudo-ennemis lepénistes, et tout en continuant à fréquenter jusqu'en 1986 René Bousquet et à faire fleurir sur l'île d'Yeu,
chaque année jusqu'en 1992, la tombe du maréchal Pétain. Une

---

1. Alain Duhamel, *Portrait d'un artiste*, Flammarion, 1997, p. 45.

forme dégradée de nietzschéisme porte cet homme de tous les talents et de tous les courages « par-delà le Bien et le Mal ». Il s'est accordé trop de licences avec la vérité sur sa jeunesse, sur ses choix politiques, sur son état de santé, composant la figure d'un personnage égotiste, réfractaire à la contrition ou à l'autocritique.

Sa vie privée était celle des princes, et particulièrement celle des rois de France. Non seulement par le nombre de ses conquêtes, furtives ou durables, mais par la mise à la disposition de son « bon plaisir » des moyens matériels de l'État — y compris l'utilisation des gendarmes de l'Élysée pour veiller sur sa fille « naturelle » et la mère de celle-ci. Les Français, là-dessus, ont plus d'indulgence que les Anglais ou les Américains et, si la question morale s'est posée, c'est bien moins au sujet de ses agissements privés que de ses liaisons dangereuses et protectrices avec des individus sulfureux, de ses mensonges publics et de l'ambiguïté de ses comportements oublieux de l'éthique républicaine.

Pour en venir au fond, la vie publique de François Mitterrand retient l'attention dans trois chapitres de son action : comme stratège, comme socialiste et comme coarchitecte de la Ve République.

De tous ses dons, celui de *stratège* doit être mis en évidence. Plus que personne, François Mitterrand a été doué de l'instinct politique, dont la « pierre de touche », suivant la fameuse distinction établie par Carl Schmitt, est l'aptitude à discerner l'ami et l'ennemi, de percevoir nettement l'« ennemi en tant que tel[1] ». Cet instinct s'est révélé chez François Mitterrand à partir de 1958. Jusque-là, député et éternel ministre de la IVe République, il a certes bien des ennemis au pluriel, mais on ne voit

---

1. Carl Schmitt, *La Notion de politique, théorie du partisan*, Calmann-Lévy, 1972, p. 114.

pas clairement quel est l'*ennemi* de Mitterrand au singulier. Adversaire de la Constitution de 1946, il n'en fait pas moins carrière sous ses lois et participe à des gouvernements de coalition, dans le dessein d'arriver un jour au sommet. Le retour du général de Gaulle avec la complicité de l'armée et l'instauration d'un nouveau régime sont devenus le moment clé de sa vie politique : il sait désormais opérer la distinction entre amis et ennemis. Il sera l'adversaire résolu, absolu, définitif des fondateurs de la Ve République, à commencer par de Gaulle en personne. Dans ce combat, et contrairement, comme on l'a vu, à son aîné Pierre Mendès France, il n'hésite pas à utiliser les nouvelles institutions qu'il flétrit dans son essai éclatant, *Le Coup d'État permanent*, à se présenter à l'élection présidentielle, dont le mode de scrutin, le suffrage universel, a été condamné par la gauche : la fin justifie les moyens.

En artiste de la politique, il parvient, lui, tombé si bas après l'affaire de l'Observatoire en 1959, à devenir le candidat des gauches en 1965 puis, grâce à un travail incessant, à s'imposer, après la recréation du parti socialiste à Épinay en 1971, comme le leader de moins en moins contesté de l'union de la gauche. Une union qui, depuis les débuts de la guerre froide, paraissait impossible mais qu'il a su réaliser, dans la mesure où l'alliance avec le parti communiste était, dans le rapport de force avec la droite, une condition nécessaire au combat victorieux contre celle-ci. François Mitterrand est foncièrement anticommuniste, mais il a été gagné à l'idée qu'il faut désenliser la gauche de sa désunion pour qu'elle arrive au pouvoir. Signe-t-il avec les communistes un programme commun de gouvernement on ne peut plus discutable ? Question secondaire ! « Loin de croire à la vertu des programmes, écrit Pierre Joxe, il était persuadé qu'il suffisait en politique d'indiquer quelques orientations générales pour être identifié. » Son identité ? Être le champion, le porte-parole, le « seul candidat crédible » (Lionel Jospin) de la gauche. Il lui fallait bien de l'audace pour vouloir cette union avec un parti communiste qui, pour avoir été affaibli par la victoire gaulliste, n'en paraissait pas moins une citadelle imprenable tout en étant un repoussoir de taille. Mais son instinct politique, nous y revenons, l'incitait à croire que, par l'union, le parti socialiste se développerait tandis que son partenaire s'affaiblirait. En 1972, on pouvait considérer cet espoir comme un acte de foi pur, et les communistes, eux, en signant l'accord, faisaient le calcul inverse, persuadés que le profit de cette union leur reviendrait. Dès les élections législatives de 1973, le pari de Mitterrand était en voie d'être gagné, au grand dam de l'état-major du PCF. La rupture de l'union en 1977 ne l'a pas ému car, à ce moment-là, le PS était la première force politique de la gauche et il savait que les dirigeants communistes seraient dans l'impossibilité, à moins d'assumer une opération de suicide, de ne pas appeler leurs électeurs à voter pour lui au second tour — ce qui se produisit effectivement en 1981. On pourra mettre encore au compte de son art politique sa réélection de 1988, sur un nouveau programme — mais pour lui l'important n'a jamais été le programme. Dans cette entreprise de conquête et de conservation du pouvoir, on peut juger François Mitterrand incomparable.

Au demeurant, cette stratégie d'union de la gauche à tout prix, si elle a réussi à François Mitterrand, a eu pour conséquence de figer le système des alliances au détriment de toute souplesse politique. En 1988, le Président, qui avait annoncé l'ouverture au cours de sa campagne, aurait pu aisément la pratiquer en maintenant l'Assemblée, où le centre et la droite républicaine n'avaient que deux voix de majorité. François Mitterrand préféra la dissoudre, mais il ne put recueillir la majorité absolue : le soutien du groupe communiste restait une nécessité. L'habitude était prise : il n'y aurait plus d'alliance au centre non plus qu'il n'y aurait d'« ennemi à gauche ». Encore en 2012, un des principaux leaders du centre (le Modem), François Bayrou, qui avait préconisé le vote pour François Hollande, ne put être élu aux législatives qui suivirent, faute du soutien socialiste. Tout se passe comme si le refus de l'alliance au centre assurait au PS dans le besoin le maintien de son identité de gauche, par ailleurs altérée.

Faut-il douter des convictions socialistes de Mitterrand ? Gilles Martinet racontait qu'en l'écoutant parler du socialisme il préférait regarder ses chaussures. Guy Mollet, lui, jugeait que Mitterrand avait appris à *parler le socialiste*. On peut objectivement rester dubitatif devant cette affirmation du chef socialiste à la fin de sa vie : « Je suis le même, dans le droit-fil de Jaurès et de Léon Blum. » Mais on ne peut répondre, je le pense aujourd'hui, par oui ou par non à la question. À supposer même qu'au départ, c'est-à-dire lorsqu'il conçoit sa stratégie après l'élection présidentielle de 1965, François Mitterrand n'ait été qu'un « socialiste de rencontre », selon le mot féroce de Régis Debray, ou un socialiste d'occasion et d'opportunité, il est clair qu'une fois cette option choisie il n'y a jamais renoncé. Admettons qu'au départ le poids des convictions pesait moins lourd que celui des ambitions. Mais l'ambition exige le discours de la conviction, et le martèlement du discours a pu jouer le rôle du prie-Dieu de Pascal dans l'acquisition de la foi. Il avait quelques raisons personnelles de se sentir du côté des sans-grade : son hostilité aux dominants, son éducation chrétienne, sa vision d'une société gouvernée par le grand capital, confisquant toutes les richesses à son profit : « Les salariés, expose-t-il, représentent aujourd'hui 80 % de la population active [...]. La gauche, socialement majoritaire en France, le sera politiquement — elle l'est peut-être déjà, dit-il en 1980 — quand les couches socioprofessionnelles exploitées auront compris l'identité de l'acte économique, de la protestation sociale et du bulletin de vote[1]. » Il faut donc arracher le pouvoir à cette poignée

---

1. F. Mitterrand, *Ici et maintenant, op. cit.*, p. 35. Cette politologie un peu courte, fondée sur le postulat qu'on vote pour défendre ses seuls intérêts matériels, est démentie par Mitterrand lui-même qui affirme plus loin : « Je crois à la permanence de la Droite populaire » (p. 37).

de puissants qui bernent le peuple, d'où résultent ses formules itératives : « Le pouvoir, c'est la propriété » — « L'important est que la propriété change de mains. » Le pouvoir d'État, le plan préféré au marché, la nationalisation des monopoles privés sont les impératifs qu'il fixe à un gouvernement socialiste, même après la rupture du PS et du parti communiste[1]. Je ne pense pas qu'on puisse nier alors sa sincérité : les nationalisations au lendemain de son élection en 1981 la vérifieront. Mais son goût ne l'incline pas à la théorie ; son socialisme reste élémentaire, très pauvre en termes de culture, comparé à celui de Jaurès ou de Blum. Et, comme la politique économique du PS échoue, il donne l'impression de mettre son socialisme entre parenthèses, tout en continuant à s'en réclamer jusqu'au bout.

Il y a dans les convictions politiques des hommes des degrés de foi : les moins frottés de religion qui vont à la messe ne sont pas forcément des athées ou des simulateurs. Il appert que Mitterrand jugeait primordial que la gauche fût au pouvoir, quitte à renoncer à son programme : l'occupation du pouvoir politique contre la droite primait tout. Les mauvaises langues diront : l'occupation du pouvoir pour lui-même. Les deux affirmations ne sont pas contradictoires : François Mitterrand à l'Élysée a eu la certitude d'incarner la gauche. Son identité socialiste la plus convaincante reste qu'il fut le bâtisseur d'un parti, qu'il appelait le « parti d'Épinay », véritablement rené de ses cendres : « François Mitterrand, écrira Lionel Jospin en 1991, s'il s'est servi du parti socialiste, comme je l'entends dire, l'a servi tout autant. Il lui a donné, jour après jour, de sa force, de sa patience, de son habileté, sans certitude de succès pour lui-même. Autour de lui se sont regroupés des hommes et des femmes qui voulaient sans doute autant changer le rapport de la gauche à la politique, passer à l'acte, réaliser[2]. » Faire renaître le

1. *Ibid.*, p. 20.
2. Lionel Jospin, *L'Invention du possible*, Flammarion, 1991, p. 59.

parti socialiste et le ramener au pouvoir sous son autorité a été le plus clair de ses objectifs : là est la part la moins contestable de son socialisme.

Ce que les militants, les électeurs et les élus du parti socialiste doivent à François Mitterrand, c'est, sans contredit, l'acceptation de gouverner sans complexe dans un régime capitaliste. Jaurès avait montré la voie en soutenant la participation du socialiste Alexandre Millerand au gouvernement Waldeck-Rousseau en 1899, mais la question ne se posa plus après la fondation de la SFIO en 1905 sur la base de la lutte des classes et de la non-participation à un gouvernement bourgeois. L'engagement des socialistes dans l'Union sacrée ne fut le résultat que d'une conjoncture exceptionnelle, celle de la Grande Guerre. Par la suite, la SFIO de Léon Blum, en concurrence avec le nouveau parti communiste, ne lâcha rien de ses buts révolutionnaires, jusqu'au moment où, devenue parti majoritaire de la gauche en 1936, elle accepta la responsabilité de gouverner. Léon Blum, pour le justifier, eut recours à une théorie fabriquée quelques années plus tôt qui distinguait la conquête du pouvoir (la révolution) de l'exercice du pouvoir (dans la légalité). La Seconde Guerre mondiale, la Résistance et les années qui suivirent la Libération accoutumèrent les socialistes au pouvoir dans des gouvernements de coalition. L'écart entre la doctrine et la pratique pragmatique des élus était cette fois justifié par la guerre froide. Mais le nouveau PS, le « parti d'Épinay », lancé sur la volonté de « rupture avec le capitalisme » allait-il accepter l'exercice du pouvoir sans états d'âme ? Mitterrand lui montra la voie. Après le tournant de 1983, le parti socialiste devenait un parti social-démocrate de fait, qui acceptait définitivement de rester au pouvoir sans prétendre créer une « société nouvelle » ou « changer la vie ». Deux mandats présidentiels de sept ans, exercés par François Mitterrand, ont installé le PS dans l'esprit de l'alternance et des responsabilités gouvernementales.

Les objurgations de Paul Thibaud et de Régis Debray, citées plus haut, sont contradictoires. Régis Debray, resté fidèle à l'esprit socialiste, aux nationalisations nécessaires des moyens de production et de crédit, a reproché à Mitterrand d'avoir liquidé le projet, de s'être trop adapté au cours du temps et au libéralisme européen dominant. Paul Thibaud, lui, accusait Mitterrand, non pas d'avoir évolué, mais de l'avoir fait sans le dire, en affirmant même le contraire, au lieu d'avoir encouragé la refondation du socialisme français sur les bases d'une démocratie sociale affirmée. Le congrès de l'Arche de 1991 et d'autres qui allaient suivre ont voulu réconcilier la théorie et la pratique, affirmer que les socialistes prônaient une société solidaire dans une économie de marché, mais François Mitterrand porte une grande part de responsabilité, par ses silences, dans la mauvaise conscience socialiste d'être devenus des « sociaux-démocrates » sans jamais l'avouer. « François Mitterrand, écrit l'historien du socialisme français et cadre du PS Alain Bergounioux, prenant en compte la diversité et les divisions de la gauche et des socialistes, ne favorisa pas une réelle révision idéologique, préférant le faire sans le dire. Si bien qu'à chaque grande difficulté, les débats ont rebondi au sein du parti socialiste pour savoir si l'exercice du pouvoir dans ces nouvelles conditions n'amenait pas une "trahison" des idéaux[1]. »

Le plus grand mérite de François Mitterrand, c'est d'avoir consolidé les institutions de la Ve République. On peut le lui reprocher : n'avait-il pas fustigé le « coup d'État permanent » que permettait la Constitution de 1958-1962 ? N'avait-il pas dit, après sa victoire, que cette Constitution était mauvaise avant lui et qu'elle le serait après lui, mais qu'elle était à sa mesure ? Il n'empêche, il a su consolider un régime constitutionnel que Mendès France avait cru voué à s'effondrer avec le

---

1. Alain Bergounioux, « La seule rupture historique du PS, c'est celle de 1982-1983 », *Le Monde*, 6 septembre 2014.

départ du général de Gaulle. L'instabilité dans ce domaine est telle depuis 1789 qu'on peut savoir gré à François Mitterrand d'avoir assuré une continuité nécessaire et œuvré pour la pacification de la vie politique.

En premier lieu, il a démontré, par sa victoire même et son refus de changer la règle du jeu, que l'alternance était possible ; ensuite, qu'un président de gauche pouvait s'accommoder d'un Premier ministre de droite dans le cas de figure qui fut appelé la « cohabitation ». « La véritable institutionnalisation de l'alternance, en 1981, puis en 1986, c'est un des résultats majeurs de l'action politique de Mitterrand depuis 1965, le fruit de son action opiniâtre pour rassembler la gauche », écrit Pierre Joxe, qui précise : « La première alternance, celle du 10 mai 1981, représenta un acquis démocratique majeur, par contraste avec la monopolisation du pouvoir par la droite depuis plus de vingt ans ou l'instabilité de la IIIᵉ et de la IVᵉ République. » Fait démocratique majeur, en effet, pour l'historien. La Vᵉ République, depuis 1981, peut marcher sur ses deux jambes. L'alternance, qui est au fondement du système démocratique moderne, était inconnue des Français. Par le passé, elle ne pouvait se produire que par les coups d'État et les révolutions. Même sous les IIIᵉ et IVᵉ Républiques, elle était quasi impossible, notamment à cause du multipartisme : les coalitions éphémères suivies de crises ministérielles tenaient lieu d'alternances. Adversaire des institutions « monarchiques » du régime, Mitterrand s'abstint de les modifier, mais il changea le sens gaullien de la Constitution en réalisant l'alternance et en acceptant la cohabitation : c'est dans la pratique qu'il modifia la règle, quitte à maintenir la nature de monarchie républicaine que lui avait donnée le fondateur. À cela il avait le mérite d'ajouter la loi de décentralisation, si inachevée fût-elle, car elle donnait au territoire du pays étouffé par les bureaux de la capitale un commencement de respiration nécessaire. Mitterrand, encore dans l'opposition, voulait en finir avec les préfets institués par

Bonaparte. Il n'est pas allé jusqu'au bout de ses intentions, mais du moins a-t-il montré la voie.

Tout cela fait-il de François Mitterrand un grand homme d'État ? Il est plus difficile d'en être assuré que de son art de la politique. Dans ses *Mémoires*, Jean-François Revel avance cette proposition : « Si j'avais à définir l'homme d'État, je dirais que c'est celui qui parvient à garder en main les deux bouts de la corde : le bout utilitaire et le bout théorique, le savoir-faire et le savoir tout court, la technique du pouvoir et le but du pouvoir, qui soit autre que la vulgaire jouissance de le posséder[1]. » Chacun appréciera si François Mitterrand a tenu ces deux « bouts de la corde ». Il est permis de rester dubitatif.

---

1. J.-F. Revel, *Mémoires : Le Voleur dans la maison vide, op. cit.*, p. 390.

APPENDICES

SOURCES, BIBLIOGRAPHIE ET FILMOGRAPHIE

SOURCES

Institut François Mitterrand : archives privées, documents sonores, fonds documentaire sur l'ensemble de l'activité du président de la République de 1981 à 1995.

Les archives de la présidence de la République, Archives nationales, série AG.

Agnès Bos, Vaisse Damien, « Les archives présidentielles de François Mitterrand », *Vingtième Siècle*, n° 86, avril-juin 2005.

Le Journal officiel, débats parlementaires.

Programmes et engagements électoraux (le Barodet), Assemblée nationale.

L'Année politique, Presses universitaires de France.

Sondages, revue française de l'opinion publique.

Sofres, *L'État de l'opinion*, Gallimard, puis Éd. du Seuil.

Dictionnaire de la vie politique française, sous la dir. de Jean-François Sirinelli, PUF, 1995.

Who's who in France.

Dictionnaire des ministres (1789-1989), sous la dir. de Benoît Yvert, Perrin, 1990.

ŒUVRES DE FRANÇOIS MITTERRAND

Les Prisonniers de guerre devant la politique, Éd. du Rond-Point, 1945.
Aux frontières de l'Union française. Indochine, Tunisie, Julliard, 1953.
Présence française et abandon, Plon, 1957.
La Chine au défi, Julliard, 1961.

Le Coup d'État permanent, Plon, 1964.

Ma part de vérité, Fayard, 1969.

Un socialisme du possible, Éd. du Seuil, 1971.

La Rose au poing, Flammarion, 1973.

La Paille et le Grain, Flammarion, 1975.

Politique I et II, Fayard, 1977 et 1981.

L'Abeille et l'Architecte, Flammarion, 1978.

Ici et maintenant, Fayard, 1980.

Réflexions sur la politique extérieure de la France. Introduction à vingt-cinq discours (1981-1985), Fayard, 1986.

Mémoire à deux voix (avec Élie Wiesel), Odile Jacob, 1995.

De l'Allemagne, de la France, Odile Jacob, 1996.

Mémoires interrompus, Odile Jacob, 1996.

Le Bureau de poste de la rue Dupin et autres entretiens (avec Marguerite Duras), Gallimard, 2006.

JOURNAUX ET REVUES

Commentaire; Le Courrier de la Nièvre; Le Débat; Écrits de Paris; Esprit; L'Expansion; L'Express; Le Figaro; France, revue de l'État nouveau; L'Homme libre; L'Humanité; Libres; Le Matin de Paris; Le Monde; Le Nouvel Observateur; Paris-Match; Paris-Presse; Le Point; Le Progrès social; Revue Montalembert; Revue nationale de Sciences politiques; Rivarol; Les Temps modernes; Tribune socialiste; L'Unité; Vingtième Siècle, revue d'histoire.

OUVRAGES GÉNÉRAUX

AGULHON, Maurice, *La République, de Jules Ferry à Charles de Gaulle*, Hachette, 1990.

ALEXANDRE, Philippe, *Le Roman de la gauche*, Plon, 1977.

AZÉMA, Jean-Pierre, *Nouvelle Histoire de la France contemporaine*, t. XIV, *De Munich à la Libération 1938-1944*, Points-Histoire/Seuil, 1979.

BECKER, Jean-Jacques, *Nouvelle Histoire de la France contemporaine*, t. XIX, *Crises et alternances 1974-1995*, Points-Histoire/Seuil, 1998.

BERGOUNIOUX, Alain, GRUNBERG Gérard, *L'Ambition et le remords: les socialistes français et le pouvoir (1905-2005)*, Fayard, 2005.

BERSTEIN, Serge, *Nouvelle Histoire de la France contemporaine*, t. XVII et XVIII, *La France de l'expansion, 1958-1974*, Points-Histoire/Seuil, 2 vol., 1989.

BURRIN, Philippe, *La France à l'heure allemande*, Points-Histoire/Seuil, 1995.

COURTOIS, Stéphane, LAZAR, Marc, *Histoire du parti communiste français*, PUF, 1995.

ELGEY, Georgette, *La République des illusions, 1945-1951*, Fayard, 1993.

—, *La République des contradictions, 1951-1954*, Fayard, 1993.

—, *La République des tourmentes, 1954-1959*, Fayard, 1992-2012.

FAVIER, Pierre, MARTIN-ROLAND, Michel, *La Décennie Mitterrand*, 4 vol., Éd. du Seuil.

FERENCZY, Thomas, *Chronologie du septennat : 1981-1988*, Lyon, La Manufacture, 1988.

Journal de la France et des Français. Chronologie politique, culturelle et religieuse de Clovis à 2000, Gallimard, 2001, « Quarto ».

JULLIARD, Jacques, *Les Gauches françaises. 1762-2012 : histoire, politique et imaginaire*, Flammarion, 2012.

LE MONG NGUYEN, *La Constitution de la Ve République : théorie et pratique, de Charles de Gaulle à François Mitterrand*, STH, 1983.

RIOUX, Jean-Pierre, *Nouvelle Histoire de la France contemporaine. La France de la Quatrième République 1944-1958*, Points-Histoire/Seuil, 1980 et 1983.

VERGEZ-CHAIGNON, Bénédicte, *Les Vichysto-Résistants*, Perrin, 2008.

VIANSSON-PONTÉ, Pierre, *Histoire de la République gaullienne*, Fayard, 1971.

WERTH, Alexander, *La France depuis la guerre 1944-1957*, Gallimard, 1957.

WIEVIORKA, Olivier, *Histoire de la Résistance 1940-1945*, Perrin, 2013.

WINOCK, Michel, *La Gauche en France*, « Tempus »/Perrin, 2006.

—, *La France politique XIXe-XXe siècle*, Points-Histoire/Seuil, 1999.

BIOGRAPHIES

APPARU, Benoist, *François Mitterrand 1981-1995*, La Ferté-Saint-Aubin, Aucher, 1999.

ATTALI, Jacques, *C'était François Mitterrand*, Le Grand Livre du mois, 2005.

BALVET, Marie, *Le Roman familial de François Mitterrand*, Plon, 1994.

BARBIER, Christophe, *Les Derniers Jours de François Mitterrand*, Grasset, 2010.

BATTUT, Jean, *François Mitterrand le Nivernais, 1946-1971, la conquête d'un fief*, L'Harmattan, 2011.

BOISDEFFRE, Pierre de, *Le Lion et le Renard : de Gaulle, Mitterrand*, Monaco, Éd. du Rocher, 1998.

BORZEIX, Jean-Marie, *Mitterrand lui-même*, Stock, 1973.

BOUJUT, Pierre, *Un mauvais Français*, Arléa, 1989.

CARLE, Françoise, *Les Archives du Président : Mitterrand intime*, Monaco, Éd. du Rocher, 1998.

CHARMONT, François, *François Mitterrand et la Nièvre : géopolitique de la Nièvre 1945-1995*, L'Harmattan, 2001.

CHEMIN, Ariane, CATALANO, Géraldine, *Une famille au secret : le Président, Anne et Mazarine*, Stock, 2005.

COLOMBANI, Jean-Marie, *Portrait d'un président : le monarque imaginaire*, Gallimard, 1985.

DANIEL, Jean, *Les Religions d'un président : regards sur les aventures du mitterrandisme*, Grasset, 1988.

DENIS, Stéphane, *L'Amoraliste*, Fayard, 1992.

DESJARDINS, Thierry, *François Mitterrand, un socialiste gaullien*, Hachette, 1978.

DUHAMEL, Alain, *François Mitterrand, portrait d'un artiste*, Flammarion, 1997.

DUHAMEL, Éric, *François Mitterrand : l'unité d'un homme*, Flammarion, 1998.

DUNILAC, Julien, *François Mitterrand sous la loupe*, Genève, Slatkine, 1981.

DUPIN, Éric, *L'Après-Mitterrand : le parti socialiste à la dérive*, Calmann-Lévy, 1991.

EVIN, Kathleen, *François Mitterrand : chronique d'une victoire annoncée*, Fayard, 1981.

GAUTHIER, Guy, *François Mitterrand : le dernier des Capétiens*, France-Empire, 2005.

GENESTAR, Alain, *Les Péchés du prince*, Grasset, 1992.

GIESBERT, Franz-Olivier, *François Mitterrand, une vie*, Éd. du Seuil, 2011.

GOUZE, Roger, *Mitterrand par Mitterrand*, Le Cherche-Midi, 1994.

GUBLER, Claude, GONOD Michel, *Le Grand Secret*, Monaco, Éd. du Rocher, 2005.

HALPHEN, Éric, *Mitterrand, ombres et lumières*, Scali, 2005.

L'Histoire, « Le dossier Mitterrand », n° 253, avril 2001.

HOURMANT, François, *François Mitterrand, le pouvoir et la plume : portrait d'un président en écrivain*, PUF, 2010.

JAMET, Dominique, *À chacun son coup d'État*, Neuilly-sur-Seine, Éd. du Quotidien, 1984.

LACOUTURE, Jean, *Mitterrand, une histoire de Français*, I. *Les risques de l'escalade* ; II. *Les vertiges du sommet*, Éd. du Seuil, 1998.

—, *Pierre Mendès France*, Éd. du Seuil, 1981.

LE BAILLY, David, *La Captive de Mitterrand*, Stock, 2014.

LE PAIGE, Hugues, *Mitterrand, 1965-1995, la continuité paradoxale*, Éd. de l'Aube, 1995.

MAGOUDI, Ali, *Rendez-vous : la psychanalyse de François Mitterrand*, M. Sell éditeur, 2005.

MOULIN, Charles, *Mitterrand intime*, Albin Michel, 1982.

NAY, Catherine, *Le Noir et le Rouge ou l'Histoire d'une ambition*, Grasset, 1984.

—, *Les Sept Mitterrand : les métamorphoses d'un septennat*, Grasset, 1988.

NORTHCUTT, Wayna, *Mitterrand : a political biography*, New York, Holmes and Meier, 1992.

PATOZ, Jacques, *François Mitterrand ou le Triomphe de la contradiction*, B. Giovanangeli, 2005.

PÉAN, Pierre, *Une jeunesse française. François Mitterrand 1934-1947*, Fayard, 1994.

—, *Dernières Volontés, derniers combats, dernières souffrances*, Plon, 2002.

RIMBAUD, Christiane, *Bérégovoy*, Perrin, 1994.

ROUSSET, Vincent, *François Mitterrand et les Charentes*, Le Croît vif, 1998.

SCHNEIDER, Robert, *Les Mitterrand*, Perrin, 2009.

—, *Michel Rocard*, Stock, 1987.

—, *La Haine tranquille*, Fayard, 1992.

SEVRAN, Pascal, *Mitterrand, les autres jours*, Albin Michel, 1998.

SHORT, Philip, *Mitterrand : a Study in Ambiguity*, London, The Bodley Head, 2013.

TRANO, Stéphane, *Mitterrand, une affaire d'amitié*, préface de Mazarine Pingeot, postface de Jack Lang, L'Archipel, 2005.

UNGER, Gérard, *Gaston Defferre*, Fayard, 2011.

VÉDRINE, Hubert, *François Mitterrand, un dessein, un destin*, Gallimard, 2005, « Découvertes ».

VULSER, Nicole, *André Rousselet : les trois vies d'un homme d'influence*, Calmann-Lévy, 2001.

WEBSTER, Paul, *Mitterrand, l'autre histoire, 1946-1995*, Éd. du Félin, 1995.

YONNET, Paul, *François Mitterrand le phénix*, Fallois, 2003.

TÉMOIGNAGES, MÉMOIRES, PROFESSIONS DE FOI

ATTALI, Jacques, *Verbatim*, 3 vol., Fayard, 1993-1995.

BALLADUR, Édouard, *Le pouvoir ne se partage pas : conversations avec François Mitterrand*, Fayard, 2009.

COTTA, Michèle, *Cahiers secrets de la Ve République*, 1, 2 et 3, Fayard, 2007-2009.

DANIEL, Jean, *Œuvres autobiographiques*, Grasset, 2002.

DEBRAY, Régis, *Loués soient nos seigneurs*, Gallimard, 1996.

DECRAENE, Paulette, *Secrétariat particulier*, préface de Louis Mermaz, L'Archipel, 2008.

FITERMAN, Charles, *Profession de foi*, Éd. du Seuil, 2005.

GISCARD D'ESTAING, Valéry, *Le Pouvoir et la Vie*, 3 vol., Compagnie 12, 2004-2006.

GUITTON, Jean, *L'Absurde et le mystère : ce que j'ai dit à François Mitterrand*, Desclée de Brouwer, 1997.

HANIN, Roger, *Lettre à un ami mystérieux*, Grasset, 2001.

JOSPIN, Lionel, *L'Invention du possible*, Flammarion, 1991.

JOXE, Pierre, *Pourquoi Mitterrand ?*, Philippe Rey, 2006.

LÉVÊQUE, Pierre, *Souvenirs du vingtième siècle*, 2 vol., L'Harmattan, 2012.

MARCHAIS, Georges, *Le Défi démocratique*, Grasset, 1973.

MARTINET, Gilles, *L'Observateur engagé*, Jean-Claude Lattès, 2004.

MAURIAC, François, *Bloc-Notes*, 5 vol., Points Seuil, 1993.

MERMAZ, Pierre, *Il faut que je vous dise, Mémoires*, Odile Jacob, 2013.

MEXANDEAU, Louis, *François Mitterrand, le militant : trente années de complicité*, Le Cherche Midi, 2006.

MITTERRAND, Danielle, *En toute liberté*, Ramsay, 1996.

MITTERRAND, Robert, *Frère de quelqu'un*, Robert Laffont, 1998.

MOATI, Serge, *Trente Ans après*, Éd. du Seuil, 2011.

NEIERTZ, Véronique, ESTIER, Claude, *Véridique Histoire d'un septennat peu ordinaire*, Grasset, 1987.

ORSENNA, Érik, *Grand Amour, Mémoires d'un nègre*, Points Seuil, 1993.

PEYREFITTE, Alain, *C'était de Gaulle*, 3 vol., Fallois/Fayard, 2000.

PINGEOT, Mazarine, *Bouche cousue*, Julliard, 2005.

REVEL, Jean-François, *Mémoires. Le Voleur dans la maison vide*, Plon, 1997.

ROCARD, Michel, *Si ça vous amuse : chronique de mes faits et méfaits*, Flammarion, 2010.

ROY, Claude, *Moi je*, Gallimard, 1969.

SALZMANN, Charles, *Le Bruit de la main gauche : 30 ans d'amitié et de confidences avec François Mitterrand*, R. Laffont, 1996.

TIERSKY, Ronald, *François Mitterrand : a Very French President*, Lanham, Md, Rowman and Littlefield Publ., 2003.

TOURLIER, Pierre, *Conduite à gauche : Mémoires du chauffeur de François Mitterrand*, Denoël, 2000.

VÉDRINE, Hubert, *Les Mondes de François Mitterrand, à l'Élysée, 1981-1995*, Fayard, 1996.

ÉTUDES PARTICULIÈRES

ALEXANDRE, Philippe, *Paysages de campagne*, Grasset, 1988.

—, *Plaidoyer impossible pour un vieux président abandonné par les siens*, Albin Michel, 1994.

AZEROUAL, Yves, *Mitterrand, Israël et les Juifs*, Laffont, 1990.

BACQUÉ, Raphaëlle, *Le Dernier mort de Mitterrand*, Grasset, 2010.

BAUMANN-REYNOLDS, Sally, *François Mitterrand : The Making of a Socialist Prince in Republican France*, Westport, Conn., Praeger, 1995.

BAZIN, François, *Jacques Pilhan, le sorcier de l'Élysée*, Tempus/Perrin, 2011.

BERSTEIN Serge, MILZA, Pierre, BIANCO, Jean-Louis (dir.), *François Mitterrand, les années du changement, 1981-1984*, Perrin, 2001.

BLOT, Yvan, *Mitterrand, Le Pen : le piège*, Monaco, Éd. du Rocher, 2007.

BRAUNSTEIN, Mathieu, *François Mitterrand à Sarajevo, 28 juin 1992 : le rendez-vous manqué*, L'Harmattan, 2001.

CAUCHY, Pascal, *L'Élection d'un notable*, Vendémiaire, 2013.

Changer la vie : programme de gouvernement du Parti socialiste, présentation par François Mitterrand, Flammarion, 1972.

CHASLIN, François, *Les Paris de François Mitterrand*, Gallimard, 1985, « Folio Actuel ».

CLAUDE, Henri, *Mitterrand ou l'atlantisme masqué*, Messidor/Éd. sociales, 1986.

CLÉMENT, Claude, *L'Affaire des fuites : objectif Mitterrand*, O. Orban, 1980.

COLE, Alistair, *François Mitterrand : a Study in Polical Leadership*, London, Routledge, 1997.

DUHAMEL, Éric, *L'UDSR ou la Genèse de François Mitterrand*, Presses du CNRS, 2007.

FAUX, Emmanuel, LEGRAND, Thomas, PEREZ, Gilles, *La Main droite de Dieu*, Éd. du Seuil, 1994.

FILIU, Jean-Pierre, *Mitterrand et la Palestine : l'ami d'Israël qui sauva par trois fois Yasser Arafat*, Fayard, 2005.

GATTAZ, Yvon, *Mitterrand et les patrons, 1981-1986*, Fayard, 1999.

JULLIARD, Jacques (dir.), *La Mort du roi, essai d'ethnographie politique comparée*, Gallimard, 1999.

JULY, Serge, *Les années Mitterrand : histoire baroque d'une normalisation inachevée*, Grasset, 1986.

LABBÉ, Dominique, *Le Vocabulaire de François Mitterrand*, Presses de la FNSP, 1990.

LABI, Philippe, *Mitterrand : le pouvoir et la guerre*, Ramsay, 1991.

LAURENT, Frédéric, *Le Cabinet noir : avec François de Grossouvre au cœur de l'Élysée de François Mitterrand*, Albin Michel, 2006.

LE PAIGE, Hugues, *Mitterrand, 1965-1995 : la continuité paradoxale*, La Tour d'Aigues, Éd. de l'Aube, 1995.

LESTROHAN, Patrice, *L'Observatoire : l'affaire qui faillit emporter François Mitterrand*, N. Eybalin, 2012.

LHOMEAU, Jean-Yves, COLOMBANI, Jean-Marie, *Le Mariage blanc : Mitterrand-Chirac*, Grasset, 1986.

LIÉGEOIS, Jean-Paul, BÉDÉÏ, Jean-Pierre, *Le Feu et l'eau : Mitterrand-Rocard, histoire d'une longue rivalité*, Grasset, 1990.

MALYE, François, STORA, Benjamin, *François Mitterrand et la guerre d'Algérie*, Calmann-Lévy, 2010.

MONTALDO, Jean, *Mitterrand et les quarante voleurs*, Albin Michel, 1994.

MORRAY, Joseph P., *Grand disillusion : François Mitterrand and the French Left*, Westport, Conn., Praeger, 1997.

PEYREFITTE, Alain, *Quand la rose se fanera : du malentendu à l'espoir*, Plon, 1983.

PFISTER, Thierry, *Dans les coulisses du pouvoir : la comédie de la cohabitation*, A. Michel, 1986.

PLANTU, *Le Petit Mitterrand illustré*, Éd. du Seuil, 1995.

PONTAUT, Jean-Marie, DUPUIS, Jérôme, *Les Oreilles du Président, suivi de la liste de 2 000 personnes écoutées par François Mitterrand*, Fayard, 1996.

REVEL, Jean-François, *L'Absolutisme inefficace ou Contre le présidentialisme à la française*, Pocket/Plon, 1993.

SÉGUÉLA, Jacques, *La Parole de Dieu*, Albin Michel, 1995.

La Social-démocratie en questions, avec des réflexions de François Mitterrand, Éd. de la « RPP », diffusion PUF, 1981.

STASSE, François, *La Morale de l'Histoire : Mitterrand - Mendès France 1943-1982*, Éd. du Seuil, 1994.

TRANO, Stéphane, *Mitterrand, les amis d'abord*, L'Archipel, 2000.

VIDAL-NAQUET, Pierre, *La Torture dans la République : essai d'histoire et de politique contemporaine (1954–1962)*, La Découverte, 1989 ; Éd. de Minuit, 1972.

VIRARD, Marie-Paule, *Comment Mitterrand a découvert l'économie : les onze journées qui ont fait passer la France des nationalisations au franc fort*, Albin Michel, 1993.

FILMOGRAPHIE

François de Jarnac, portrait en surimpressions, Hugues Le Paige et Jean-François Bastin, RTBF-TSR, 1994.

François Mitterrand ou le roman du pouvoir, de Patrick Rotman, en 4 parties de 52 min, 2000.

Conversations avec un président, entretiens entre François Mitterrand et Jean-Pierre Elkabbach, 2001.

Le Promeneur du Champ-de-Mars, de Robert Guédiguian, avec Michel Bouquet, 2005.

Changer la vie, de Serge Moati, avec Philippe Magnan, 2011.

Mitterrand contre de Gaulle (1940–1970), de Joël Calmettes, 2011.

Le pouvoir ne se partage pas, docu-fiction de Jérôme Korkikian, 2013.

Rocard/Mitterrand, émission de Lucien Cariès, « Duels », FR5, 2014.

CHRONOLOGIE

1916

26 octobre   Naissance de François Mitterrand à Jarnac.

1925

Octobre   Entrée au collège Saint-Paul d'Angoulême.

1934

Octobre   Installation à Paris, 104 rue de Vaugirard, pension tenue par les frères maristes. Inscription à la faculté de droit et à l'École des sciences politiques.

1935

Milite aux Volontaires nationaux (Croix-de-Feu).

1936

Écrit dans *L'Écho de Paris*.

1938

Doctorat en droit, diplôme des Sciences politiques. Service militaire, où il fait la connaissance de Georges Dayan.

1940

Mars   Fiançailles avec Marie-Louise Terrasse.
Juin   Blessé, fait prisonnier.

1941

15 décembre   Réussite de sa troisième tentative d'évasion.

1942

Janvier   Vichy. Travaille à la Légion française des combattants comme contractuel puis au Commissariat au reclassement des prisonniers de guerre.

15 octobre   Reçu par le maréchal Pétain avec plusieurs responsables du Comité d'entraide aux prisonniers rapatriés.

1943

Janvier   Démissionne du Commissariat.

Février   Fonde le Rassemblement national des prisonniers de guerre (RNPG).

Printemps   Décoré de la francisque.

15 juillet   Réunion publique à la salle Wagram consacrée à la « relève » des prisonniers. Mitterrand interpelle André Masson qui a remplacé Maurice Pinot à la tête du Commissariat. Entre dans la clandestinité sous le pseudonyme de « Morland ».

15 novembre   Départ pour Londres. Puis se rend à Alger, où il rencontre le général de Gaulle en présence d'Henri Frenay, du général Giraud et de Pierre Mendès France.

1944

Février   Dirige en France le Mouvement national des prisonniers de guerre et déportés.

Juin   Nommé par de Gaulle commissaire (provisoire) aux Prisonniers de guerre.

Août   Participe à la libération de Paris.

Septembre   Refuse d'être le second de Frenay, démissionne.

28 octobre   Se marie avec Danielle Gouze.

1945

Avril   Accompagne le général Lewis comme représentant de la France pour la libération des camps de Landsberg et de Dachau, d'où il tire Robert Antelme.

Dirige *Libres*, journal des anciens prisonniers, puis *Votre Beauté*, magazine de L'Oréal.

1946

10 novembre   Après un premier échec dans le département de la Seine, il est élu député de la Nièvre sous l'étiquette « Action et unité républicaine ».

1947

28 janvier   Apparenté UDSR, petite formation de centre droit - centre gauche, il devient ministre des Anciens Combattants dans le gouvernement Ramadier.

Novembre   Ministre des Anciens Combattants dans le gouvernement du MRP Robert Schuman.

1948

7 - 10 mai   Européen de la première heure, il participe au congrès de La Haye.

Juillet   Il est Secrétaire d'État de l'Information dans le cabinet radical de Queuille.

1949

Mars   Il est élu conseiller général de Montsauche dans la Nièvre.

1950

Juillet   Il est ministre de la France d'outre-mer dans le gouvernement Pleven (UDSR).

1952

Janvier   Ministre d'État dans le cabinet d'Edgar Faure.

1953

Juin   Ministre délégué chargé de l'Europe dans le cabinet Laniel (droite).

Septembre   En désaccord avec la déposition du sultan du Maroc, il démissionne du gouvernement Laniel. Il collabore à *L'Express* et se lie à Pierre Mendès France.

1954-1955

18 juin - 5 février   Ministre de l'Intérieur du gouvernement Mendès France.

Septembre - décembre 1954   Affaire des fuites (de documents relatifs à la guerre d'Indochine). François Mitterrand est soupçonné, mais sera disculpé en 1956.

Décembre 1955   Le successeur de Mendès France, Edgar Faure, dissout l'Assemblée. PMF, Mitterrand, Mollet et Chaban-Delmas fondent le Front républicain qui l'emporte aux élections du 2 janvier 1956.

1956

. Janvier   Mitterrand devient ministre de la Justice dans le gouvernement de Guy Mollet.

6 février   Guy Mollet se résigne à une politique répressive en Algérie. Mitterrand reste au gouvernement même après la démission de PMF, le 23 mai.

1957

Publie *Présence française et abandon*.

1958

Dénonce le « coup d'État » du général de Gaulle. Il perd son siège de député — il le retrouvera en 1962.

1959

Élu maire de Château-Chinon et sénateur de la Nièvre.

15 octobre   Affaire de l'Observatoire. En novembre, le Sénat vote la levée de son immunité parlementaire.

1963

Fonde la LCR, Ligue pour le combat républicain qui fusionne avec d'autres clubs et devient le CAI (Comité d'action institutionnel).

1964

Publie *Le Coup d'État permanent* (Plon). En juin, il prend la tête de la Convention des institutions républicaines, qui rassemble plusieurs clubs de gauche.

1965

8 octobre   Se porte candidat à l'élection présidentielle contre de Gaulle.

5 décembre   Le général de Gaulle est mis en ballottage. Candidat unique de la gauche, François Mitterrand obtient 31,72 % des voix. Il sera battu au second tour avec 45,5 % des voix.

1968

28 mai   Au cours de la crise de mai, François Mitterrand annonce dans une conférence de presse qu'il sera candidat à l'Élysée en cas de vacance du pouvoir.

1969

28 avril   De Gaulle démissionne. François Mitterrand publie *Ma part de vérité*, entretiens avec Alain Duhamel, et renonce à se présenter à l'élection présidentielle contre Pompidou.

1er - 13 juillet   Au congrès d'Issy-les-Moulineaux, deuxième session, après Alfortville, du congrès fondateur du nouveau parti socialiste, la SFIO devient le parti socialiste. Alain Savary est élu premier secrétaire.

1971

Juin   Congrès d'Épinay. François Mitterrand adhère au PS. Il en est aussitôt élu premier secrétaire.

1972

26 juin   Signe un programme commun de gouvernement avec les communistes et les radicaux de gauche.

1974

Élection de Valéry Giscard d'Estaing. François Mitterrand, candidat de la « gauche unie », obtient 49,19 % des voix au second tour.

1977

Mars   Victoire de la gauche aux élections municipales.
23 septembre   Rupture de l'union de la gauche.

1979

6 - 8 avril   Michel Rocard, leader de la « deuxième gauche », s'oppose à François Mitterrand qui reste attaché aux principes du programme commun.

1980

Publie *Ici et maintenant*, manifestant son intention de se représenter en 1981.

1981

24 janvier   Au congrès de Créteil, François Mitterrand est désigné candidat à l'élection présidentielle. Adoption des *110 propositions* qui serviront de programme.

10 mai   Élu président de la République avec 51,75 % des voix.

21 mai   Nomme Pierre Mauroy Premier ministre et dissout l'Assemblée nationale. Quatre ministres communistes entrent au gouvernement.

21 juin   Les socialistes remportent la majorité absolue aux élections législatives. Ils adoptent de grandes lois symboles de leur programme : création de l'impôt sur les grandes fortunes, relèvement du Smic, des allocations familiales et du minimum vieillesse...

11 août   Régularisation de la situation de trois cent mille immigrés clandestins.

18 septembre   Abolition de la peine de mort.

Octobre   Adoption définitive de la loi autorisant les radios locales. Première dévaluation du franc.

4 novembre   Le nombre de chômeurs dépasse deux millions.

18 décembre   Vote définitif du projet de loi sur les nationalisations.

1982

13 janvier   Durée du travail hebdomadaire ramenée à trente-neuf heures ; cinquième semaine de congé annuel.

2 mars   Première loi Defferre sur la décentralisation.

3 - 5 mars   François Mitterrand est le premier chef d'État français à se rendre en Israël.

10 juin   La loi Quilliot réorganise les rapports entre propriétaires et locataires au bénéfice de ces derniers.

13 juin   Échec de la relance. Premier plan de rigueur de Jacques Delors.

Juillet - décembre   Vote des lois Auroux qui renforcent les droits des salariés.

22 août   Mise en place de la Haute Autorité audiovisuelle.

1983

25 mars   Deuxième plan de rigueur, dit « plan d'austérité ». François Mitterrand choisit de maintenir le franc dans le Système monétaire européen.

1er avril   Entrée en vigueur de la loi sur la retraite à soixante ans.

18 juin   Premier tir réussi d'Ariane.

10 août   Arrivée de troupes françaises au Tchad pour protéger Hissène Habré.

1984

29 mars   Adoption d'un plan de « restructurations industrielles » concernant les charbonnages, les chantiers navals, la sidérurgie.

24 juin   À la suite de l'adoption par l'Assemblée nationale du projet d'Alain Savary sur le grand service public, laïque et unifié de l'enseignement, près d'un million de personnes manifestent en faveur de l'école privée. François Mitterrand retire le texte en juillet.

19 juillet   Laurent Fabius est nommé Premier ministre.

22 septembre   À Verdun, main dans la main avec Kohl.

1985

10 juillet   Affaire Greenpeace. La France reconnaît la responsabilité de ses services secrets dans l'opération contre le *Rainbow Warrior*.

1986

20 janvier   La Cinq, première chaîne de télévision privée non cryptée, attribuée par François Mitterrand, commence à émettre.

18 mars   Lors des élections législatives, le scrutin proportionnel entraîne une forte poussée de l'extrême droite. Victoire de la droite. François Mitterrand nomme Jacques Chirac Premier ministre. Première cohabitation.

1988

4 mars   Inauguration de la pyramide du Louvre.

22 mars   François Mitterrand annonce sa candidature à un second mandat.

7 avril   *Lettre à tous les Français*. François Mitterrand lance le « ni-ni », ni nouvelles nationalisations ni nouvelles privatisations.

8 mai   François Mitterrand est réélu président de la République avec 54 % des voix au second tour, face à Jacques Chirac. Il nomme Michel Rocard Premier ministre et dissout l'Assemblée nationale.

Juin   Courte victoire de la gauche aux élections législatives.

6 novembre   Référendum sur le statut de la Nouvelle-Calédonie.

1er décembre   Création du Revenu minimum d'insertion (RMI).

1989

Juillet   Inaugurations de la Grande Arche de la Défense et de l'Opéra Bastille.

Novembre   Chute du mur de Berlin. En plein débat sur la réunification, François Mitterrand se rend en RDA.

1990

15 - 18 mars   Au congrès socialiste de Rennes, « jospinistes » et « fabiusiens » s'affrontent avec violence, provoquant l'éclatement du courant « mitterrandien ».

1991

Janvier-février   Engage la France dans la guerre du Golfe contre l'Irak.

15 mai   Édith Cresson devient Premier ministre. C'est la première fois en France qu'une femme dirige un gouvernement.

1992

2 avril   Pierre Bérégovoy Premier ministre. Entrée au gouvernement de Bernard Tapie, qui démissionne en mai.

14 juillet   Le Président se refuse à reconnaître la responsabilité de la France dans les crimes de Vichy.

20 septembre   François Mitterrand choisit de faire ratifier par référendum le traité de Maastricht. 51,04 % des Français approuvent l'Union européenne.

Novembre   François Mitterrand révèle au cours d'un entretien télévisé son cancer de la prostate. Il a subi une première intervention chirurgicale le 11 septembre.

Décembre   Le nombre de chômeurs approche trois millions.

1993

29 mars   Victoire de la droite aux élections législatives, Édouard Balladur est Premier ministre de la deuxième cohabitation.

1er mai   Suicide de Pierre Bérégovoy.

1994

Septembre   Publication d'*Une jeunesse française* de Pierre Péan. Le *12*, François Mitterrand s'explique à la télévision sur sa santé et son engagement pétainiste.

10 novembre   *Paris-Match* publie des photos de Mazarine Pingeot, fille de François Mitterrand dont l'existence avait été tenue secrète jusque-là.

1995

13 mars   Il fait savoir qu'il votera pour Jospin mais restera très discret durant la campagne.

30 mars   Inauguration de la Bibliothèque nationale de France.

Avril   Dans *Mémoire à deux voix* avec Élie Wiesel, il se dit « en paix avec lui-même » à propos de ses engagements de jeunesse.

7 mai   Jacques Chirac est élu président de la République.

1996

8 janvier   Décès de François Mitterrand à Paris.

11 janvier   Obsèques à Jarnac. Hommage solennel à Notre-Dame de Paris.

17 janvier   Publication du livre du docteur Claude Gubler, *Le Grand Secret.*

INDEX

Composition : IGS-CP à L'Isle-d'Espagnac (16)
Achevé d'imprimer par Normandie Roto Impression s.a.s.,
le 16 février 2015
Dépôt légal : février 2015
Numéro d'imprimeur : 1500679
ISBN : 978-2-07-014256-9/Imprimé en France

255456